DEMOCRACIA, MERCADO E ESTADO

À memória de Eduardo Kugelmas

DEMOCRACIA, MERCADO E ESTADO
o B de Brics

Lourdes Sola e Maria Rita Loureiro
ORGANIZADORAS

Copyright © 2011 Lourdes Sola e Maria Rita Loureiro

Direitos desta edição reservados à
Editora FGV
Rua Jornalista Orlando Dantas, 37
22231-010 | Rio de Janeiro, RJ | Brasil
Tels.: 0800-021-7777 | 21-3799-4427
Fax: 21-3799-4430
editora@fgv.br | pedidoseditora@fgv.br
www.fgv.br/editora

Impresso no Brasil | *Printed in Brazil*

Todos os direitos reservados. A reprodução não autorizada desta publicação, no todo ou em parte, constitui violação do copyright (Lei nº 9.610/98).

Os conceitos emitidos neste livro são de inteira responsabilidade do(s) autor(es).

1ª edição – 2011

PREPARAÇÃO DE ORIGINAIS
Maria Lucia Leão Velloso

REVISÃO
João Sette Camara

PROJETO GRÁFICO DE MIOLO E CAPA
Letra e Imagem

FICHA CATALOGRÁFICA ELABORADA PELA BIBLIOTECA MARIO HENRIQUE SIMONSEN/FGV

Democracia, mercado e Estado : o B de Brics / Lourdes Sola e Maria Rita Loureiro, organizadoras. — Rio de Janeiro : Editora FGV, 2011.
344 p.

Inclui bibliografia.
ISBN: 978-85-225-0931-7

Esta obra reflete os resultados do projeto "Entre legitimidade política e credibilidade econômico-financeira. Democratização e transformação econômica em democracias e mercados emergentes", que contou com o apoio da FAPESP.

1. Globalização. 2. Democratização. 3. Desenvolvimento econômico. 3. Política econômica. 4. Políticas públicas. I. Sola, Lourdes. II. Loureiro, Maria Rita Garcia. III. Fundação Getulio Vargas.

CDD – 338.9

Sumário

Introdução | Democracia, mercado e Estado: ressituando o Brasil   7
LOURDES SOLA

PARTE I   Estado e mercado: recombinações
à luz de uma agenda global em mudança

1 | Globalização na década de 2000 e
perspectivas para o mundo em desenvolvimento   21
PAULO PEREIRA MIGUEL

2 | Governança global e Banco Central:
a emergência da autoridade privada   75
LOURDES SOLA

3 | As transformações recentes do sistema financeiro internacional   99
EDUARDO KUGELMAS

PARTE II   Construção institucional e democracia no Brasil

4 | O Judiciário e a arena pública   121
MARIA TEREZA AINA SADEK

5 | Política e reforma institucional:
a difícil democratização dos tribunais de contas no Brasil   147
MARIA RITA LOUREIRO, MARCO ANTONIO CARVALHO TEIXEIRA
E TIAGO CACIQUE MORAES

6 | Desenvolvimento institucional na trilha das políticas
públicas: um estudo de caso sobre o Banco Central do Brasil 181
MATTHEW TAYLOR

7 | Construção institucional e regulação bancária em uma
jovem democracia em processo de integração econômica 213
MOISÉS S. MARQUES

Parte III A democracia brasileira em perspectiva: desafios

8 | Uma nova agenda social na América Latina?
Pontos de partida para a análise comparada dos
sistemas de proteção social e suas mudanças recentes 249
SÔNIA M. DRAIBE

9 | Entre o mercado e o povo: desafios para
a política econômica do governo Lula 289
MARIA RITA LOUREIRO, FÁBIO PEREIRA DOS SANTOS E
ALEXANDRE DE ÁVILA GOMIDE

10 | Democracia, Estado e mercado como
agentes de transformação no Brasil 315
LOURDES SOLA

Sobre os autores 341

Introdução

Democracia, mercado e Estado: ressituando o Brasil

Lourdes Sola

Como indica seu título, este é um livro sobre o Brasil, mas à maneira de um estudo de caso, como parte de um projeto mais abrangente sobre as relações entre mudança política e mudança econômica na era do capital globalizante em alguns dos espaços antes denominados "periferia do capitalismo". Por isso, convém situá-lo no conjunto de atividades de pesquisa e de interesses analíticos de seus principais colaboradores.

Este é o primeiro subproduto de uma pesquisa comparativa, financiada pela Fundação de Amparo à Pesquisa do Estado de São Paulo (Fapesp), sobre experimentos de integração à economia global em contexto político de democratização em três países sul-americanos: Argentina, Brasil e Chile. O ponto de partida comum ao estudo de caso e à análise comparada é de ordem analítica: são países cuja trajetória, nos últimos 30 anos, justifica abordá-los como um caso especial de uma categoria mais ampla — a das "democracias de mercado emergentes". O título e o subtítulo do projeto comparativo dizem algo sobre a abordagem do tema e dos problemas tratados: "Variedades de democracias de mercado emergentes — entre credibilidade econômica e legitimidade política".[1] Mas não dizem o suficiente sobre duas questões básicas que permitem ao leitor se situar em relação

---

[1] Colaboraram neste projeto, coordenado por Lourdes Sola, os seguintes pesquisadores: Maria Rita Loureiro, Sônia Draibe, Matthew Taylor, Moisés da Silva Marques, e, até novembro de 2006, Eduardo Kugelmas. Foram convidados a colaborar neste livro Maria Teresa Sadek e Paulo Pereira Miguel. Nossos agradecimentos à Fundação de Amparo à Pesquisa do Estado de São Paulo (FAPESP) e aos pareceristas anônimos que aprovaram e acompanharam o projeto.

à forma pela qual construímos nosso objeto de análise. Primeira: o que se entende por "democracias de mercado emergentes", categoria à qual o Brasil pertence; e por que o foco nas "variedades" que esse conjunto tem assumido? Segunda: por que realizar um estudo de caso sobre o Brasil antes da publicação dos resultados de nossa empreitada comparativa?

O conceito de democracia de mercado emergente foi construído a partir de uma questão empírica: o desafio com que se defrontaram os formuladores de políticas públicas nas novas democracias na era da globalização econômica. A diferença específica dessa categoria de países foi definida há anos, de forma sintética:

> No momento em que ocorre uma transformação na ordem política — e a atribuição de maior poder às populações locais, ou seja, a um eleitorado de massa —, os governos de muitas das novas democracias passaram a depender do acesso aos mercados internacionais de capital para manter a estabilidade econômica e uma taxa de investimentos compatível com crescimento sustentável. Estas, por sua vez, eram condições necessárias para responder a outras demandas do eleitorado, que associava democracia *também* à melhora em seu nível de bem-estar, ao pagamento da dívida social e à estabilidade econômica [Sola, Kugelmas e Whitehead, 2002].

Nesse quadro, o desafio das novas elites políticas consistia em articular (e eventualmente compatibilizar) duas lógicas distintas: a da economia de mercado e a da democracia. Por um lado, a busca de credibilidade econômica aos olhos de um mercado globalizado, cujo principal critério de desempenho é a solvência de um país, isto é, sua capacidade de honrar suas dívidas. Por outro, as constrições impostas pelos novos critérios de acesso ao poder e de legitimação política associadas à democratização, que, como mencionado, incluem crescimento e redução das desigualdades sociais.[2]

O conceito de democracias emergentes de mercado designa, assim, uma mudança nas condições econômicas e políticas de *alguns* países que, até meados da década de 1970, haviam se destacado do conjunto da "periferia" por algumas características distintivas. Seus padrões de desenvolvimento, embora variáveis, ha-

---

[2] O conceito de democracias de mercado emergentes surgiu, na esteira da análise comparada por Laurence Whitehead, entre países da América Latina e os do Sudeste asiático, de tradições estadocêntricas (embora diversas), às voltas com choques externos e com a busca de credibilidade pela via da liberalização de seus mercados financeiros em um cenário de democratização.

viam se caracterizado por um modelo de industrialização ancorado no Estado e no capital privado, como agentes de um tipo de transformação econômica relativamente autárquico.[3]

Na era da globalização, a diversidade dos caminhos da periferia deu lugar a alguns padrões de convergência, que servem de base para os conceitos explorados aqui. São países cuja exposição a choques externos resultou da busca de novas formas de acesso a um mercado internacional de capitais crescentemente competitivo.[4] Têm em comum o fato de que o reordenamento de suas economias, pela via da liberalização econômica e da desregulação financeira, foi pautado por critérios de "credibilidade" aceitáveis pelo mercado, mas em um contexto político e institucional de democratização. As duas constrições *juntas*, observáveis nos julgamentos de mercado e nos do eleitorado, balizaram a busca por um equilíbrio delicado entre as duas lógicas por parte dos formuladores de políticas públicas e dos políticos eleitos.

Deriva daí o interesse analítico comum aos participantes do projeto: determinar os fatores que condicionaram as rotas e as trajetórias diferenciadas dos países relevantes na busca por esse tipo de equilíbrio — e o *mix* de políticas adotado em cada caso para responder aos novos desafios. A característica distintiva desse grupo de países na era do capital globalizante, portanto, é definida em termos das respostas a uma dupla mudança estrutural. Por um lado, a integração a um sistema internacional instável e movediço — o "regime" conhecido como pós-Bretton Woods — pela via de um processo de liberalização econômica compatível com as condicionalidades impostas pelo mercado e pelas instituições financeiras multilaterais, como o Fundo Monetário Internacional (FMI) e o Banco Mundial. Por outro, essa modalidade de integração foi levada a cabo mediante estratégias de legitimação e de institucionalização democráticas, estratégias minimamente compatíveis, portanto, com as novas condições domésticas de participação política e de concorrência político-eleitoral — variáveis em cada caso.

A crise global de 2008 deu novo impulso a essa agenda de pesquisa e sentido de urgência à análise do objetivo principal do projeto: determinar e explicar os padrões de mudança no modo de inserção dessa categoria de países no cenário

---

[3] Ver Haggard (1990), um estudo clássico desse padrão de desenvolvimento.
[4] As mudanças no contexto internacional que configuraram esse quadro competitivo também entre os atores financeiros estão descritas no capítulo 2 deste livro. Para uma análise da concorrência por capitais internacionais entre os países em desenvolvimento, ver Maxfield (1997).

internacional, a partir das estratégias que definiram o *mix* de políticas públicas efetivamente adotado. Há várias razões para situar essa problemática também no cenário pós-2008. Uma delas é que a crise financeira no coração do capitalismo iluminou um dos principais correlatos políticos do processo de "globalização" econômica: a *desconcentração de poder* internacional sem precedentes entre países e regiões. O *crash* financeiro iluminou, mas não engendrou, essa modalidade de difusão de poder, nem, tampouco, os deslocamentos no eixo do poder econômico e político observáveis hoje. Estes derivam, justamente, das mudanças que tiveram lugar nos últimos 30 anos na forma de inserção de diferentes países, antes periféricos, no cenário global. Daí a relevância atribuída aqui a uma perspectiva de longo prazo.

No cenário pós-2008, a percepção de que a periferia não é mais aquela, nem tampouco "o centro", entendido como *locus* de um poder hegemônico, adquiriu novos contornos, parte dos quais permanecem subestudados. Ganha relevo, por exemplo, um tópico problematizado por analistas econômicos em termos sistêmicos: os ritmos diferenciados da recuperação econômica entre os emergentes, por um lado, e, por outro, o dos Estados Unidos e da Europa do euro.[5] Para os propósitos analíticos expostos aqui, interessa ressaltar apenas uma das implicações desse novo quadro: os processos de diversificação e de estratificação internos ao grupo de "países em desenvolvimento" que o rótulo Brics teve a virtude de popularizar (os países são Brasil, Rússia, Índia e China). Ao mesmo tempo, traz à luz uma das principais limitações do tipo de análise que deu lugar a esse rótulo: a ênfase exclusiva nas dimensões econômica e demográfica do processo de diversificação estrutural. Mais precisamente: uma ênfase simplificadora, por unilateral, à maneira dos economistas de mercado (e dos economistas em estado puro), para os quais a democracia é uma categoria residual.

Outras razões adicionais obrigam a situar a agenda de pesquisa nesse cenário crítico. Destaco aqui apenas aquelas pertinentes para ilustrar as dimensões políticas incontornáveis do atual contexto econômico, instável e movediço. Como se sabe, a diferenciação econômica interna à zona do euro — sua marca de origem — ganhou visibilidade e novos contornos com as "crises da dívida" de Grécia, Irlanda e Portugal. A reconfiguração de poder interna à região envolve uma dupla decisão estratégica por parte de suas lideranças políticas. Por um lado, a redistribuição de

---

[5] Esse tipo de análise, em termos de a two-speed recovery, mira os Brics e, dentro desse grupo, a China, da qual depende a construção de um novo equilíbrio internacional.

penalidades e privilégios entre os bancos e os governos nas operações de salvamento da sua "periferia"; por outro, o desafio às democracias da região, dominantes ou não, de empreender um novo ciclo de delegação parcial das respectivas soberanias, transferindo uma parcela de seus poderes a uma autoridade fiscal supranacional. Tal como ocorreu nos anos 1990, com a construção da autoridade monetária europeia – o Banco Central Europeu –, trata-se de uma decisão essencialmente política. Aqui são decisivos outros dois atores: o eleitorado e os políticos eleitos, cuja liderança, capacidade de persuasão e de construção institucional são postas à prova.

Na mesma direção, mas em um plano mais abrangente, a natureza e o escopo das crises no epicentro do capitalismo geraram duas quase unanimidades. Uma delas é a percepção generalizada de que é necessário repensar profundamente as regras e as regulações do sistema financeiro para prevenir episódios similares e estancar as fontes de volatilidade. Por essa perspectiva, a redefinição das relações entre Estado e mercado passou a integrar a agenda política global. Ao mesmo tempo, porém, prevalece a percepção de que é inviável levá-la a cabo na ausência de uma autoridade global capaz de fazer valer as normas de rerregulação, mesmo que acordadas. Pois, como se sabe, o exercício da autoridade pressupõe a capacidade de *enforcement* e alguma forma de legitimação por parte de quem aquiesce. A dificuldade, no entanto, é estrutural, porque, na era do capital globalizante, o problema da rerregulação implica bem mais do que uma redefinição das relações Estado-mercado. Tampouco é suficiente colocá-lo em termos da recuperação da autoridade do primeiro termo desta equação *vis-à-vis* o fundamentalismo de mercado vigente até 2008, como querem alguns dos críticos da liberalização econômica. A razão principal é a seguinte: foi justamente nessa era que ocorreu um dos fenômenos potencialmente mais subversivos dos esquemas analíticos baseados na divisão do trabalho (e na polarização) entre Estado e mercado. A linha divisória conceitual entre o mercado, como território dos "interesses", e o Estado-nação, como a encarnação última da autoridade (como queria e podia dizer Weber), diluiu-se nos últimos 30 anos. Tende a tornar-se gradativamente mais fluida, por força de um fenômeno radicalmente novo, explorado com método nos estudos de relações internacionais de orientação construtivista: a emergência da "autoridade privada", em suas diversas modalidades (Hall e Biersteker, 2007), da qual o "mercado" é o exemplo mais conspícuo, embora esteja longe de ser o único. Basta lembrar que são os atores de mercado, a par das agências de classificação de risco, e, eventualmente, das instituições multilaterais, que detêm o poder de adjudicar a credibilidade e a solvência de um país, de sua moeda, bem como o desempenho de seus respectivos bancos centrais, independentes ou não. Ao mesmo tempo, os bancos centrais deixaram de ser instituições subestatais apenas, pois, hoje, integram-se em um sistema decisório internacional *multilevel*, composto por outras instituições que exercem um certo grau de autoridade regulatória, como o Bank for International Settlements (BIS), o FMI etc. Em resumo: a emergência da autoridade privada é outra modalidade de difusão de poder, um dos correlatos mais importantes da globalização econômica do ponto de vista do cientista social, porque traz à luz as mudanças nas condições em que se dá o exercício da "soberania", e, com isso, a necessidade de rever os mapas conceituais pertinentes. Embora seja esse um tema explorado na literatura sobre relações internacionais, a análise do conceito de soberania nesta sua última encarnação continua subteorizado, pois não inclui a perspectiva dos poderes emergentes e, mais geralmente, a perspectiva do "Sul". Em parte porque a heterogeneidade de padrões observáveis nesses espaços impede generalizações apressadas. Sob esse aspecto, basta considerar, por exemplo, as diferenças entre os Brics. Em uma escala decrescente, que vai das modalidades mais tradicionais de exercício da soberania, com a China e secundariamente a Rússia, às mais permeáveis às trocas e aos poderes transnacionais, com a Índia, o Brasil e a África do Sul.

Por que, então, o Brasil antes do estudo comparativo? Por várias razões, que se resumem na seguinte: a trajetória do país, nos últimos 20 anos, é a mais pertinente para testar o arcabouço intelectual sugerido aqui. Dos três, é o caso que oferece o contraste mais nítido entre duas conjunturas críticas. Entre um ponto de partida de extrema incerteza quanto ao modo de inserção do país no cenário internacional *e* quanto ao destino da democracia, em uma ponta, e, na outra, a situação em que se encontra hoje.[6] A conjuntura crítica de 1992 serve de referência ideal para marcar o contraste, porque nela se concentravam fatores de extrema incerteza no ponto de partida.[7] Foi o ano em que a democracia nascente foi submetida ao seu maior teste de estresse — o trauma que levou ao *impeachment* de Collor, do qual emergiu ilesa do ponto de vista institucional. No *front* econômico, o Plano Brady, de março de 1989, viabilizara a redução dos encargos da dívida externa (principal e/ou juros) e a maior flexibilização das condições de pagamento. Em particular, tornara

---

[6] Como referência comparativa, ver Sola (1992).
[7] Poderia ser 1982-1984, que corresponde à conjuntura crítica mais aguda de todas para a região, e é o ponto de partida do projeto. Mas o objetivo aqui é destacar e problematizar as diferenças nos respectivos contextos, econômico e político, quando da volta de capitais.

assimilável pelos investidores os riscos envolvidos.[8] Apesar desses dois fatores positivos, em 1992, o Brasil se distinguia de alguns de seus pares latino-americanos por não apresentar condições suficientes para se beneficiar da volta dos capitais internacionais. Isto ocorreu, em parte, porque o país parecia longe de satisfazer os principais requisitos associados ao Plano Brady, isto é, estabilização econômica e reformas liberais; e em parte, por causa de dois passivos que afetavam negativamente sua reputação e, portanto, sua credibilidade aos olhos dos investidores: seu currículo como devedor e o déficit de governabilidade. Do lado de seu "currículo", a moratória unilateral de 1987 e seis planos de estabilização fracassados. Do lado das perspectivas, a carência de uma agenda econômica viável e um governo sem qualquer poder de agenda com o Congresso. Às incertezas desse quadro se somou um novo *front* de incertezas. A nova Constituição de 1988 introduzira um sistema de constrições — e também de incentivos — legais ao qual os tomadores de decisões deviam se ajustar em um contexto de emergência econômica.

É contra esse pano de fundo que se situam duas das características distintivas da trajetória brasileira anterior ao Plano Real. A julgar pela natureza e pelo alcance das constrições que limitaram o cardápio de políticas públicas, cabe falar na *simultaneidade* entre três tipos de mudança estrutural, que restringiam o leque de opções disponíveis para os novos formuladores de políticas públicas: a travessia de um modelo estadocêntrico para um módico modelo de liberalização econômica, a transição para a democracia, e, dentro dela, uma transição constitucional.[9] A segunda característica singular da experiência brasileira diz respeito à condução política da política econômica ao longo dos anos 1980 e início dos anos 1990. O termo que melhor define o processo decisório relevante para entender a recorrência da rota explosiva da inflação, na esteira de cada plano de estabilização fracassado, não é *muddling through*, como caracterizado à época, mas *brinkmanship*,[10]

---

[8] O plano do secretário do Tesouro dos Estados Unidos, Nicholas Brady, permitia a renovação da dívida externa de países em desenvolvimento, mediante a troca de bônus antigos por eles emitidos por bônus novos. Estes últimos contemplavam a redução dos encargos da dívida por meio da redução do seu principal ou do alívio nos juros. A emissão dos novos bônus, os *bradies*, pelos devedores, estava condicionada à promoção de reformas liberalizantes. A visão que prevalece é de que o Plano Brady levou ao fim da crise da dívida.

[9] O Brasil é o único país da América Latina (talvez do conjunto de devedores) a implantar uma nova Constituição antes das reformas estruturais liberalizantes.

[10] Os fundamentos para o uso preferencial desse termo encontram-se em dois textos de Eduardo Kugelmas e Lourdes Sola, nos quais são descritos em maior detalhe o pano de fundo e os desafios específicos dessa conjuntura crítica. Ver Sola e Kugelmas (2002; 2005).

vale dizer, a adoção da prática política de levar adiante e de ou tolerar eventos e situações de alto risco até a beira do abismo (*brink*) — no caso, o da hiperinflação.

Embora o ponto em que nos situamos hoje esteja distante do que nossas aspirações normativas demandam, o contraponto com a situação atual é expressivo. Passamos da condição de devedores à de credores, alcançamos níveis satisfatórios de credibilidade aos olhos destes últimos, como atestam as condições de *investment grade* e os níveis de nossas reservas internacionais. No plano econômico, salta aos olhos que a grande transformação consiste na resiliência comparativa do país ao *crash* de 2008, e na rápida recuperação do crescimento — traços compartilhados com outros poderes emergentes. A construção de um sistema regulatório e de supervisão do sistema financeiro a partir da segunda metade dos anos 1990, preservado até hoje, responde em parte por esse resultado. Trata-se de um sistema relativamente avançado, mais robusto e transparente do que o de outras economias de mercado — emergentes ou dominantes —, e que abriu espaço para, no futuro, converter o Brasil em um centro financeiro importante sem relaxar a regulação (Fraga, 2011). No plano político, em perspectiva regional, a democracia brasileira é avaliada como um caso de sucesso comparativo, embora deixe a desejar em termos de qualidade.[11]

A ênfase no experimento brasileiro se explica não só em termos substantivos, mas, também, em termos teórico-metodológicos. A trajetória do país serviu como um terreno propício para ancorar e testar as hipóteses e a estratégia analítica que norteiam o estudo comparativo. A hipótese geral básica é a seguinte: a variedade de trajetórias e de modos de inserção dos países relevantes no cenário internacional deve ser explicada a partir de como a agenda da globalização econômica e política foi convertida na agenda dos respectivos "Estados". Em outros termos: as variações na trajetória e no modo de inserção são referidas à forma pela qual a agenda da globalização foi, e pôde ser, incorporada à agenda doméstica, filtrada e decantada em função das variáveis econômicas e políticas específicas e dos mapas cognitivos vigentes.

Nos termos de Saskia Sassen (2007:91-108), trata-se de "resgatar as formas pelas quais o Estado participa da governança da economia global em um contexto crescentemente dominado por processos de desregulamentação, privatização e da autoridade crescente de atores não estatais". Para os propósitos analíticos deste estudo de caso e da análise comparada, o princípio teórico organizador é o mesmo

---

[11] Para discussão do conceito de "qualidade da democracia" em conexão com o Brasil, ver Moisés (2011).

da autora, ou seja, trata-se de determinar as formas que assume a implantação (*embeddedness*) da agenda da "globalização" econômica, na medida em que esse processo ocorre "em um território nacional, quer dizer, em um terreno geográfico que foi encravado em um conjunto elaborado de leis nacionais e de capacidades administrativas".

À diferença da autora, porém, introduz-se aqui a perspectiva das democracias emergentes de mercado e, além disso, no cenário pós-2008, se procura avançar mais um passo em relação a essa estratégia analítica. Pois, ao contrário do que supunha Sassen ainda em 2007, as condições de governança global sofreram uma mudança sem precedentes, deixaram de ser definidas nos termos restritos dos Estados do Atlântico Norte. Vale dizer, deixaram de ser definidas por Estados que têm em comum um tipo de organização política pautada pelas regras e normas típicas do constitucionalismo liberal. O fato de as condições de governança global terem se tornado um *affair* também de poderes emergentes traz à luz a diversidade de regimes políticos interna a esse grupo — e deve incidir seja sobre a percepção de suas respectivas responsabilidades, seja na construção de suas estratégias de inserção no cenário político global.

Uma das implicações metodológicas dessa abordagem diz respeito ao que se entende aqui por "capacitação do Estado" — um conceito central para o entendimento das relações cambiantes entre Estado e mercado e entre Estado e sociedade. Não se trata de abordar a questão da capacitação do Estado nos termos tradicionais. Vale dizer: nem em termos do grau de desenvolvimento institucional e de eficiência de racionalidade observáveis nas burocracias pertinentes; nem nos termos dos críticos radicais da globalização, que equacionam esse processo em termos da erosão das capacidades do Estado. A hipótese central é que a agenda da globalização em contexto de democratização envolve necessariamente processos específicos de *recapacitação do Estado* que precisam ser especificados em cada caso. A construção de um novo sistema de justiça, por exemplo, é um dos requisitos básicos da democratização, como é também o redesenho de um arcabouço institucional adequado a políticas sociais de caráter redistributivo. Do mesmo modo, há formas de capacitação do Estado que se refletem em como este exerce a autoridade monetária, ou a autoridade fiscal. Estas variam não só em função da agenda da globalização, mas da estratégia de integração à economia globalizada — e do regime político de que se trate. Essa abordagem não exclui, ao contrário, admite a possibilidade de que fatores domésticos, como são, por exemplo, as aspirações normativas do eleitorado e dos políticos eleitos, ou, ainda, os mapas cognitivos dos formuladores, possam redundar na incapacitação do Estado para desempenhar suas funções, velhas ou novas.

A estratégia mais frutífera para analisar os processos de recapacitação do Estado nesses contextos é desagregá-lo a partir de suas diferentes funções. É isso que unifica a ênfase nas dimensões do Estado brasileiro exploradas neste livro — a partir do prisma do poder Judiciário, as questões relativas à autoridade fiscal e monetária, das políticas sociais (inclusive em confronto com outros países da América Latina) e de um órgão controlador, auxiliar do Legislativo, como o Tribunal de Contas — por Maria Teresa Sadek, Maria Rita Loureiro, Moisés Marques, Matthew Taylor e Sônia Draibe, respectivamente. A última autora avança no estudo comparativo ao situar a questão das políticas sociais em termos latino-americanos.

Na primeira parte, os capítulos de Paulo Pereira Miguel, Lourdes Sola e Eduardo Kugelmas se propõem introduzir a nova problemática a partir das mudanças recentes no cenário global. As perspectivas do desenvolvimento econômico, o papel das agências financeiras multilaterais e o contexto global — e histórico — em que se situa o exercício da autoridade monetária ancoram as reflexões na segunda e na terceira partes. O capítulo intitulado "Democracia, Estado e mercado como agentes de transformação", que encerra o livro, procura situar as características atuais da democracia brasileira à luz de duas questões de ordem geral: o que ocorre com a democracia brasileira quando as constrições econômicas que limitam as opções de políticas públicas na democracia nascente são retiradas ou atenuadas? E em que medida as constrições de ordem constitucional associadas à democratização brasileira — como processo e como aspiração normativa da população e dos formuladores — incidiram sobre as opções de políticas públicas?

Bibliografia

FRAGA, Arminio. Arminio teme efeito colateral de controle cambial. *Valor Econômico*, 14 jul. 2011.

HAGGARD, Stephan. *Pathways from the periphery:* the politics of growth in the newly industrializing countries. Ithaca: Cornell University Press, 1990.

HALL, R. B.; BIERSTEKER, Thomas (Eds.). *The emergence of private authority in global governance*. 3. ed. Cambridge: Cambridge University Press, 2007.

MAXFIELD, Sylvia. *Gatekeepers of growth:* the international political economy of central banking in developing countries. Princeton: Princeton University Press, 1997.

MOISÉS, J. A. O desempenho do Congresso Nacional do presidencialismo de coalizão (1995-2006). In: _____ (Org.). *O papel do Congresso Nacional no presidencialismo de coalizão*. Rio de Janeiro: Konrad Adenauer Stiftung, 2011.

SASSEN, Saskia. The State and globalization. In: HALL, R. B.; BIERSTEKER, Thomas (Eds.). *The emergence of private authority in global governance*. 3. ed. Cambridge: Cambridge University Press, 2007. p. 91-108.

SOLA, Lourdes. (Org.). *Estado, mercado e democracia:* política e economia comparadas. São Paulo: Paz e Terra, 1992.

____; KUGELMAS, Eduardo. Estabilidade econômica e o Plano Real como construção política. In: SOLA, L.; KUGELMAS, E.; WHITEHEAD, L. (Orgs.). *Banco central, autoridade política e democratização*: um equilíbrio delicado. Rio de Janeiro: FGV, 2002.

____; ____. Crafting economic stabilization: political discretion and technical innovation in the implementation of the Real Plan. In: SOLA, L.; WHITEHEAD, L. (Eds.). *Statecrafting monetary authority:* democratization and financial order in Brazil. Oxford: Center for Brazilian Studies, 2005.

____; ____; WHITEHEAD, L. (Orgs.). *Banco central, autoridade política e democratização:* um equilíbrio delicado. Rio de Janeiro: FGV, 2002.

WHITEHEAD, Laurence. La democracia en Brasil: una historia de éxito (comparativo). In: *Brasil:* una gran potencia latina. Madrid: Fundación M. Botin, [2010]. p. 71-93.

PARTE I Estado e mercado: recombinações à luz de uma agenda global em mudança

1

Globalização na década de 2000 e perspectivas para o mundo em desenvolvimento

Paulo Pereira Miguel

A globalização das últimas duas décadas acelerou a incorporação de forças produtivas na economia mundial. A revolução tecnológica, o colapso da cortina de ferro e a aceleração do processo de reformas e abertura na China são os pilares dessa transformação. A forte queda dos custos de informação, produção e transportes facilitou a segmentação de cadeias de produção e o deslocamento de unidades produtivas para o mundo em desenvolvimento. Ao mesmo tempo, a incorporação, pelo capitalismo global, de centenas de milhões de trabalhadores, permitiu um grande aumento na produtividade e nas economias de escala. Foi um épico choque positivo de oferta na economia mundial.

No início dos anos 1990, a globalização foi saudada como uma oportunidade para todos. Havia uma agenda de reformas que deveria fortalecer a economia de mercado e permitir o pleno aproveitamento da oportunidade. Na América Latina, depois da década perdida dos anos 1980, houve um movimento de abertura econômica, reforma do Estado, privatização e ajuste macroeconômico. No Leste europeu, estava em curso a transição acelerada para o capitalismo. A Índia começava a se abrir para o mundo a partir de 1991. E, no Leste asiático, o modelo de desenvolvimento com foco em exportações se espalhava para novos países. Por fim, estava em andamento o que viria a se confirmar como a maior experiência de desenvolvimento acelerado da história: a chinesa.

Apesar do otimismo inicial, ao longo da década de 1990, ficou claro que a aceleração da globalização vinha acompanhada por problemas de equidade e grandes dificuldades de gestão econômica para os países em desenvolvimento. O colapso da economia no Leste europeu nos primeiros anos da transição, o baixo crescimento na América Latina e na África, recorrentes crises financeiras nos países em desenvolvimento, a criação insuficiente de emprego, a concentração de renda, a instabilidade política e social — todos esses fatores contribuíram para minar a legitimidade do processo de globalização em diversas regiões. Seria o processo de integração dos países emergentes na economia mundial incompatível com as aspirações de autonomia e desenvolvimento nacionais? Como configurar o sistema econômico internacional, especialmente no que se refere à arquitetura monetária e financeira, para reduzir algumas das assimetrias que historicamente condicionaram as relações centro-periferia? São questões antigas, certamente, mas que adquiriram renovada importância no contexto desfavorável dos anos 1990.

Ao largo desse debate, o gigante chinês continuou a crescer, a incorporar milhões de trabalhadores a cada ano. No início da década de 2000, a China passou a influenciar decisivamente a trajetória da globalização produtiva e financeira. De forma um tanto súbita, tendo em vista as até então recorrentes crises financeiras, abriu-se uma nova etapa no processo de globalização, que, na ótica de grande parte do mundo em desenvolvimento, se mostrou menos hostil do que a experiência da década de 1990.[1]

São muitos os vetores dessa transformação. Do lado produtivo, a combinação de crédito abundante, desregulamentação financeira e políticas econômicas expansionistas facilitou o crescimento acelerado da demanda final nos países desenvolvidos, ainda que com o endividamento crescente dessas economias. Em paralelo, a expansão da demanda chinesa por matérias-primas atingiu dimensão global, e houve uma persistente alta nos preços das commodities ao longo da década. O choque positivo nos termos de troca de grande parte do mundo em desenvolvimento permitiu o aumento do consumo e do investimento nessas regiões, em dimensão e amplitude talvez inéditas. Por fim, a multiplicação dos volumes de comércio internacional, em especial das exportações dos países em desenvolvimen-

---

[1] A referência a países "em desenvolvimento" ou "emergentes" neste capítulo visa a caracterizar genericamente o grupo de renda média e média/alta, em estágios relativamente avançados de diversificação e desenvolvimento industrial, entre os quais estão, por exemplo, China, Brasil, Índia, Rússia, México, Turquia, África do Sul e alguns países do Leste europeu (Polônia e República Tcheca). A visão mais positiva a respeito dos impactos recentes da globalização nesse grupo não se aplica necessariamente a países de renda baixa e com maior concentração em setores tradicionais, especialmente os da Ásia central e os de grande parte da África subsaariana, para os quais os desafios do desenvolvimento e da integração global positiva são ainda maiores.

to, foi outro elemento fundamental para a aceleração do crescimento econômico mundial no triênio 2004-2007.

Pelo lado financeiro, o aumento exponencial dos desequilíbrios globais em conta corrente em favor dos países em desenvolvimento foi a característica nova e marcante do período. É verdade que o fluxo internacional de capitais continuou a crescer rapidamente, como já vinha acontecendo há décadas, mas o sistema financeiro internacional tornou-se progressivamente um veículo de transferência de fluxos significativos de poupança, originados nos países em desenvolvimento e direcionados aos países centrais. Esta é, em última instância, a especificidade do período que pretendo explicitar. Foi essencialmente a partir da reciclagem desses superávits de poupança no sistema financeiro internacional que se deu o aprofundamento da globalização financeira na década de 2000. A contrapartida dos superávits do mundo em desenvolvimento foi o crescente endividamento de famílias e de empresas ocidentais, especialmente nos Estados Unidos.[2]

O crescimento dos superávits em conta corrente dos países emergentes foi um elemento decisivo para reduzir suas fragilidades financeiras e alterar, possivelmente de forma perene, sua dinâmica de inserção na economia mundial. Por outro lado, o progressivo aumento do endividamento nas economias centrais deficitárias e da alavancagem no sistema financeiro global — em um contexto de falhas de regulação — fragilizou os próprios mecanismos de intermediação dos superávits emergentes. Dessa dinâmica resultou a crise financeira de 2008, desta vez, com epicentro no sistema financeiro dos países centrais.

As mudanças no perfil da globalização financeira nos últimos anos foram influenciadas decisivamente pela postura geral de cautela dos países em desenvolvimento, após duas décadas de volatilidade econômica e recorrentes crises financeiras. Ao contrário dos países centrais, que, em sua maioria, não enfrentaram nas últimas décadas restrições externas ao seu crescimento, os países em desenvolvimento não contaram historicamente com a mesma condição: desequilíbrios no balanço de pagamentos significavam invariavelmente desvalorização abrupta, ruptura no funcionamento da economia e recessão. A subordinação da política econômica à restauração das condições de solvência externa e da confiança dos

---

[2] Quando menciono os países em desenvolvimento como fonte de poupança global, refiro-me especialmente à Ásia e aos países produtores de petróleo. A Europa oriental incorreu em grandes déficits, e a América Latina teve, em média, pequenos superávits. Mesmo assim, por motivos que ficarão claros adiante, considero que a dinâmica originada na Ásia "vaza" para as outras regiões em desenvolvimento e pode ser tomada como ponto focal desta análise.

credores impossibilitava a adoção de políticas anticíclicas, agravando os períodos de recessão, com efeitos nocivos no tecido econômico e social. Daí a opção de muitos países em desenvolvimento de adotar, no período mais recente, uma estratégia defensiva, visando a evitar o uso de poupança externa como fonte de financiamento. A China se apresenta como o caso extremo, com superávits em conta corrente crescentes desde o início da década passada e que chegaram a 10% do PIB entre 2006 e 2008.

A estratégia mostrou-se bem-sucedida, ainda que muitos países a tenham seguido de forma mais passiva do que a China: ao contrário das décadas de 1980 e 1890, entre 2003 e meados de 2008 não houve crise financeira no mundo em desenvolvimento. Ao mesmo tempo, houve forte aceleração do crescimento econômico. É de extrema importância considerar que, pelo menos em alguma medida, a mudança nas condições de inserção dos países em desenvolvimento tenha se dado a partir de suas próprias escolhas, no que seria um rompimento, ainda que possivelmente temporário, com algumas das limitações sistêmicas a que pareciam submetidos. Naturalmente, essas escolhas estiveram em consonância com o ambiente de frouxidão financeira nos países centrais, mas não por isso se tornam menos importantes. Quando a crise financeira eclodiu em 2008, ela veio pelo esgotamento da capacidade da economia norte-americana de persistir em um processo de aumento de alavancagem interna, e pelo colapso da intermediação financeira ocidental. Ao contrário do padrão histórico, dessa vez, o mundo em desenvolvimento se viu em posição relativa de força, a ponto de advogar a permanência do livre comércio como elemento importante de uma globalização equânime e de questionar, com legitimidade e peso difíceis de conceber há poucos anos, a atual arquitetura econômica e financeira global.

Este capítulo é dividido em duas partes. Na primeira, busco abordar a globalização na década de 2000, com foco nas especificidades do período: a formação de um excesso de poupança, a aceleração do crescimento no mundo em desenvolvimento e, particularmente, o papel central desempenhado pela China. Não pretendo focar a análise nos fatores que levaram à crise de 2008. O objetivo é caracterizar a influência determinante da China na dinâmica do período, a partir de seu papel de demandante de matérias-primas, concentradora de parte importante da nova capacidade manufatureira global e, especialmente, dos superávits financeiros. Argumenta-se que a globalização da década de 2000, tal como se deu a partir da emergência da China como protagonista de peso sistêmico na economia mundial, desencadeou mudanças profundas na dinâmica de inserção internacional dos países em desenvolvimento, e espalhou o crescimento para um número crescente de regiões de desempenho econômico ruim nas décadas anteriores: iniciou-se um processo de "generalização do desenvolvimento" (Castro, 2008). Não é por outra razão que, mesmo após a crise financeira de 2008, a globalização (e a economia de mercado) ainda parecia contar com maior apoio no mundo em desenvolvimento do que nos países centrais.[3]

Na segunda parte, considero que, em paralelo ao novo perfil da globalização na década de 2000, ocorreu uma mudança profunda no debate a respeito das políticas e dos caminhos que levam ao desenvolvimento econômico. A decepção com os resultados da agenda de reformas ortodoxas, na linha do Consenso de Washington, que havia sido perseguida em muitos países e regiões na década anterior, foi o ponto de partida para tal reavaliação já em fins dos anos 1990. Políticas a princípio consistentes de abertura, liberalização financeira, ajuste fiscal, disciplina monetária etc. não foram suficientes em si mesmas para acelerar de forma consistente o crescimento econômico nos países que as adotaram. Além disso, as recorrentes crises financeiras e de balanço de pagamentos dessas duas décadas minaram o suporte para tais políticas em muitos países. Por fim, a constatação de que o sucesso da China, da Índia e, mais recentemente, de outros países vinha se dando a partir de conjuntos diversos de políticas foi um ponto de referência importante para um profundo questionamento da estratégia até então mais difundida nos organismos internacionais e entre os *policymakers*. Em especial, passou-se a dar maior atenção à diversidade institucional e aos diferentes graus de intervenção pública adequados a cada caso. O resultado desse esforço foi a consolidação, nos anos mais recentes, de uma visão mais abrangente e flexível sobre os caminhos possíveis para o desenvolvimento econômico.

Da confluência desses dois processos — globalização em novos termos e visão mais aberta sobre os caminhos para o desenvolvimento — foi renovada a confiança na possibilidade de inserção global positiva e compatível com as aspirações nacionais dos países em desenvolvimento. Como consequência, parece ter crescido em muitos desses países a percepção de equidade e, portanto, a legitimidade do processo de globalização, em comparação com a década de 1990. Em última instância, e talvez de forma um tanto inesperada, a experiência de globalização da

---

[3] O debate que se seguiu à crise financeira de 2008 tem sido marcado por diferenças entre os países centrais e os emergentes. É notável que o apoio, por exemplo, à globalização e ao papel do mercado para a prosperidade econômica tenha permanecido alto nos países emergentes. A esse respeito, ver Subramanian (2009).

última década reafirmou a existência de espaço para agendas de desenvolvimento com elevado grau de autonomia, mesmo tendo em vista o risco de reversão dessas condições positivas no contexto pós-crise financeira.

Globalização produtiva e financeira em novos moldes na década de 2000

Nos últimos 30 anos, a bem-sucedida experiência de gestão econômica — especialmente da política monetária — no mundo desenvolvido fez emergir o consenso de que os violentos ciclos econômicos do passado haviam sido finalmente dominados nessas economias. Nesse período, houve uma progressiva redução da inflação e das oscilações de crescimento econômico, fenômeno que foi denominado "grande moderação". Após a instabilidade dos anos 1970, parecia novamente ter sido achada a chave para a manutenção do equilíbrio macroeconômico, com crescimento sólido, períodos breves de moderada recessão, inflação baixa e oscilações de emprego relativamente pequenas nas economias centrais. Especialmente os bancos centrais seriam os artífices do milagre, com seus modelos e técnicas de gestão monetária. A política fiscal caiu para segundo plano no que se refere à gestão de curto prazo da economia. Aos tesouros nacionais cabia a tarefa mais ou menos simples de gerir o orçamento público dentro de parâmetros internacionalmente aceitos de solvência fiscal.

Paralelamente, a partir da década de 1980, a desregulamentação dos mercados financeiros dos países centrais levou a uma transformação estrutural. De um sistema até então ainda baseado na intermediação bancária, no qual a circulação de poupança e os riscos associados ao investimento dessa poupança estavam necessariamente ligados, passou-se progressivamente a outro sistema, em que essa ligação passou a ser menos direta e mais disseminada em instituições fora do sistema bancário tradicional, menos sujeito à regulamentação financeira tradicional. Em essência, o novo sistema — por meio principalmente da securitização e do desenvolvimento do mercado de derivativos — disseminou o crédito para setores tradicionalmente com menor acesso aos mercados financeiros. Ao mesmo tempo, disponibilizou novas alternativas de investimento para fundos de pensão, seguradoras e outros intermediários financeiros.

O resultado foi a formação de um sistema financeiro "alternativo", fora das tradicionais fronteiras bancárias, que se mostrou capaz de acelerar o crescimento do crédito por meio de novos instrumentos e maior nível de alavancagem financeira.

Esse sistema alternativo tornou-se grande o suficiente para rivalizar e até ultrapassar — em termos de geração de créditos — o sistema bancário tradicional. Em 2008, mais de 50% do volume de crédito existente nos Estados Unidos estavam na forma de instrumentos securitizados. Além disso, as instituições bancárias tradicionais detinham em seus balanços apenas 35% do estoque total de financiamentos imobiliários, contra 75% no início da década de 1980.[4] Ao longo de quase três décadas, esse sistema financeiro mais atomizado e dinâmico contribuiu para o crescimento quase contínuo dos níveis de endividamento privado das economias centrais, em particular dos Estados Unidos.

A interrupção da convertibilidade do dólar em ouro, em 1973, e o fim do regime de taxas de câmbio fixas entre os países centrais também marcaram o início de uma nova era. Nas décadas seguintes ao colapso do sistema de Bretton Woods, nasceu um sistema monetário internacional, baseado em moedas fiduciárias, ainda mais dependente do que seu predecessor da qualidade percebida dos emissores das moedas-reserva globais. Durante três décadas, o dólar manteve-se como a principal moeda de reserva, elemento de projeção da força financeira norte-americana no restante do mundo. Os outros poucos países desenvolvidos emissores de moedas-reserva também puderam contar, em maior ou menor grau, com a confiança em sua qualidade emissora. Ao mesmo tempo, a liberalização do fluxo internacional de capitais permitiu a multiplicação da transferência de riscos financeiros entre países e a progressiva consolidação da globalização financeira.

A combinação desses fatores significou que, para os países centrais, parecia não haver mais restrições ao crescimento, a não ser sua capacidade intrínseca de gerar demanda doméstica. Não havia restrição interna na medida em que teria ocorrido, no âmbito da política monetária, o domínio da gestão dos ciclos econômicos, isto é, o crescimento podia ocorrer com poucos sobressaltos em termos do tradicional dilema entre inflação e desemprego. Não se pode minimizar o papel da globalização produtiva em conter pressões inflacionárias nos países centrais, facilitando o trabalho dos bancos centrais. Além disso, a disposição dos bancos centrais, especialmente do Federal Reserve System (FED) a partir dos anos 1990,

---

[4] É certo que uma parcela dessa "desintermediação" bancária era ilusória. Muitos bancos simplesmente transferiram ativos para veículos de propósito específico não consolidados em seus balanços, mas continuaram a carregar a responsabilidade de última instância por esses ativos. Isso significa que, na prática, os níveis de alavancagem de muitos bancos eram maiores do que os reportados aos órgãos reguladores. Esse canal de vulnerabilidade revelou-se subitamente com a crise financeira de 2008.

para adotar políticas monetárias expansionistas a fim de minimizar os efeitos das crises financeiras (que se tornavam cada vez mais frequentes) reforçou a confiança dos agentes na resistência do sistema a choques. O resultado foi o crescimento progressivo da alavancagem do sistema econômico e, de forma geral, um descolamento da riqueza acumulada na forma puramente financeira em relação ao valor adicionado na economia. Durante três décadas, os bancos centrais tiveram sucesso em gerir tal sistema, mas ao custo de fragilizá-lo conforme o endividamento crescia e se transmutava em formas cada vez mais sofisticadas.

Não havia restrição externa ao crescimento porque o sistema monetário internacional permitia aos países centrais, emissores das moedas-reserva, realizarem seu potencial de crescimento sem incorrerem em restrições de balanço de pagamentos, isto é, com quase total autonomia interna em sua gestão econômica. Ao longo desse período, foi notável a disposição das autoridades dos países centrais, em especial nos Estados Unidos, de manter suas economias em pleno emprego, sem preocupações a respeito de potenciais problemas de financiamento interno e externo.

Mas, para os países emergentes, a restrição externa ao crescimento permaneceu como um grande fator limitante para a execução de estratégias autônomas de desenvolvimento, baseadas na criação de mercados internos. As décadas de 1980 e 1990 foram marcadas por crises recorrentes, relacionadas a desequilíbrios no balanço de pagamentos em um contexto de volatilidade no fluxo de capitais. Nesse período, o dia a dia dos gestores de política econômica na maior parte do mundo em desenvolvimento não foi o de lidar com uma "grande moderação" similar àquela dos países centrais, mas com recorrentes crises externas, oscilações bruscas de produção, emprego e renda, e deslocamentos nocivos no tecido social. Muitas dessas crises ocorreram após a adoção de reformas que buscavam aperfeiçoar a gestão econômica e as instituições desses países e aproximá-las das "melhores práticas" das economias centrais, adicionando um elemento de frustração e perplexidade a essas sociedades.

As crises eram tipicamente vistas como sinal de progresso insuficiente e da necessidade de aprofundar reformas. Em uma crise de balanço de pagamentos, a falta de confiança era percebida como restrição principal e, portanto, restaurá-la tornava-se o ponto focal da política econômica. Por falta de alternativa, a prioridade da política econômica era restaurar a solvência externa e a solidez do balanço de pagamentos, mesmo que a custos domésticos significativos em termos de progresso social e legitimidade política. Eram adotadas políticas fiscais e monetárias restritivas, mesmo que em um ambiente de recessão e desemprego em alta.

Limitava-se a capacidade do Estado de atuar como elemento amortecedor de deslocamentos econômicos e sociais traumáticos, com o objetivo imediato de manter a percepção de solvência fiscal.

Fica evidente a assimetria então existente entre países centrais e emergentes em termos das condições de integração econômica e financeira à economia global. Para estes últimos, a globalização parecia vir necessariamente acompanhada de efeitos perversos, em parte decorrentes. Crescimento econômico baixo, crises financeiras recorrentes, concentração de renda e instabilidade social foram pontos comuns à experiência desses países. Em muitos deles, cresceu a percepção de que a globalização estaria minando os espaços nacionais e reduzindo o escopo para adoção de políticas públicas. Fora os casos de China, Índia e alguns outros países da Ásia, que foram bem-sucedidos já nas décadas de 1980 e 1990 em manter níveis elevados de crescimento e reduzir sensivelmente a pobreza, a sensação geral parecia ser de impotência ante as forças da globalização produtiva e financeira.

Dito isso, até a década passada não parecia haver nada de muito novo na dinâmica de inserção internacional da periferia. Os países centrais sempre foram fonte originária dos ciclos globais, em termos de atividade econômica, fluxos financeiros, preços de commodities e instabilidade cambial (Ocampo, 2001). A capacidade de emitir moedas-reserva é um dos fatores essenciais por trás da autonomia econômica desses países. Historicamente foram eles, particularmente os maiores, os agentes ativos dos ciclos econômicos globais (*business cycle makers*), com poucas considerações quanto aos impactos sobre o restante do mundo. Os países em desenvolvimento se comportavam, na prática, como receptores desses choques (*business cycle takers*), com menor autonomia para gerir suas economias e para lidar com a oscilação dos fluxos internacionais de capitais. A aceleração da globalização na década de 1990 teria apenas exacerbado essas assimetrias. De fato, nos primeiros anos da década de 2000, essa era a opinião dominante.

Mas, de forma um tanto súbita e inesperada, a partir de algum momento na década de 2000, a economia mundial entrou em um período mais positivo, que viria a durar até o advento da crise financeira de 2008. Em particular, e é isso que nos interessa aqui, a globalização se deu em termos menos hostis para os países em desenvolvimento. Os frutos foram mais bem distribuídos entre os países, ainda que não necessariamente dentro de cada país. Ao contrário da década de 1990, quando apenas um grupo mais reduzido de países teve sucesso em acelerar o crescimento econômico e transformar as forças produtivas internas, nos anos recentes houve uma disseminação global desse processo. A China e a Índia aceleraram ainda mais suas já satisfatórias taxas de crescimento e sua incorporação de contingentes populacionais na economia de mercado. Além disso, outras regiões do mundo de baixo crescimento na década anterior — América Latina, Leste europeu, Oriente Médio e mesmo algumas partes da África — conseguiram resultados significativamente melhores.

A postura conservadora de muitos países em desenvolvimento certamente foi um dos elementos principais para modificar o perfil da globalização financeira. Cientes das dificuldades de inserção internacional no contexto global da década de 1990, esses países buscaram um modelo de crescimento alicerçado em poupança doméstica, sem endividamento externo. Pode-se argumentar, contudo, que as condições globais foram especialmente propícias a que essa estratégia fosse bem-sucedida. É aí que entra a especificidade do período mais recente, que quero destacar. A crescente interdependência entre os Estados Unidos e a China é o ponto focal da dinâmica da economia global no período, porque é dela que decorrem os "vazamentos" favoráveis para outras regiões ao longo da década de 2000. A consolidação da China como grande polo de desenvolvimento foi um fator crucial de transformação. A rápida industrialização chinesa alterou as condições de contorno em que se dava a integração de outras regiões em desenvolvimento, a partir do impacto altista de sua demanda nos preços das commodities. Do lado financeiro, a exportação de seus fluxos de poupança para o restante do mundo, reciclados a partir da capacidade do sistema financeiro ocidental de gerar novos créditos, completava o circuito.

A alta dos preços das commodities agrícolas, industriais e de energia entre 2002 e meados de 2008 foi mais longa e bastante mais intensa do que a média dos ciclos anteriores. Em 2007, o FMI estimou que, para a média dos países em desenvolvimento considerados, o ciclo de alta das commodities então em curso já durava quatro anos (contra dois anos nos ciclos anteriores), e que a alta nos termos de troca de commodities era de 25,3% (contra apenas 9,2% nos ciclos anteriores).[5] Ainda mais importante, os impactos do último ciclo de alta

---

[5] O estudo calculou os termos de troca (referentes ao comércio de commodities) a partir da razão entre os preços das commodities exportadas e os das importadas em cada caso. Os pesos de cada commodity são normalizados para refletir sua importância no comércio exterior de cada país. Há diferenças grandes entre países, como é natural. Por exemplo, a alta de preços da energia impacta negativamente os termos de troca de um país exportador de outras commodities e importador de petróleo, e pode mais do que compensar o impacto positivo de preços mais altos das outras commodities exportadas. Em geral, para uma avaliação criteriosa, é importante distinguir entre os exportadores de petróleo e os exportadores de outras commodities.

de preços foram bastante diferentes dos episódios anteriores. O valor das exportações cresceu sensivelmente (18% ao ano mais rápido), desta vez por conta do maior volume de comércio, e não apenas de preços mais altos. Ao contrário dos ciclos anteriores, também cresceram as exportações de manufaturados, que explicam parte significativa do melhor desempenho geral das exportações no período (IMF, 2008). Parte importante desse desempenho decorreu do crescimento da demanda interna dos próprios países em desenvolvimento, especialmente da China e de outras partes da Ásia, o que permitiu a diversificação dos destinos das exportações, com aumento do comércio entre esses países e redução na parcela absorvida pelos países centrais.

A partir da demanda do gigante chinês, a mudança nas relações de troca representou um rompimento, ainda que momentâneo, da histórica restrição externa ao crescimento dos países produtores de commodities. Concomitantemente, parece ter havido uma redução nos custos da industrialização para os países em desenvolvimento. A demanda crescente por matérias-primas e o barateamento de bens industriais resultante da rápida construção de capacidade na China permitiram vislumbrar o que tem sido chamado de "generalização do desenvolvimento" (Castro, 2008). Um grupo grande de países em desenvolvimento passou a incorrer em persistentes saldos positivos em conta corrente de forma concomitante à aceleração do crescimento econômico. Estes, de certa forma, puderam pegar carona no trem chinês a partir da melhoria substancial de suas relações de troca internacionais. De modo geral, a crescente integração comercial e financeira dos países em desenvolvimento à economia mundial foi acompanhada pela melhoria dos fundamentos econômicos. Muitos foram capturados pelo vento a favor vindo da Ásia, após duas décadas de árduo processo de reforma e de busca de estabilidade macroeconômica. A quase ausência de crises financeiras e de balanço de pagamentos nas regiões emergentes, entre 2002 e 2008, mais do que mera coincidência, parece ser uma evidência das novas condições.

A crise financeira de 2008 tem sido considerada uma ameaça à continuidade do processo de integração da economia mundial e, também, um evento que parece reforçar o movimento estrutural de ascensão desses novos atores na economia global. Isso só é possível como resultado das grandes transformações ocorridas nessas economias. Nos anos recentes, houve uma mobilização de recursos humanos em escala inédita, novos polos de crescimento se estabeleceram, e foi adicionada capacidade industrial em escala e em lugares difíceis de imaginar há uma década. Certamente persistem muitos dos obstáculos a uma integração positiva dos países em desenvolvimento — governança global ainda assimétrica em favor dos países desenvolvidos, regime de comércio impeditivo ao crescimento das exportações de países pobres e instabilidade financeira são apenas alguns deles. Mas as transformações recentes parecem ter colocado o mundo em desenvolvimento em boa posição até para lidar com as consequências da maior crise financeira em décadas e permanecer no caminho do desenvolvimento encontrado nos últimos anos.

É importante considerar em mais detalhe os motivos para a mudança no perfil da globalização e para o melhor desempenho dos países em desenvolvimento na década corrente. Entre esses motivos estão, de forma interligada, o impacto sistêmico da China, um novo comportamento dos países em desenvolvimento na gestão de suas contas externas, a consolidação do longo processo de desregulamentação financeira nos países centrais, e a concomitante aceleração da globalização financeira.

O PAPEL DA GLOBALIZAÇÃO FINANCEIRA NA INTEGRAÇÃO DAS ECONOMIAS EM DESENVOLVIMENTO[6]

Historicamente, a integração financeira global foi caracterizada pelo aumento do fluxo de capitais como mecanismo de transferência de riscos financeiros entre os países centrais. A desregulamentação dos mercados financeiros, desde a década de 1980, e a liberalização do fluxo de capitais nos países centrais tiveram papel essencial para acelerar a integração financeira global. De fato, entre os anos 1970 e até a crise asiática de 1997/1998, os desequilíbrios globais em conta corrente foram pequenos e permaneceram próximos de 1,2% do PIB global. Por outro lado, o fluxo de capitais multiplicou-se, passando de 2,5% do PIB para quase 9% (Brender e Pisani, 2009).

Ao longo da década de 1980, nos anos iniciais da liberalização financeira, os capitais fluíam essencialmente entre os países centrais. Somente a partir da década de 1990 é que os países emergentes entraram no circuito. Com o aparecimento de déficits em conta corrente na América Latina e na Ásia, o tradicional padrão histórico foi mantido: o capital essencialmente fluía dos países centrais em direção aos países em desenvolvimento, na forma de investimentos diretos e em portfólio, com forte presença também de capitais de curto prazo. A volatilidade desses fluxos foi em geral o veículo de transmissão das crises financeiras recorrentes que assolaram o mundo em desenvolvimento nesse período. Reafirmou-se na década

---

[6] Parte da argumentação desenvolvida nesta seção está assentada na análise de Brender e Pisani (2009).

de 1990, portanto, a histórica assimetria nas condições de inserção internacional das economias em desenvolvimento em relação aos países centrais.[7]

O início da década de 2000 marca um ponto de inflexão de extrema importância. É fato que os fluxos de capitais continuaram a crescer, atingindo quase 18% do PIB global em 2007, mas tais fluxos passaram a estar mais relacionados à transferência internacional de poupança. Entre 2000 e 2007, o saldo de poupança global cresceu de 1% para 3% do PIB mundial. Dessa vez, a globalização financeira passou a operar como veículo de transferência de poupança em grandes montantes e na direção contrária das décadas anteriores: o excesso de poupança a ser reciclado no sistema financeiro internacional foi em grande medida originado nos países emergentes, ou seja, estes passaram a ter superávits em conta corrente. Aí está a mudança crucial na natureza da integração financeira entre os países centrais e os emergentes que caracteriza o período.[8]

Além disso, a esse novo padrão esteve associado outro: houve alta correlação entre os superávits em conta corrente dos países emergentes e a aceleração de seu crescimento econômico. De modo geral, os países que mais aceleraram seu crescimento e se aproximaram de uma "fronteira" em termos de crescimento de produtividade e incorporação de tecnologia foram os que contaram progressivamente com maior geração interna de poupança e de superávits na conta corrente (Brender e Pisani, 2009). O caso chinês é o mais extremo: a China acelerou seu crescimento na década de 2000 ao mesmo tempo que se tornou uma grande ex-

---

[7] A governança do sistema monetário internacional, baseada na dominância de uma moeda de reserva nacional (o dólar) e operacionalizada por meio de instituições multilaterais nem sempre capazes de refletir de forma equilibrada os interesses dos países em estágio mais atrasado de desenvolvimento financeiro e institucional, está na raiz dessa assimetria. Ver, por exemplo, Ocampo (2001) e Carneiro (2006).

[8] Convencionou-se denominar o novo padrão "Bretton Woods II", expressão cunhada pelos idealizadores do conceito (Dooley, Folkerts-Landau e Garber, 2003). Para estes, seria um mecanismo análogo à operação do sistema introduzido no acordo de Bretton Woods, que caracterizou o sistema monetário internacional até o início da década de 1970, só que, dessa vez, com um grupo de países em desenvolvimento na posição de demandadores de reservas internacionais denominadas em dólares. A denominação Bretton Woods II acaba sendo um tanto inexata, tendo em vista que o funcionamento recente do sistema envolve a transferência de fluxos maciços de poupança em direção ao emissor da moeda de reserva (os Estados Unidos), fenômeno que não ocorreu nas décadas que se seguiram ao pós-guerra, quando a acumulação de reservas pelos países europeus ocorreu a partir de superávits na conta de capitais, e não pela exportação de poupança. A respeito das origens, condições de sustentabilidade e fragilidades do conceito, ver, entre outros, Dooley, Folkerts-Landau e Garber (2003; 2004), Roubini e Setser (2004), Eichengreen (2006) e Wolf (2007).

portadora de poupança, com superávits em conta corrente de 4,5% do PIB, em média, entre 2003 e 2005, e 10% do PIB entre 2006 e 2008. A globalização financeira contribuiu para a aceleração do crescimento nas economias emergentes, por meio da intermediação de seus grandes fluxos de poupança nos sistemas financeiros dos países centrais. A contribuição da globalização no período foi, portanto, diferente da esperada pela visão convencional, para a qual os países mais atrasados tendiam a ser carentes de poupança e, portanto, deveriam, por meio da abertura econômica e financeira, absorvê-la das regiões mais desenvolvidas. Torna-se crucial, pois, entender por que houve tão significativa exportação de poupança gerada no mundo em desenvolvimento, e de que forma isso levou à concomitante aceleração do crescimento.

A história da globalização financeira desde os anos 1970 é parte da explicação. Em pelo menos duas ocasiões, nas décadas de 1970 e 1990, as regiões em desenvolvimento foram grandes importadoras de poupança (em relação à dimensão de suas economias). Em ambas as ocasiões, o crescimento econômico foi mantido por algum tempo, maior ou menor dependendo do caso, mas foi com frequência interrompido abruptamente por restrições de balanço de pagamentos. A persistência de déficits em conta corrente e a entrada de capital de curto prazo tornaram tais regiões vulneráveis a crises financeiras. Da mesma forma que a década perdida (anos 1980) na América Latina resultara de excesso de endividamento externo, a crise asiática de 1997/1998 teve origem nos déficits em conta corrente e no alto endividamento externo de curto prazo.[9] A súbita interrupção do fluxo de capitais em um contexto de elevado endividamento de curto prazo obrigou muitos países a recorrerem a financiamentos de organismos multilaterais, particularmente do FMI. E não foi uma experiência agradável, especialmente no caso da Ásia, tendo em vista que o financiamento vinha necessariamente acompanhado das tradicionais condicionalidades, e abria espaço para uma intervenção inédita dos organismos multilaterais em sua gestão econômica.

---

[9] Na Ásia, em 1996, o déficit em conta corrente atingiu 2,1% do PIB regional, e os fluxos de capitais para a região chegaram a US$ 180 bilhões. Em 1997, a interrupção dos fluxos de capitais provocou uma crise de liquidez e uma rápida reversão das contas externas. Já em 1998, a região registrou um superávit em conta corrente de 4,7% do PIB, uma mudança de 6,8% do PIB em apenas dois anos, ao passo que o fluxo de capitais caiu praticamente a zero. A contrapartida foi o colapso do crescimento na região, de 8% em 1996, para 5,8% em 1997, e praticamente zero em 1998, em média (Wolf, 2007).

Em decorrência desses fatos, a natureza dos riscos derivados da participação no processo de globalização financeira tornou-se cada vez mais evidente para os países em desenvolvimento. A partir daí, certo número de países asiáticos parece ter tomado — ou reforçado — a decisão de perseguir uma estratégia de desenvolvimento com o maior grau possível de autonomia financeira, isto é, com poupança gerada domesticamente. A China é utilizada aqui como referência principal de análise, pois, como veremos adiante, a partir de sua dinâmica houve consequências sistêmicas para as principais regiões em desenvolvimento, que passaram a seguir os mesmos passos, ainda que muitas o tenham feito de forma passiva, como consequência do projeto chinês de desenvolvimento e integração global.

A estratégia chinesa de desenvolvimento com geração própria de poupança foi viabilizada por sua integração na nova divisão internacional do trabalho. As possibilidades de integração produtiva abertas pela globalização foram exploradas em grande escala, o que também só pôde ocorrer plenamente em função do contexto particular em que se encontravam os países centrais. Estes vinham em um processo de ampla desregulamentação financeira, que abriu espaço para maior endividamento e consumo privados. Na ótica de um grupo de países em desenvolvimento, sua integração nas cadeias produtivas globais foi o mecanismo para a geração de saldos comerciais positivos, a partir de exportações para as economias centrais. O valor adicionado nessas atividades, cada vez mais intensivas em tecnologia, foi a fonte dos excedentes de poupança necessários para que o desenvolvimento nacional pudesse se dar de forma financeiramente independente. Para tanto, toda a política econômica foi conduzida de modo a reforçar o modelo exportador, com superávits em conta corrente e forte acumulação de reservas internacionais.[10]

Para Brender e Pisani (2009), no caso chinês, configurou-se uma situação em que a manutenção do crescimento em nível alto demandava que as exportações continuassem a crescer de forma acelerada. Era preciso gerar valor adicionado crescente em exportações cada vez maiores para que o país continuasse a acumular recursos financeiros, substituir importações e incorporar tecnologia progressivamente mais sofisticada. A partir de certo ponto, conforme a industrialização

---

[10] "Toda a política econômica" deve ser entendida em sentido amplo. Não se trata "apenas" de gestão cambial, esta mesma de suma importância, mas de um amplo espectro de políticas que influenciam a dinâmica do comércio exterior: subsídios a produtores, mecanismos de poupança forçada, política creditícia, tributação etc.

avançava em setores mais complexos, as exportações passaram a ser uma fonte primordial de crescimento de escala, fundamental para a plena absorção de novas vantagens comparativas. Tal importância das exportações aumenta ainda mais se o acúmulo de poupança ocorrer de forma acelerada o bastante para suplantar as possibilidades de seu aproveitamento doméstico, como foi o caso chinês. Assim, o uso da capacidade instalada e a incorporação de novos entrantes no mercado de trabalho passam a depender da contínua e crescente exportação de poupança. Ao longo da década, o sucesso da China em manter utilizados seus crescentes recursos produtivos decorreu de seu sucesso em exportar o excedente de poupança para, direta ou indiretamente, financiar compradores externos da produção doméstica. Suas empresas utilizaram demanda externa, visto que, como consequência da própria estratégia de desenvolvimento adotada, faltava demanda doméstica. Tal estratégia precisava que alguém se comportasse de forma oposta, e esse papel foi exercido em grande medida pelos Estados Unidos.

A partir de 2003, o superávit em conta corrente chinês foi multiplicado, chegando a US$ 400 bilhões anuais em 2007 e 2008 (cerca de 10% do PIB, em média). As reservas internacionais atingiram quase US$ 2 trilhões em 2008, metade incorporada no biênio 2007/2008, quando o processo parece ter adquirido característica exponencial. A participação da poupança no PIB cresceu cerca de 10 pontos percentuais entre 2002 e 2007, chegando a 50% do PIB. O aumento da rentabilidade do capital em um contexto de rápida incorporação de mão de obra, o crédito farto e a sólida demanda internacional impulsionaram o investimento para 40% do PIB. Esses níveis de poupança e investimento não foram atingidos por nenhuma outra economia na história documentada, muito menos por uma economia de grandes dimensões, o que certamente levanta questões de eficiência alocativa em um prazo mais longo. É relevante notar que o aumento de poupança ocorrido na China se deu em grande medida no setor corporativo, a partir dos lucros retidos das empresas, que cresceram de 2% do PIB, em 2002, para 10% do PIB, em 2008.[11] Já a participação do consumo no PIB caiu de 40%, em 2002, para apenas 35%, em 2007. A limitada capacidade da economia para direcionar internamente os saldos de poupança decorre em parte do baixo desenvolvimento financeiro local. Fica evidente

---

[11] A principal razão para isso parece ser o legado institucional das empresas estatais, cujo status de propriedade coletiva dificultou até recentemente a reciclagem dos lucros acumulados por meio da distribuição de dividendos. A retenção de lucros nas empresas estatais é um fator importante por trás da tendência da China, crônica entre 2000 e 2008, de excesso de investimento e baixo dinamismo do consumo em relação ao restante da economia.

um contraste entre a rápida acumulação de capacidade industrial e a lenta transformação dos padrões de alocação de renda e de dispêndio doméstico dessa renda.

Pode-se falar, de forma estilizada, em uma simbiose EUA-China, na qual o primeiro absorvia bens e poupança exportados pelo segundo. Do lado dos norte-americanos, isso só pôde ocorrer no contexto das políticas expansionistas adotadas desde o início da década, que por si mesmas já contribuíam para o crescimento de seu déficit em conta corrente. O particular papel dos Estados Unidos no fornecimento da moeda de reserva global, a disposição que nunca pode ser subestimada de suas autoridades de manter o pleno emprego, as inovações financeiras que alargaram suas possibilidades de endividamento privado, o contexto regulatório de seus mercados e, progressivamente, a existência de uma contraparte de peso engajada estruturalmente em políticas de acumulação de capital e de exportações — todos esses fatores operaram conjuntamente. É verdade que nem todo o déficit em conta corrente norte-americano ao longo desses anos correspondeu ao superávit chinês. Parte importante desse déficit teve contrapartida nos superávits dos países produtores de petróleo e, em alguma medida, do Japão. Além disso, não foram os Estados Unidos os únicos a incorrerem em grandes déficits, tendo o mesmo ocorrido no Reino Unido, na Espanha e em parte importante da Europa oriental, no caso europeu, com forte contrapartida dos superávits alemães. Contudo, mesmo tendo essa realidade em vista, cabe reforçar o papel primordial da China na elevação dos preços das commodities, provocando importante transferência de renda em favor dos países produtores. Foi a partir desse canal que um grupo grande de países em desenvolvimento passou a apresentar persistentes saldos positivos em conta corrente. O crescente dinamismo interno dessas economias emergentes fez também crescerem as exportações de manufaturados, o que confere ao episódio recente uma característica distinta dos ciclos de commodities anteriores. Fica evidente a circularidade desses fluxos e o papel determinante da simbiose EUA-China como explicação para os desequilíbrios globais.

Da mesma forma que as regiões asiáticas de rápido crescimento, outras partes do mundo em desenvolvimento tornaram-se exportadoras de poupança, ao mesmo tempo que aceleravam seu crescimento econômico.[12] Como a China, tais

---

[12] A exceção a essa regra foi um grupo de países em desenvolvimento do Leste europeu, que acumulou déficits em conta corrente de grande monta. Tais déficits estiveram, em muitos casos, associados ao processo de integração na União Europeia, e seguiram condicionantes econômicos distintos. Mesmo assim, os déficits europeus foram uma fração do excesso de poupança cerca de US$ 800 bilhões em 2007 — gerado nas outras regiões em desenvolvimento.

países optaram por reciclar seu excesso de poupança no sistema financeiro internacional por meio de intervenções nos mercados de câmbio e acumulação de reservas internacionais.[13] Como consequência, o total de reservas detidas por países em desenvolvimento atingiu mais de US$ 5 trilhões em 2008, um salto de US$ 4,5 trilhões em relação ao patamar de 2002.

O SISTEMA FINANCEIRO GLOBALIZADO COMO INTERMEDIÁRIO DOS DESEQUILÍBRIOS GLOBAIS EM CONTA CORRENTE

As regiões emergentes exportaram volumes de poupança muito significativos em relação à dimensão de suas economias. Na China, o superávit em conta corrente atingiu mais de 10% do PIB em 2007 e 2008. Nos países produtores de petróleo, os superávits foram frequentemente superiores a 20% do PIB. Quase a totalidade desse saldo foi direcionada ao financiamento dos países centrais: o déficit em conta corrente dos Estados Unidos cresceu continuamente até atingir o pico de US$ 788 bilhões (6% do PIB) em 2006, de modo que o país passou a absorver até 80% do excesso de poupança do restante do mundo.

Novamente, é preciso ressaltar o papel importante do sistema financeiro globalizado para viabilizar fluxos maciços de exportação de poupança por parte do mundo em desenvolvimento. Dados os enormes volumes envolvidos e a carência de infraestrutura doméstica de intermediação financeira, havia uma impossibilidade prática de a exportação de poupança ocorrer a partir de agentes privados.[14] Portanto, a integração financeira das regiões emergentes, necessária para a exportação dos grandes volumes de poupança, ocorreu a partir do crescimento das reservas em moeda estrangeira em poder de seus bancos centrais. De fato, na China e nos países produtores de petróleo, os volumes acumulados de reservas internacionais, na maior parte do tempo, guardam estreita relação com os montantes de superávit em conta corrente. Isso não significa, é claro, que a origem dos saldos

---

[13] O investimento das reservas em títulos do governo norte-americano possivelmente contribuiu para acentuar a persistente pressão baixista nas taxas de juros de longo prazo nos EUA verificada no período, reforçando a circularidade do processo.

[14] Pode-se argumentar que a imperfeita liberalização dos fluxos de capital privados em muitas dessas economias, e na China, em particular, limitou a possibilidade de exportação de poupança a partir de canais privados. Contudo, para isso, seria necessário um sistema financeiro doméstico desenvolvido e integrado globalmente, o que claramente não é o caso dos países emergentes (Brender e Pisani, 2009). No caso dos países desenvolvidos com superávits em conta corrente e sistemas financeiros desenvolvidos e integrados ao restante do mundo, a exportação de poupança pôde ocorrer a partir de canais privados, como se deu na Alemanha e no Japão.

de poupança seja pública. No caso chinês, a contrapartida doméstica às reservas internacionais acumuladas em seu banco central são os depósitos bancários de famílias e empresas, principalmente as estatais, que são os verdadeiros "poupadores no fim da linha".

Um ponto crucial a ser compreendido é que tanto as reservas internacionais dos países emergentes quanto suas respectivas contrapartidas domésticas tomam a forma de ativos financeiros líquidos e de baixo — ou inexistente — risco de crédito. No caso das reservas internacionais, os bancos centrais correm o risco da taxa de câmbio. Mas, em tese, o risco de crédito é reduzido, pois, em grande parte, as reservas tendem a ser direcionadas para títulos públicos dos países centrais (considerados, para efeitos práticos, livres de risco de crédito). Dessa forma, fica claro: a) que a exportação de poupança pelos países emergentes ocorre em grande medida por meio do setor público e de seus bancos centrais; e b) que estes tendem a incorrer apenas no risco de câmbio quando investem seus recursos. O retorno obtido no volume de poupança exportado dessa forma dependerá da taxa de câmbio e do diferencial de taxa de juros em relação aos países centrais. Como é natural que exista uma tendência de longo prazo para a apreciação da moeda nacional desses países, tendo em vista o ganho acelerado de produtividade e seu progressivo desenvolvimento econômico, o retorno desse investimento será quase que necessariamente negativo, especialmente no caso da China, que caminha inexoravelmente para uma sensível apreciação de sua moeda nos próximos anos. Esse retorno negativo esperado indica que o grande apetite dos bancos centrais emergentes para acumular reservas em velocidade acelerada nos últimos anos está relacionado aos objetivos estratégicos de tais intervenções, entre os quais, a manutenção de taxas de câmbio subvalorizadas e a redução da vulnerabilidade a crises financeiras e de balanço de pagamentos.[15]

Uma vez que o excesso de poupança dos países emergentes foi investido pelos respectivos governos em ativos sem risco de crédito (títulos públicos e depósitos bancários de curto prazo) nos países centrais, o corolário é que deveria haver alguém disposto a assumir os riscos que não estavam sendo assumidos pelos governos dos países emergentes. Isso não teria sido possível sem que alguém, nas

---

[15] A acumulação seria uma apólice de seguro. Mas, mesmo com base em hipóteses bastante adversas no que se refere ao funcionamento do sistema monetário internacional e ao risco de crises externas, os volumes acumulados estariam acima do necessário. Ver, a esse respeito, Rodrik (2007).

economias dos países centrais, assumisse grande parte desses riscos, na forma de uma crescente alavancagem financeira. Aí entra diretamente a contribuição da globalização financeira em um contexto de desregulamentação: facilitar a transferência dos riscos inerentes ao processo de investimento dos fluxos de poupança das regiões emergentes para o sistema financeiro dos países centrais. Os bancos ocidentais é que carregaram o risco de crédito dos tomadores finais desses recursos, os consumidores norte-americanos, em particular. A falta de desenvolvimento financeiro dos países em desenvolvimento mostrou-se não impeditiva ao processo de integração financeira global e ao investimento de sua poupança, que se dava diretamente pela acumulação de reservas nos bancos centrais. A China não estava fazendo empréstimos diretamente para as famílias americanas endividadas, mas o fluxo de poupança da China, mesmo assim, foi parte essencial do processo que permitiu a criação de crédito em uma economia — a norte-americana — que não estava poupando. A partir daí — ou, mais exatamente, de modo concomitante —, a intermediação desses fluxos nas economias centrais levou necessariamente ao aumento da alavancagem nestas últimas.

A globalização financeira foi o fio condutor essencial para que o circuito pudesse se realizar continuamente. De um lado, estava a acumulação de fluxos cada vez maiores de poupança nos países emergentes, o que seria resultado uma estratégia cautelosa de integração no mundo globalizado. De outro, estavam os países centrais, cujas políticas econômicas e de desregulamentação financeira teriam aberto caminho para o crescimento de seu endividamento. Ao longo da década de 2000, a alavancagem do sistema financeiro dos países centrais cresceu continuamente, e viabilizou a conversão de US$ 4 trilhões de nova poupança originada nos países emergentes — investidas sem risco de crédito — em empréstimos para famílias e empresas no Ocidente.

O *boom* de crédito no mundo desenvolvido foi gerado especialmente a partir de financiamentos hipotecários, nos EUA e em partes da Europa, mas atingiu praticamente todas as modalidades de crédito e produtos financeiros com graus crescentes de alavancagem. O endividamento total da economia norte-americana atingiu 350% do PIB em 2007, nada menos do que 100% e 200% do PIB acima dos montantes de 2002 e 1995, respectivamente. Isso significa um "excesso" de dívida (em relação à tendência histórica) de US$ 10 a 15 trilhões, acumulado em menos de 10 anos, concentrado nas famílias e no setor financeiro. A estabilidade do sistema que financiava os déficits das famílias norte-americanas — e outros déficits em países europeus que também passavam por um *boom* imobiliário e de consumo — dependia da disposição dos bancos centrais dos países emergentes de continuarem acumulando reservas internacionais, e da disposição de intermediários privados de continuarem aceitando os riscos de crédito associados aos empréstimos de longo prazo para consumidores cada vez mais endividados. Isso foi possível enquanto os valores dos imóveis continuavam a subir, sustentando a demanda por empréstimos.

Formou-se, assim, o pano de fundo para uma crise financeira, que ocorreria quando a capacidade de alavancagem do sistema financeiro ocidental fosse atingida e, por conseguinte, volumes sem precedentes de financiamentos tivessem que ser cortados abruptamente.[16] A maioria dos analistas, focada nos desequilíbrios globais em conta corrente, imaginava que a crise viria a partir da perda de confiança dos bancos centrais em relação aos ativos em dólar. Isso, em alguma medida, tem acontecido no contexto pós-crise, mas não foi o catalisador inicial da crise. Poucos perceberam que o elo fraco da cadeia era a infraestrutura de intermediação financeira nos países centrais, que se viu em dificuldade crescente para encontrar tomadores de empréstimos e garantias de qualidade. O colapso da intermediação financeira privada nos EUA — e, por extensão, nos países centrais com sistemas financeiros globalmente integrados — interrompeu o fluxo de empréstimos para as famílias, que paralisaram seu consumo. O resultado foi a parada súbita do comércio exterior e uma recessão global sincronizada. Nesse processo, a liquidez global contraiu-se, e a especificidade do dólar como moeda de reserva global se afirmou: todos precisaram saldar compromissos em dólares, e isso levou a uma forte valorização da moeda americana, mesmo estando os Estados Unidos no epicentro da crise e com suas finanças públicas fragilizadas.

China: a configuração de um novo polo de desenvolvimento

A entrada da China na Organização Mundial de Comércio (OMC), em novembro de 2001, foi um marco na aceleração da globalização produtiva. Em larga medida,

---

[16] Uma vertente atribui a crise financeira essencialmente a erros de regulação financeira nos países centrais. Certamente, a inadequação das regras prudenciais facilitou a alavancagem e foi elemento determinante para a fragilização do sistema. Contudo, é plausível considerar que uma melhor regulação talvez não fosse suficiente para evitar a crise. Isto porque, como tento argumentar, a natureza dos desequilíbrios globais *necessariamente* conduziu ao aumento da alavancagem do sistema. Há uma certa circularidade inevitável, mas a dinâmica global do período parece ter decorrido, pelo menos em parte, das políticas econômicas adotadas pelos países emergentes, em especial a China. Essas políticas, por sua vez, podem ter resultado de uma reação defensiva – em maior ou menor grau, dependendo do caso – às dificuldades históricas de integração global dessas economias.

a integração produtiva da China à economia global é o outro lado da moeda da globalização financeira, já discutida. Tendo isso em vista, cabe fazer uma digressão para contextualizar a experiência de globalização produtiva da década de 2000 a partir da ascensão da China como participante de peso sistêmico.

Uma vasta literatura indica que o sucesso asiático em atingir altas taxas de crescimento teria se dado não só pela satisfação de algumas condições necessárias — solidez do arcabouço macroeconômico básico em termos de políticas fiscais e monetárias e da busca de melhores práticas regulatórias —, mas também, e de modo crucial, pelo foco consistente das intervenções públicas no estímulo ao desenvolvimento. A gestão cambial, em geral com a defesa de uma taxa de câmbio real suficientemente desvalorizada, e a condução de políticas industriais seriam elementos definidores dessas intervenções públicas. Além disso, em termos bastante genéricos, esses países parecem buscar a construção de uma "metodologia de desenvolvimento" que considere elementos amplos, tais como a disposição para uma alta dose de experimentalismo, as particularidades institucionais de cada caso, e a necessidade de uma pronta adaptação a novas circunstâncias que exijam alterações de curso (World Bank, 1993; 2005). Como veremos adiante, a construção de espaços autônomos de desenvolvimento exigiu muito mais do que a satisfação de algumas "condições necessárias", como, por exemplo, as postuladas pelo "Consenso de Washington". A análise da bem-sucedida experiência chinesa está inserida, portanto, nessa tradição acadêmica, posto que são facilmente visíveis os elementos de sua estratégia de desenvolvimento comuns ao restante da experiência asiática, especialmente o foco exportador.[17]

Mas não basta considerar a China apenas mais um exemplo bem-sucedido de desenvolvimento com foco exportador. Isto porque a característica mais distintiva da China em relação ao que se convencionou chamar de o modelo asiático de desenvolvimento é o seu tamanho. O objetivo aqui não é trazer uma coleção de estatísticas a respeito da dimensão chinesa, mas reconhecer, de antemão, que o

---

[17] Entende-se por modelo asiático não uma caracterização estanque, mas a denominação estilizada de um conjunto de elementos comuns às estratégias de desenvolvimento na região, especialmente o foco na exportação e a adoção de políticas industriais. De modo bem geral, os termos "asiático" e "Ásia em desenvolvimento" abrangem a experiência bem-sucedida dos países recém-industrializados (*newly industrialized countries* — NICs) de primeira geração — Coreia, Hong Kong, Cingapura e Taiwan —, a trajetória menos bem-sucedida dos países de segunda geração reunidos na Associação de Nações do Sudeste Asiático (Asean) — Malásia, Tailândia, Indonésia e Filipinas —, e, particularmente para nossos fins, a própria China. Não incluí a Índia por causa de suas características estruturais bastante distintas.

tamanho e as características idiossincráticas de seu modelo conferem à economia chinesa a capacidade de influir de forma sistêmica no cenário internacional. Tal impacto não se resume aos fluxos de produção, de dimensão evidente, mas envolve também uma crescente influência monetária e financeira, como sempre é o caso em se tratando da emergência de uma potência de primeira ordem. Um de seus traços singulares é que, para uma economia grande, a China é muito aberta ao comércio. A participação das exportações em relação ao PIB, da ordem de 36% em 2007 (contra 20% em 2001), é similar à da Coreia — um país com menos de 5% da população chinesa. Há outra característica singular que cumpre repetir: o crescimento acelerado se dá com alta taxa de poupança e, a partir de 2003, com explosivos superávits em conta corrente, da ordem de 10% do PIB. Tendo em vista o que foi discutido anteriormente, fica clara a dimensão da economia chinesa e, por conseguinte, os impactos sistêmicos desses desequilíbrios.

Tais superávits, especialmente como contrapartida aos déficits dos EUA, que agiam como consumidor de última instância global, indicavam um caminho "claro": a eventual recusa dos novos credores de financiar os Estados Unidos seria o estopim de uma crise, a partir da desvalorização do dólar. No entanto, a crise veio pelo lado oposto, ou seja, pela incapacidade dos próprios EUA — mais precisamente do sistema financeiro e das famílias americanas — de continuarem aumentando seu endividamento, tendo em vista o esgotamento do processo de alta dos preços dos ativos imobiliários. E por que isso é importante? Porque a forma como se deu a crise mostra que o novo protagonista que irrompeu na cena global esteve pronto a testar os limites do possível, no que se refere à estratégia de desenvolvimento com foco exportador. A especificidade chinesa, em última instância, é o seu tamanho. Mas quem atingiu o limite primeiro não foi a China, que poderia continuar a acumular superávits externos e a reciclar esses superávits para os Estados Unidos por meio do aumento de suas reservas internacionais em dólares, como, aliás, continuou fazendo no contexto pós-crise. *O limite para a continuidade do processo foi dado pelo esgotamento da capacidade de endividamento da economia norte-americana.*[18]

---

[18] Historicamente, os Estados Unidos colheram benefícios de serem os emissores da moeda de reserva global, principalmente a inexistência de restrição externa ao seu crescimento e a facilidade de projeção de seu poder financeiro. Contudo, talvez tenha havido uma mudança importante nos últimos anos: a emergência de um novo protagonista global suficientemente grande e determinado a acumular superávits externos na moeda de reserva colocou uma maior pressão deflacionista no país emissor da moeda de reserva. Este, por sua vez, visando a preservar o pleno emprego em sua própria economia, se viu compelido a praticar políticas ainda

A China, portanto, é bem mais do que apenas um novo *player* competitivo inserido na globalização. Isto porque, além de seu esforço de desenvolvimento objetivar a construção de autonomia nacional em múltiplos espaços, sua inserção é capaz de alterar o padrão de funcionamento da economia mundial e o próprio equilíbrio geopolítico global. O caso da China não é apenas de aceleração de crescimento, mas de uma agenda estratégica de acumulação de recursos de poder nos campos econômico-financeiro, científico, organizacional, militar e cultural. Para tanto, além do foco na manutenção de altas taxas de crescimento, entendidas pela liderança chinesa como meio de viabilização dos outros objetivos, há um processo acelerado de geração interna de novos sistemas regulatórios e de gestão e capacitação para a inovação tecnológica. O mesmo vale para os mecanismos institucionais necessários para lidar com os desafios de crescimento sustentável e de governança ímpares à sua dimensão.

Todos esses desdobramentos aprofundam ainda mais os já consideráveis impactos de sua trajetória na ordem internacional. Em outros termos, diferentemente dos outros casos de sucesso na Ásia, incluindo-se aí o do Japão, apenas a China tem condições de emergir como novo centro de poder global, na medida em que sua ascensão altera de forma sistêmica a realidade econômica e geopolítica mundial. A China emerge com uma economia política própria. A partir dessa perspectiva é que devem ser considerados os impactos regionais e globais do desenvolvimento chinês.

A emergência da China como polo de desenvolvimento significou um novo impulso para o crescimento regional e, progressivamente, para o de outras regiões periféricas. O canal de influência foi o comércio exterior, cujos volumes foram multiplicados conforme a China se estabelecia como plataforma de montagem global. Secundariamente, a China vem se configurando progressivamente como uma fonte de demanda final importante, a partir do crescente dinamismo de seu mercado interno. Apesar de ainda não estar em posição de atuar como fonte autônoma de demanda para outras regiões, como ficou demonstrado no contexto da crise financeira de 2008, parece caminhar para isso nos próximos anos.

---

mais expansionistas (sem considerar limitações externas, dada a sua condição de emissor da moeda de reserva). Juntamente com a regulação falha, as políticas expansionistas dos Estados Unidos, especialmente do lado monetário, criaram as condições para um aumento progressivo do endividamento privado, fechando o circuito necessário para o crescimento progressivo dos desequilíbrios globais em conta corrente. Em certa medida, a última década mostrou que o emissor da moeda de reserva pode se deparar com uma situação de *menor* autonomia em sua gestão econômica, embora obviamente de natureza muito diferente da subordinação histórica dos países periféricos.

ALGUNS IMPACTOS REGIONAIS DA ASCENSÃO DA CHINA

No âmbito regional, o aprofundamento da influência da China foi consequência natural de sua emergência como principal centro de montagem e mercado consumidor na Ásia. O modelo exportador chinês, em voga desde os anos 1980, mas, particularmente, a partir de meados dos anos 1990, baseado em alta poupança e na fixação da taxa de câmbio em nível depreciado, permitiu um rápido crescimento das exportações e a transformação da China em um grande polo de comércio. Inicialmente concentrada apenas em atividades intensivas em mão de obra e no processamento de baixo valor adicionado, a partir das zonas especiais de exportação criadas nos anos 1980, a estratégia chinesa foi bem-sucedida em termos dinâmicos: abriu espaço para a atração crescente de setores de sofisticação média, especialmente em maquinário industrial e em eletroeletrônica, diversificou a pauta exportadora, e ampliou a difusão de tecnologia na economia. A forte redução dos custos de produção, os avanços tecnológicos, a segmentação de cadeias de produção e o grande aumento nas economias de escala foram elementos essenciais a essa transformação.[19]

Desde os anos 1990 e, de forma mais acelerada, na década de 2000, os avanços tecnológicos e a ascensão da China alteraram profundamente a dinâmica econômica regional, modificando padrões de comércio e a divisão regional do trabalho. Em particular, parte da perda do dinamismo exportador asiático para o Ocidente, nos anos 1990, deveu-se ao deslocamento provocado pelo aumento da penetração da China nos mercados ocidentais. Porém, ao mesmo tempo, esse efeito adverso para os demais países asiáticos foi compensado pelo aumento progressivo das importações, pela China, dos produtos daqueles países. Já nos primeiros anos da década de 2000, o peso da China no comércio com o Japão e com a Coreia suplantava com folga o dos EUA. A demanda chinesa não se concentrava apenas nos componentes de suas exportações para o Ocidente, mas era também o destino final de maquinário industrial e de equipamentos sofisticados produzidos pelos demais países asiáticos. A China tornou-se o principal cliente da maioria dos pa-

---

[19] Há muito tempo a teoria de comércio internacional passou a enfatizar as economias de escala como um fator importante na determinação do perfil de comércio, além das vantagens comparativas. O comércio exterior está fortemente ligado a novas tecnologias e diferenciação de produtos. Isto é especialmente relevante no caso asiático, na medida em que a segmentação de cadeias de produção (verticalização) permitiu o aproveitamento de economias de escala por meio de maior especialização e divisão de trabalho regional. A multiplicação do comércio de bens intermediários, por excelência mais sujeitos à segmentação, é uma evidência desse fenômeno.

íses asiáticos, absorvendo, em 2007, 28%, 23% e 16% do total das exportações de Taiwan, Coreia e Japão, respectivamente.

Houve uma tendência crescente de regionalização, termo que define a integração cada vez maior das economias da área por meio do aumento exponencial da corrente de comércio, dos fluxos de financeiros, da disseminação de tecnologia e de mudanças nos padrões de especialização das economias. É importante destacar dois aspectos centrais do processo de transformação descrito. O primeiro é que tal dinâmica de regionalização resulta mais da atuação de forças de mercado, caminhando *pari passu* com a globalização, do que de um esforço político e estratégico determinado. O segundo, também uma resposta regional, tem forte dimensão político-econômica: consistiu em responder às vulnerabilidades evidenciadas pela crise de 1997/1998 por meio da criação de mecanismos de cooperação regional, que tem se aprofundado nos últimos anos e, particularmente, no contexto pós-crise financeira. Assim, foram criadas estruturas institucionais e políticas com vistas a ampliar o espaço de cooperação regional e bilateral — que alguns definem como regionalismo (Cunha, 2008).

Os dados mostram a multiplicação das exportações da região, especialmente do comércio intrarregional, que cresceu a taxas maiores do que as do comércio extrarregional.[20] Isso, à primeira vista, contribuiria para reduzir a vulnerabilidade asiática a um choque de demanda a partir de mercados extrarregionais. Por isso, segundo alguns, a regionalização e a emergência da China como centro consumidor ao longo da década de 2000 indicariam, já neste período, a formação de um polo de desenvolvimento com maior autonomia. Daí a percepção crescente, especialmente a partir de 2006, de que seria possível um "descolamento" da região em relação à trajetória de demanda final no Ocidente. Ao aproveitar o *boom* de comércio global para alavancar sua plataforma exportadora, a China foi capaz de crescer 10,5% em média entre 2000 e 2007.

---

[20] Entre 1998 e 2006, o valor das exportações totais da Ásia em desenvolvimento passou de US$ 769 bilhões (34,4% do PIB) para US$ 2,2 trilhões (45,3% do PIB). As exportações da China em relação ao PIB praticamente dobraram entre 2001 e 2007, passando de 20% para 36%. As exportações para o G-3 (Alemanha, França e Reino Unido) aumentaram de US$ 363 bilhões para US$ 905 bilhões (18,7% do PIB regional), seguidas de perto pelas exportações intrarregionais, que passaram de US$ 245 bilhões para US$ 800 bilhões (16,5% do PIB), e pelas exportações para o restante do mundo (ex-G-3 e região), que subiram de US$ 160 bilhões para US$ 492 bilhões (10,2% do PIB). A participação da China nesses fluxos passou de 6,2% do PIB regional, em 1998, para 12,1%, em 2006. Ver Pula e Peltonen (2009, tab. 1).

Uma análise mais detida dos dados, contudo, (ainda) não permitiria falar em descolamento, como atesta a parada súbita de comércio que se seguiu à crise financeira de 2008. Os dados incluem as exportações tanto de bens finais quanto de bens intermediários, que são resultado da segmentação das cadeias de produção e estão, particularmente, sujeitos a dupla contagem. A grande multiplicação do comércio intrarregional se deu em exportações intermediárias, que aumentaram de US$ 200 bilhões, em 1998, para US$ 716 bilhões, em 2006 (tendo as exportações de intermediários para a China passado de US$ 69 bilhões para US$ 259 bilhões), o que representa cerca de 90% do aumento das exportações intrarregionais totais.

A China, por seu tamanho, é menos dependente do exterior do que o restante dos países (NICs + Asean), mas, entre 2000 e 2006, a parcela do comércio exterior no valor adicionado chinês passou de 20% para 30%, ao passo que a participação da demanda doméstica caiu de 80% para 70%. Já no grupo restante, houve apenas uma pequena queda da participação da demanda doméstica, de 60% para 58%, mas em um contexto de aumento da importância do comércio com a China. Isso indica que, no caso do grupo restante, a dependência maior de mercados extrarregião se dá indiretamente por meio do aumento da importância dos fluxos comerciais com a China. Tal evidência está em linha com as mencionadas alterações na divisão regional do trabalho, ou seja, com um deslocamento da demanda do restante do mundo, antes atendida por outros países asiáticos, mas agora canalizada em direção à China, que se constituiu na principal plataforma global de montagem e de exportações.

Outros estudos também apontam o aumento da dependência das economias asiáticas dos mercados de exportação nos últimos anos. Apesar de o comércio intra-asiático ter se expandido mais rapidamente do que o intercâmbio com o restante do mundo, especialmente com o G-3, o perfil desse crescimento indica que a importância da demanda final extrarregional para o dinamismo asiático cresceu acentuadamente ao longo da década de 2000 (ADB, 2008a), aumentando, e não reduzindo, a vulnerabilidade da região (NICs + Asean + China) a oscilações da demanda final extrarregional, particularmente do G-3. É verdade que a China tornou-se um mercado crescente para exportações de maquinário industrial e de equipamentos de transporte sofisticados, fornecidos regionalmente por Japão e Coreia, suplantando em muitos casos os Estados Unidos e a União Europeia (UE). Contudo, aumentou a importância da demanda final de fora da região para as exportações da China, indicando que a expansão do comércio intrarregional refletiu, em parte, a crescente importância da China como plataforma de montagem regional e global, e, que ela ainda não seria suficiente para dotar a região de uma fonte de demanda relativamente autônoma em relação ao restante do mundo (ADB, 2008a).

Em resumo, a rápida evolução das tecnologias de produção e as inovações em tecnologia de comunicação e de transportes permitiram a crescente segmentação das cadeias de produção (dispersando a montagem e a produção de componentes por vários países) e uma mudança no perfil das exportações asiáticas, no sentido de bens intermediários e componentes em direção à China. Uma análise das indústrias com maiores ganhos de escala por conta da verticalização mostra que o comércio de partes e componentes representa a esmagadora parcela das exportações. Como o comércio exterior asiático foi favorecido, por ganhos de escala, nos últimos 15 anos (centrado como foi na plataforma chinesa), fica claro que o dinamismo dos volumes de comércio poderia ser afetado severamente por pequenas oscilações, de custos, ou no volume de demanda final. O crescimento dos custos de frete já representava um desafio importante para os fornecedores asiáticos de bens intermediários em 2007 e 2008, antes que a eclosão da crise financeira impactasse fortemente a demanda global pelas exportações da região. Tais considerações evidenciam alguns riscos do modelo exportador asiático. Nos últimos meses de 2008, houve uma parada súbita dos fluxos de comércio global. Quedas da ordem de 30-40% nas exportações regionais, nos meses finais de 2008, mostraram que a vulnerabilidade da economia regional era significativa, embora de natureza distinta da crise asiática de 1997/1998.

Uma nova configuração global

Com o esgotamento da capacidade de alavancagem da economia norte-americana, e o início de um processo de redução dos desequilíbrios globais em conta corrente, surge uma questão: qual será a nova configuração da economia mundial nos próximos anos? Do mesmo modo que o equilíbrio econômico global dos últimos anos dependeu da interação das economias norte-americana e chinesa, as perspectivas após a crise financeira estão ligadas a como se dará o novo equilíbrio. Se o "modelo de negócios" da China esteve, em parte, voltado para atender à demanda de consumo dos Estados Unidos (e do resto do Ocidente) — que deverá se manter deprimida por alguns anos —, em que termos ocorrerá a reconfiguração? Se a nova força motriz do crescimento da economia mundial, nos próximos anos, deve ser a demanda doméstica nos países emergentes (especialmente na Ásia), quanto tempo será necessário para que desempenhe esse papel? Por outro lado, como se portarão os EUA e a Europa em face do que pode ser um ciclo de muitos anos de crescimento abaixo do potencial, desemprego em alta, e fragilização das finanças do Estado? É bem documentado que uma das principais consequências de crises financeiras é o forte aumento da dívida pública nos países afetados (Reinhart e Rogoff, 2009). Até meados de 2009, o comportamento dos países centrais não parecia fugir dessa regularidade. Tendo em vista ainda a possibilidade de fraqueza continuada da atividade econômica num grande número de países centrais nos próximos anos, são relevantes os riscos de protecionismo comercial e financeiro. Nesse caso, os avanços no bem-estar de grandes contingentes populacionais, especialmente os recém-integrados ao processo produtivo global, seriam comprometidos. Vamos arriscar algumas hipóteses.

O AJUSTE NORTE-AMERICANO (E OCIDENTAL) E O NASCIMENTO DE UM NOVO VETOR DE CRESCIMENTO ASIÁTICO

Do lado americano, o desafio está em lidar com a recomposição de poupança interna, tendo em vista o esgotamento da capacidade de endividamento da economia. Desde o 2º semestre de 2008, está em curso um processo de desalavancagem do consumidor da ordem de US$ 4 trilhões (30% do PIB) que deverá se prolongar por alguns anos. A redução da intermediação financeira indica que não se trata apenas de falta de oferta de crédito, mas de um ajuste estrutural da demanda de crédito e da própria capacidade do sistema de gerar dinheiro endogenamente, tendo em vista a queda dos preços dos imóveis, principal lastro do edifício de endividamento construído. Nesse contexto, é elevado o risco de uma taxa de crescimento econômico abaixo do potencial por um período extenso, com consequências estruturais negativas em termos de finanças públicas, produtividade e criação de emprego.

Nesse cenário, pela primeira vez em décadas, a política monetária convencional não se mostrou capaz de, sozinha, restaurar o crescimento — e essa é uma das implicações a considerar. O corte dos juros para zero e a compra direta de ativos financeiros no mercado mostram a disposição das autoridades de explorar o desconhecido, com boa dose de experimentação. Complementando as medidas monetárias que buscaram restaurar a intermediação financeira, o Tesouro norte-americano recorreu a um pacote fiscal de grandes proporções e a esforços para acelerar a recapitalização do sistema bancário — uma condição necessária para a restauração parcial do fluxo de crédito. Porém, essas iniciativas são compensatórias e têm o poder apenas de amortecer o ajuste do setor privado, não de revertê-lo até que tenha percorrido o curso necessário para a restauração de algum equilíbrio nos balanços das famílias e do sistema financeiro.

O inevitável ajuste de poupança nos Estados Unidos é um choque negativo na demanda global, pois o consumidor norte-americano respondia, em 2008, por nada menos do que US$ 10 trilhões em dispêndios anuais, quase 20% da economia mundial medida em dólares correntes. Tal montante é cinco vezes maior do que as despesas do consumidor japonês, e 10 vezes maior do que as do consumidor chinês, segundo o mesmo critério de mensuração. É por isso que a recomposição da poupança das famílias nos Estados Unidos e, em menor medida, de outras partes do Ocidente desenvolvido representa uma mudança estrutural no modo pelo qual a economia global se organizou nas últimas duas décadas.

Especialmente importante é o risco de fragilidade progressiva das contas públicas em um ambiente estrutural de baixo crescimento. Antecipa-se que o endividamento público americano, e da maioria dos países centrais, venha a dobrar nos próximos anos, chegando a patamares entre 80% e 100% do PIB, dependendo do caso. Tal dinâmica limita severamente o espaço de manobra dos governos, e pode comprometer ainda mais as perspectivas de crescimento econômico nos próximos anos. É comum que crises fiscais e, eventualmente, casos de insolvência do setor público ocorram nos anos subsequentes a uma crise financeira de grande magnitude. Considerando que a crise de 2008 foi a primeira verdadeiramente global desde a Grande Depressão dos anos 1930, tal risco de ruptura torna-se ainda mais relevante em alguns países centrais e nos países em desenvolvimento com maior nível de endividamento (o Leste europeu e a periferia da União Europeia aparecem com destaque nesse critério de vulnerabilidade).

Torna-se necessário, portanto, reconhecer as dimensões sociopolíticas da crise financeira nos países centrais, as quais em muito transcendem os parâmetros de referência das últimas décadas. Em outras palavras, o potencial deslocamento causado pela crise no contrato social pode ter consequências que vão além do domínio convencional dos mercados e da gestão de conjuntura, o que pode exacerbar tensões geopolíticas e comerciais em nível global. Em particular, trata-se de considerar que a dimensão sistêmica atingida pelo mundo em desenvolvimento pode representar, desta feita do ponto de vista dos países centrais sob pressão, um convite ao retrocesso em termos de abertura comercial.

Por isso é crucial o redirecionamento asiático no sentido de uma menor ênfase em saldos comerciais positivos. Isso envolve decisões internas a esses países, mas também passa por mudanças importantes na estrutura financeira global, muitas das quais já em discussão no âmbito do G-20, mas de difícil e lenta maturação.[21]

---

[21] Foge ao escopo deste capítulo detalhar os problemas do sistema monetário e financeiro global. Trata-se essencialmente de considerar que inexiste um mecanismo que force a redução

Como já destaquei, o crescimento dos volumes de comércio na região, na década de 2000, esteve associado a uma estratégia de aprofundamento do modelo de desenvolvimento com foco na exportação e na geração de poupança interna, que passou a ser perseguido ainda mais após a crise de 1997/1998. Acreditava-se que, dessa forma, não haveria chance de se repetir o colapso de crescimento por conta do acúmulo de déficits em conta corrente e de uma parada súbita do fluxo de capitais, fonte primordial das crises financeiras do mundo emergente desde os anos 1980. Tratava-se de uma política de segurança, eficiente se considerada na perspectiva de um país ou mesmo de um grupo de países, mas problemática no conjunto da economia mundial.

A exposição acima deixa claro que esse modelo de inserção internacional da Ásia continha suas próprias fragilidades, visto que era ainda bastante dependente da demanda final extrarregião, esta, por sua vez, em parte construída com base no edifício de endividamento nos Estados Unidos. Um aspecto paradoxal que quero enfatizar é que as escolhas de políticas econômicas feitas, na região, em resposta à crise de 1997/1998, criaram vulnerabilidade por um canal inesperado. Desta feita, a crise financeira que atingiu a região não decorreu de uma parada súbita no fluxo de capital. Ficaram, assim, evidentes os limites do modelo exportador, que foi levado às últimas consequências a partir da dinâmica de integração regional da década de 2000, liderada pela ascensão da China como plataforma industrial de dimensão global. A China simplesmente ficou grande demais para que o restante do mundo pudesse absorver suas exportações de bens e seus saldos de poupança. Agora, faz-se necessária uma modificação estrutural na forma de organização produtiva da região.

Do lado asiático, portanto, a nova realidade no Ocidente levará à reconsideração de alguns aspectos do modelo de desenvolvimento que prevaleceu até aqui, ainda fortemente concentrado em exportações extrarregionais. A crise tornou imperioso, para a região, o redirecionamento de sua estratégia de desenvolvimento

---

dos desequilíbrios globais em conta corrente, o que impõe um viés deflacionista à economia mundial. A discussão de reformas é ampla. Passa por mudanças na governança dos organismos multilaterais, como o FMI e o Banco Mundial, para dar mais representatividade e acesso ao financiamento emergencial (e menos condicional) a países em desenvolvimento, em tese reduzindo os incentivos a políticas defensivas de geração de saldos comerciais nacionais. Passa também por mudanças no sistema monetário internacional, visando a reduzir o papel do dólar como moeda de reserva global, seja em favor de uma cesta de moedas ou, mais abstratamente, de uma moeda de reserva supranacional. Ver, por exemplo, Ocampo (2001), Goldstein (2009), Xiaochuan (2009) e UN (2009).

no sentido da geração de uma fonte doméstica de demanda. Essa é uma ideia importante para a compreensão da possível trajetória da economia mundial nos próximos anos.

Como se processará o ajuste na China? Essa é uma questão vital. Como maior participante e beneficiário do ciclo da década de 2000, o país está em posição privilegiada para realizar uma transição e liderar a região, mas esse será um processo lento e custoso, provavelmente medido em anos. A razão é o significativo desequilíbrio acumulado ao longo da década. Já em 2006, o governo chinês caracterizava a economia como "instável, desbalanceada, descoordenada e insustentável", e o 11º Plano Quinquenal declarava o objetivo de reequilibrar a economia, reduzindo a liderança do setor exportador e aumentando o papel do consumo doméstico no crescimento.[22] Tal diagnóstico certamente decorreu de alguns fatores então já suficientemente claros: a) a tendência de aumento acelerado da poupança doméstica e, como consequência direta, a acumulação de maciços e crescentes superávits em conta corrente; b) a propensão a um excesso de capacidade em vários setores industriais, fragilizando a economia e (é plausível argumentar) desperdiçando recursos escassos, especialmente energia; e c) a tendência à redução da importância do consumo privado na renda nacional, cuja participação caiu de 45% do PIB, em meados dos anos 1990, para apenas 35%, em 2007 (contra uma média global próxima de 60%), atribuída à repressão financeira da economia chinesa e à necessidade de formação de poupança familiar decorrente, entre outras coisas, da fraca rede de proteção social.

Contudo, o progresso alcançado foi insuficiente para reverter os desequilíbrios, que continuaram a crescer em 2007 e 2008. O superávit em conta corrente atingiu US$ 370 bilhões e US$ 440 bilhões em 2007 e 2008, respectivamente, mais do que dobrando em relação à média dos dois anos anteriores. Em particular, a apreciação de 20% do iuan contra o dólar, entre 2006 e 2008, mostrou-se insuficiente para apreciar o iuan em termos efetivos, isto é, em relação às moedas de seus outros parceiros comerciais. Com isso, a taxa de câmbio real permanecia depreciada em meados de 2009, especialmente tendo em vista o rápido ganho de produtividade e o continuado acúmulo de poupança que são características marcantes da economia chinesa.

Se o crescimento dos saldos em conta corrente no período já evidenciava que os esforços teriam que ser redobrados, a crise de 2008 acelerou o inevitável, e pressionou as autoridades para finalmente colocarem em curso a mudança no perfil de crescimento da economia chinesa. Mesmo assim, tendo em vista o peso reduzi-

---

[22] Nas palavras do primeiro-ministro Wen Jiabao, em 2006.

do do consumo, o foco de ação foi a brutal aceleração do crédito e do investimento público.[23] É certo que tais políticas mantiveram o crescimento elevado em 2009 e 2010, ao custo de persistente pressão inflacionária, mas não está claro em que prazo e em que dimensão a China poderá absorver *liquidamente* parte da demanda global, nem em que medida o crescimento acelerado do crédito, direcionado pelo setor público, pode trazer consequências negativas para a economia em um prazo mais longo. O desafio estrutural consiste em incentivar de forma perene a demanda doméstica após muitos anos de viés para o comércio exterior. Consiste também em redirecionar a alocação de capital para novos setores e produtos de modo eficiente. Trata-se não só de aumentar a demanda, mas essencialmente de aumentar a demanda líquida da economia e reduzir os superávits de poupança, sob pena de reforçar tendências protecionistas no restante do mundo.

Mesmo considerando a grande dimensão e o vigor estrutural da economia chinesa, a reconfiguração interna não é um desafio trivial. Os riscos de descontinuidade no processo são importantes, por fatores domésticos ou externos. Domesticamente, os riscos decorrem especialmente da possível existência de um excesso de capacidade na economia e do potencial crescimento de créditos de má qualidade após a grande expansão no contexto pós-crise. A combinação desses dois fatores poderia em tese resultar em um choque deflacionista, com impactos negativos sobre o crescimento e — item crucial para grande parte do mundo em desenvolvimento — sobre a demanda de matérias-primas. E poderia ainda comprometer a margem de manobra do governo chinês em termos fiscais, visto que problemas de crédito nos bancos impactariam o orçamento público. Pelo lado externo, a referida fragilidade estrutural dos países centrais, com elevado desemprego e riscos fiscais em alta, poderia se configurar como fonte de atrito.

As perspectivas para a economia mundial nos próximos anos, especialmente no que se refere à continuidade da tendência de inserção internacional positiva das economias emergentes, dependem em grande parte do sucesso da reconfiguração atualmente em curso. É importante que os países centrais, especialmente os EUA, tenham sucesso em minimizar os impactos sociais e políticos do ajuste a um menor nível de

---

[23] Entre as medidas adotadas, estão um programa de gastos públicos direcionados à infraestrutura da ordem de 16% do PIB em dois anos (2009 e 2010), cortes de impostos corporativos equivalentes a 2% do PIB, com foco em pequenas e médias empresas, e rápido relaxamento da política monetária e creditícia, liberando 4% do PIB em liquidez antes retida em depósitos compulsórios. A expansão de crédito atingiu a espantosa cifra de Y 9,5 trilhões, cerca de 30% do PIB chinês, e foi direcionada especialmente a investimentos em infraestrutura.

endividamento. Por outro lado, os países em desenvolvimento, que passaram grande parte da década de 2000 reduzindo seu endividamento público e privado, têm maior espaço para contribuir para o rebalanceamento da demanda mundial. A China, como mencionado, tem papel essencial nesse processo, que ainda está em aberto.

A superação da agenda defensiva e novos horizontes para o desenvolvimento

Os objetivos desta seção são dois. O primeiro é considerar a influência dos acontecimentos recentes na economia mundial nas percepções a respeito dos caminhos que levam ao crescimento econômico. O segundo é apresentar alguns elementos do que seria uma agenda de desenvolvimento renovada, que emergiu progressivamente ao longo dos últimos anos, conforme mudava de qualidade a integração de um número crescente de países na economia global, e se disseminava uma significativa aceleração do crescimento econômico.

No que se refere ao primeiro objetivo, cabe inicialmente fazer uma breve recapitulação de alguns pontos importantes do debate teórico e de elementos comuns à experiência dos países em desenvolvimento na década de 1990. A ideia é explicitar em que estágio se encontrava o *mainstream* no debate sobre o crescimento econômico antes que ganhassem intensidade, na década de 2000, algumas das transformações globais apresentadas. Essa é uma discussão importante, na medida em que as visões sobre os fatores que levam ao crescimento econômico não são definitivas e se alteram com os resultados obtidos e os percalços encontrados no caminho. Como veremos a seguir, a experiência de muitos países em desenvolvimento com a abertura e a globalização na década de 1990 foi de certa forma desapontadora. Políticas a princípio consistentes de abertura, liberalização financeira, ajuste fiscal, disciplina monetária etc. não foram em si suficientes para acelerar de forma perene o crescimento econômico em muitos dos países que as adotaram com mais ênfase na América Latina, no Leste europeu, na África e em partes da Ásia. Além disso, houve numerosas crises financeiras, oriundas tanto de reversões abruptas do fluxo de capitais externos quanto de problemas nos sistemas bancários nacionais.[24]

---

[24] Não é de surpreender que as crises tenham sido mais numerosas na década de 1990 no contexto de liberalização financeira nos países emergentes. É bem documentada a estreita ligação entre crises bancárias e liberalização financeira. Ver, por exemplo, Kaminsky e Reinhart (1999).

O ponto a ser destacado é que a adoção, por muitos países, de um receituário de melhores práticas de política econômica com o objetivo principal de acelerar o crescimento — cujo exemplo mais marcante é a agenda de reformas proposta no Consenso de Washington — não produziu os resultados esperados.[25] Uma consequência desse estado de coisas foi o crescente ceticismo quanto às possibilidades de desenvolvimento no contexto de uma globalização acelerada, cujas forças estariam restringindo o espaço para a adoção de políticas públicas nos países em desenvolvimento e, de forma mais geral, a autonomia na busca de soluções condizentes com as aspirações nacionais. A ideia de menor autonomia nacional no contexto de globalização mais acelerada era um ponto de convergência no espectro ideológico, à esquerda e à direita. Restaria apenas uma espécie de resignação a uma agenda meramente defensiva, que deveria minimizar os deslocamentos causados pela globalização no tecido social.

As decepções, nos anos 1990, com os resultados das reformas, já mostravam, no final da década, a dificuldade de traduzir os bons princípios de ordem geral que norteavam as reformas em ações práticas de sucesso perene. Alguns analistas chamavam a atenção para a inadequação do padrão de inserção internacional, e questionavam a forma de execução da agenda de reformas nos países em desenvolvimento nesse período (Stiglitz, 1998). Mas, apesar do número cada vez maior de vozes dissonantes, até os primeiros anos da década de 2000, ainda não estava bem estabelecido o que poderia vir a ser uma nova agenda de desenvolvimento.

Isso nos leva ao segundo objetivo desta seção: destacar a alteração mais ampla dos termos do debate sobre desenvolvimento e globalização nos anos mais recentes, já perto de meados da década de 2000, quando ganharam intensidade as transformações na economia mundial já destacadas. Da percepção de que os países em desenvolvimento seriam impotentes, salvo poucas exceções, ante as modificações tectônicas trazidas pela globalização, passou-se a uma visão mais confiante em sua capacidade de levar a cabo transformações produtivas e sociais positivas. Essa mudança certamente foi facilitada pela maior frequência de experiências de cres-

---

[25] A expressão "Consenso de Washington", na concepção original de John Williamson (1990), consistia em uma lista de reformas e iniciativas de política econômica na América Latina que contariam com amplo apoio em Washington naquele momento. Ao longo do tempo, contudo, passou a significar também uma agenda de reformas de cunho liberal recomendada (muitos diriam imposta) por organismos multilaterais, especialmente o FMI, e implementada sobretudo na América Latina, mas, também, em partes do Leste europeu e da Ásia, ao longo da década de 1990. É neste último sentido que a expressão é usada neste capítulo.

cimento bem-sucedidas entre 2004 e 2008 — a partir das novas oportunidades de inserção internacional, muitos países lograram reduzir algumas das restrições históricas ao crescimento (especialmente as de natureza externa) e consolidar vetores internos de dinamismo econômico. Ou seja, do mesmo modo que as transformações globais abriram novos e promissores espaços para a retomada do crescimento em inúmeros países ao longo da década de 2000, é natural que também tenham influenciado o debate a respeito dos caminhos que levam a ele. Mais ainda, parece ter se formado, nos últimos anos, um mapa cognitivo diferente, de concepção de uma agenda de desenvolvimento mais afirmativa, mesmo considerando os riscos atuais de reversão desse processo de integração no contexto pós-crise financeira.

Do Consenso de Washington a uma agenda renovada

A FORMAÇÃO DO CONSENSO SOBRE REFORMAS NA DÉCADA DE 1990

As experiências de desenvolvimento nas décadas de 1960 e 1970 tinham em comum o foco na aceleração da acumulação de capital, na melhor alocação de recursos, e na difusão de tecnologia. Mas as estratégias adotadas podiam diferir significativamente, sendo comum ao longo desse período fazer diferenciação entre um "modelo asiático", marcado por forte orientação externa, e outro "nacional--desenvolvimentista", prevalente especialmente na América Latina e na Índia, com foco na substituição de importações (Cunha, 2008). De modo genérico, o primeiro seria caracterizado por maior exposição das empresas à competição externa disciplinadora, pelo cuidado em manter um foco exportador (de modo a evitar o estrangulamento externo), pela manutenção da estabilidade macroeconômica por meio de políticas monetárias, fiscais e cambiais em geral adequadas, e pelo sucesso da interação Estado-mercado em criar um ambiente de competitividade e inovação. Já o modelo "nacional-desenvolvimentista" seria marcado por traços distintos. A ênfase na substituição de importações, em conjunto com um insuficiente esforço exportador, induzia a economia ao crônico estrangulamento externo e a crises recorrentes no balanço de pagamentos. Por sua vez, políticas fiscais, monetárias e creditícias inadequadas resultavam em instabilidade macroeconômica. A economia fechada, com foco na substituição de importações, gerava ainda uma alocação de recursos ineficiente e baixo crescimento da produtividade. Por fim, apesar do sucesso na criação de segmentos industriais intensivos em capital — o caso brasileiro é exemplar nesse sentido —, não teria havido o mesmo sucesso asiático em manter uma dinâmica de competição e inovação, elementos essenciais para uma contínua transformação produtiva.

Com a crise da dívida externa e a desaceleração do crescimento na América Latina, na década de 1980 e na primeira metade dos anos 1990, a visão negativa a respeito da estratégia nacional-desenvolvimentista foi reforçada, ainda mais quando considerada no contexto de continuidade do sucesso asiático. Ao longo desse período, tornou-se frequente entre analistas a visão de que as razões do sucesso asiático seriam políticas, que, vistas de longe, pareciam ter um corte ortodoxo, tais como arcabouço macroeconômico estável, abertura comercial etc. Por outro lado, na América Latina, a instabilidade macroeconômica da década de 1980 e da primeira metade dos anos 1990 foi largamente atribuída às políticas públicas equivocadas das décadas anteriores. Daí a ênfase no resgate do papel do mercado, que seria o ponto focal da agenda de reformas conduzida na região na década de 1990.

É verdade, por outro lado, que, mesmo entre os economistas ortodoxos envolvidos no esforço de reformas, havia o reconhecimento da frutífera interação Estado-mercados como elemento essencial nos casos de sucesso asiáticos. Em situações específicas (Japão e NICs de primeira geração — Coreia, Taiwan e Hong Kong), admitia-se que políticas de crédito direcionado e promoção industrial seletiva eram parte da explicação para o sucesso em manter o crescimento sustentado e encadear transformações produtivas estruturais. Havia, em suma, o reconhecimento do ativismo estatal como fator importante (World Bank, 1993). Mesmo assim, considerava-se que tais condições eram de difícil reprodução em outros contextos, e não se chegou a incorporá-las de forma genérica como itens centrais a uma estratégia de desenvolvimento.

Posteriormente, com a crise financeira asiática de 1997, até essa visão construtiva em relação ao modelo asiático foi abalada. Antes visto quase que universalmente como bem-sucedido em termos da capacidade de mobilização de recursos humanos, financeiros e técnicos voltados para a inserção internacional e da busca de sofisticação tecnológica, o modelo de desenvolvimento asiático passou a ser tratado por um ângulo negativo. Seria apenas um "capitalismo de compadres", pouco eficiente em termos de inovação e de competitividade, perdulário no investimento excessivo e mal alocado, e sujeito à corrupção endêmica. Essa impressão seria desfeita apenas ao longo da década de 2000, com o sucesso asiático em manter um alto nível de crescimento, particularmente no caso da China.

De modo geral, apesar de certa tolerância pragmática com políticas intervencionistas no caso asiático, a percepção, nos meios acadêmicos, nas instituições multilaterais, e entre os gestores de política econômica do mundo em desenvolvimento, era a de que o fraco desempenho econômico da América Latina e de outras regiões, a partir da década de 1980, decorria, em grande parte, de intervenções governamentais mal concebidas nos anos e décadas anteriores. Consolidou-se a visão de que os custos de falhas governamentais seriam consideravelmente maiores do que os custos de falhas de mercado, e de que as intervenções governamentais interferiam com o desenvolvimento. Para restaurar o uso eficiente de recursos e o crescimento econômico, era necessário limitar o tamanho e a discricionaridade do setor público na economia. Era preciso, ainda, estabelecer uma prudência macroeconômica e caminhar no sentido da liberalização doméstica e de maior orientação externa. Isso, por sua vez, requeria maior abertura econômica e mudanças no conjunto de incentivos de mercado.

Para tanto, tornaram-se presentes, na maioria dos programas de reforma, ações como redução do déficit fiscal, eliminação de controles de preços, realinhamento e unificação das taxas de câmbio (de modo a reduzir a tendência à sobrevalorização), desregulamentação das taxas de juros, redução de tarifas de comércio, liberalização financeira e da conta de capitais etc. Tais ações estavam em linha com a visão de que a discricionaridade estatal, inerente às estratégias baseadas em políticas industriais e de substituição de importações, havia sido mal utilizada. O foco da agenda de reformas foi engajar o setor privado, por meio da privatização e da desregulamentação de setores, muitos dos quais, então, em condições de monopólio estatal. Houve esforços no sentido de fazer um melhor uso dos recursos utilizados pelo Estado, a partir da racionalização e de reformas fiscais, administrativas e orçamentárias.

O processo, de certa forma, culminou na concepção de uma agenda de reformas para reduzir as distorções na alocação de recursos e a instabilidade macroeconômica da década anterior. Um ponto de referência nesse debate foi a formulação, em 1990, de uma lista de reformas a serem implementadas na América Latina — sintetizadas, por exemplo, no Consenso de Washington —, cujos itens principais eram: disciplina fiscal, reorientação das despesas públicas, reforma tributária, liberalização financeira, manutenção de taxa de câmbio competitiva, abertura comercial, atração de investimento direto estrangeiro, privatização e desregulamentação (Williamson, 1990). A partir daí, formou-se uma percepção de que a adoção de uma lista de "melhores práticas" em termos de ações de política econômica e reforma institucional levaria a uma melhor performance econômica. No limite, tendeu-se a considerar que os objetivos principais das reformas — estabilidade econômica, mais eficiência, incentivos de mercado adequados etc. — seriam obtidos a partir da adoção de um pacote mais ou menos padrão de reformas. Houve uma forte tendência a uma perspectiva *one size fits all*.

Os anos 1990 deram ampla oportunidade para que essa agenda fosse implementada. A América Latina, a África e o Leste europeu em transição para o capitalismo adotaram, em maior ou menor medida, a agenda de reformas liberalizantes, e com ênfase crescente ao longo da década. O processo de liberalização da Índia após 1991 também foi considerado um exemplo de transição alinhada ao receituário, após décadas de economia fechada e regulada. E mesmo a China era encarada nesse momento como caso bem-sucedido de uma transição rápida para uma economia com maior prevalência de elementos de mercado. Tal caracterização é em parte correta, mas também é um tanto incompleta — afinal, o "Consenso de Beijing" só viria a ser delineado na década de 2000.

Outro aspecto marcante do período foi o forte sentimento de urgência na realização das reformas — a chamada terapia de choque. A visão prevalecente entre os "terapeutas de choque" era a de que as reformas seriam sistemicamente complementares e interligadas. Uma dada reforma, qualquer que fosse, não poderia ser bem-sucedida sem a adoção de um conjunto de outras reformas complementares, de modo que o esforço reformista deveria ser "abrangente" (Lipton e Sachs, 1990). O balanço de opiniões em geral apoiava transformações rápidas em relação a transições mais graduais, especialmente no caso das economias em transição para o capitalismo na Europa. Por trás dessa visão, estava a confiança de parte dos reformistas no funcionamento dos elementos mais essenciais de uma economia de mercado e em como construí-la praticamente do zero.

O insucesso da agenda inicial de reformas econômicas em elevar de forma marcante o patamar de crescimento na década de 1990 e, nos piores casos das economias em transição para o capitalismo, sua incapacidade de evitar um colapso da atividade econômica, levou à constatação de que as reformas não teriam efeitos duradouros se não estivessem assentadas em um arcabouço institucional sólido. Isso remete também à referida visão de complementaridade e necessidade de abrangência das reformas, que deveriam ser reforçadas por mudanças institucionais. Passou a haver uma ênfase progressiva na necessidade de mudanças de cunho mais institucional, que deveriam complementar a primeira onda de reformas econômicas. A consequência natural foi um aumento da lista inicial de reformas econômicas para incluir uma nova agenda, de "segunda geração" (Rodrik, 2006).

Contudo, mesmo quando "enriquecido" por novos conteúdos de natureza mais institucional, o esforço reformista dos anos 1990 não teve o resultado esperado. A elevada incidência de crises financeiras e de balanço de pagamentos em vários países emergentes evidenciou a dificuldade para consolidar um novo patamar de desenvolvimento econômico a partir da agenda de reformas do Consenso de Washington. Essas restrições só viriam a ser superadas na década de 2000, a partir das profundas transformações na economia mundial discutidas na primeira seção.

RESULTADOS DAS EXPERIÊNCIAS DE REFORMA DA DÉCADA DE 1990

Em essência, as reformas econômicas e institucionais da década de 1990 tiveram como foco a melhoria da eficiência e da alocação de recursos na economia. Estabilização macroeconômica, austeridade fiscal, liberalização comercial e financeira, privatização e redução do papel e da discricionariedade do Estado fizeram parte do receituário para a superação das restrições ao desenvolvimento.

Tendo em vista, *grosso modo*, a confluência do debate no sentido da necessidade de reformas liberalizantes, havia uma expectativa de que a década perdida nos anos 1980 seria compensada nos anos 1990. É verdade que o crescimento, na maioria dos países em desenvolvimento, de 1990 até 1996, foi, em geral, mais rápido do que na década anterior. Mas, dadas a amplitude e a extensão da agenda de reformas executada, as frustrações foram numerosas, e os resultados gerais se mostraram inferiores ao esperado.

No caso da América Latina, vários países foram bem-sucedidos em atingir maior estabilidade macroeconômica, se esta for entendida como inflação baixa e redução de desequilíbrios fiscais. Se a estabilidade macroeconômica incluir redução na volatilidade da produção, da renda e do emprego, o sucesso foi mais modesto e, em muitos casos, inexistente. O crescimento econômico na região foi apenas ligeiramente melhor do que na década de 1980, e bastante pior — pouco mais da metade — quando comparado ao das décadas de 1960 e 1970. A aceleração do crescimento na América Latina, durante a primeira metade da década de 1990, de fato trouxe alguma esperança de um real rompimento com as amarras da década anterior, mas foi revertida, logo em seguida, com a sequência de crises financeiras ocorridas no mundo a partir de 1995. É verdade que a abertura econômica e muitas das reformas implementadas nos âmbitos fiscal, monetário, regulatório e financeiro evoluíram na direção correta em termos de estabelecer algumas das condições necessárias para o crescimento econômico, mas não foram plenamente geradas, no período, condições suficientes para elevar de forma perene o patamar de crescimento. A maior incidência de crises financeiras, associada ao movimento de liberalização dos fluxos de capitais, foi outro fator a reduzir os impactos positivos das reformas.

No caso das economias em transição para o capitalismo após o fim da União das Repúblicas Socialistas Soviéticas (URSS), o colapso da atividade econômica mostrou-se muito maior e mais persistente do que o antecipado. Muitos desses países adotaram um acelerado programa de reformas. No entanto, quase uma década depois, ainda não haviam conseguido restaurar o nível de atividade econômica anterior à transição, nem estabelecer economias de mercado operantes (World Bank, 2005). Além da forte redução da atividade econômica, houve um colapso institucional nas ex-repúblicas soviéticas e no Leste europeu, com consequências sociais, econômicas e políticas desfavoráveis. Em retrospecto, a alta velocidade das reformas foi um erro. Não se prestou a devida atenção ao fato de a construção de uma economia de mercado ser essencialmente um processo político, para o qual não há manuais prontos na literatura econômica. Os mercados estão inseridos em contextos sociopolíticos particulares, que, por definição, resultam de um processo evolutivo. Leva tempo para que as instituições e a atividade econômica privada se desenvolvam. A construção da estrutura regulatória e legal necessária ao pleno funcionamento de uma economia de mercado também é um processo gradual e dependente do contexto institucional de cada país.

A terapia de choque minimizou o papel fundamental das instituições públicas no funcionamento básico de alguns requisitos importantes de uma economia de mercado, como a proteção — de fato, e não apenas *de jure* — da propriedade privada, a regulamentação de mercado, a necessidade de mecanismos de redistribuição, e a estabilidade política. O sucesso da estratégia de reformas depende do bom encaminhamento de todas essas questões. Alguns países tiveram mais êxito, especialmente os que tinham a perspectiva de ingressar na União Europeia. Isso os levou a adotar rapidamente um arcabouço legal e regulatório e minimizou a fuga de capitais. Dada a disponibilidade de mão de obra qualificada e de baixo custo, o acesso privilegiado ao mercado europeu foi um elemento de estabilização importante no caso de Polônia, Hungria, República Tcheca e outros países. No geral, contudo, o período de transição mostrou-se bastante mais complexo do que o antecipado, e ficaram evidentes as dificuldades de construção de uma economia de mercado funcional.

Outro elemento de frustração geral na década de 1990 foi o aumento da frequência de crises financeiras, inclusive no Leste asiático, região bem-sucedida e com arcabouço macroeconômico visto como estável e promissor em comparação com as outras. Nos momentos imediatamente subsequentes à crise asiática, talvez dois ou três anos, a região também passou a ser vista sob a ótica dogmática característica desse período, tendo sido desconsiderados muitos dos elementos de sucesso que a diferenciavam historicamente. Em geral, essas crises financeiras estiveram associadas à instabilidade inerente a um mercado de capitais global liberalizado, e às condições assimétricas de inserção internacional com as quais se defrontavam os países em desenvolvimento. O debate sobre os principais efeitos nocivos da globalização considerava o comportamento errático dos fluxos internacionais de capitais, especialmente o do capital de curto prazo, um dos principais fatores de risco para os países em desenvolvimento. Reversões bruscas nos fluxos de capital de curto prazo, efeitos nocivos da rápida liberalização do fluxo de capitais, e a fragilidade dos sistemas financeiros locais são fatores complementares em termos de vulnerabilidade.[26]

O desempenho insatisfatório nessas várias regiões do mundo tornou-se ainda mais marcante quando consideradas as condições internacionais, em geral positivas. De fato, a situação dos países desenvolvidos foi favorável ao longo da década de 1990: taxas de juros baixas, forte crescimento econômico e da demanda por importações, aumento no influxo de capitais, especialmente do investimento direto, foram elementos a princípio positivos para o ambiente de inserção internacional dos países em desenvolvimento. Isso indica que as explicações para o desempenho ruim, e para as numerosas crises do período, estiveram relacionadas, primordialmente, à dificuldade dos países em desenvolvimento em lidar com os impactos da abertura e do processo de globalização. A volatilidade dos fluxos de capitais de curto prazo é um exemplo. A redução das restrições ao fluxo de capitais expôs essas economias a maiores riscos de reversões súbitas no fluxo de investimentos externos, tendo em vista a pouca profundidade dos mercados de capitais domésticos e, em muitos casos, a insuficiente maturidade da infraestrutura regulatória.

De modo geral, um dos fatores centrais para o resultado aquém do esperado, em países que seguiram o receituário do Consenso de Washington, foi a adoção de políticas focadas excessivamente na eficiência (melhor utilização dos recursos existentes), em detrimento de uma estratégia de transformações dinâmicas que desencadeassem um processo de acumulação de capital. Daí os frequentes exemplos de relativa estabilidade econômica e redução de distorções, que foram malsucedidos em elevar o patamar de crescimento. Outro elemento importante foi a dificuldade para transformar princípios de ordem geral em ações concretas em contextos nacionais específicos. Princípios de estabilidade macroeconômica, liberalização doméstica e abertura "foram interpretados de forma restrita como tendo por significado *minimize o déficit fiscal, minimize a inflação, minimize as tarifas, maximize a privatização, maximize a liberalização financeira*, na perspectiva de que

---

[26] Ver, por exemplo, Kaminsky e Reinhart (1999), Calvo (2005) e Wolf (2007).

quanto mais mudança, melhor, em todos os momentos e lugares; sem considerar que essas ações representam *apenas alguns* dos caminhos possíveis para a implementação desses princípios" (World Bank, 2005).

À luz do que foi dito, é importante ter em vista que os países que conseguiram permanecer em uma trajetória de crescimento sólido foram justamente os que não haviam seguido o receituário básico de reformas, particularmente a China e a Índia. Ambos seguiram reformas pró-mercado, aumentaram progressivamente a liberdade econômica, mantiveram a inflação baixa e o controle fiscal, na linha defendida pelo Consenso de Washington. Mas tais objetivos foram perseguidos a partir de políticas menos convencionais, como, por exemplo, permanência de controles sobre a conta de capitais, pouca ou nenhuma privatização, forte presença de políticas industriais, e manutenção de políticas fiscais e creditícias relativamente frouxas. Nesse sentido, China e Índia não se qualificavam como bons seguidores do Consenso de Washington. Levou tempo para que ficasse suficientemente clara a distinção do perfil dessas reformas em relação às que estavam sendo levadas a cabo na Europa oriental e na América Latina, que partiam de condições iniciais bem diferentes.

Em busca de uma nova perspectiva

A decepção com a agenda tradicional do Consenso de Washington — percebida como estreita, insuficiente e, em alguns casos, até contraproducente — e o sucesso de países que seguiram uma estratégia com maior grau de autonomia foram catalisadores importantes para a mudança nos termos do debate sobre desenvolvimento. Houve, essencialmente, uma mudança de postura, com maior consideração dos contextos locais para a concepção e a execução de uma agenda de reformas econômicas e institucionais. As discussões deixaram de girar em torno de uma lista universalmente válida de reformas e reconheceram a necessidade de articular uma estratégia adequada a cada situação, tendo em vista os variados pontos de partida e as diferentes heranças institucionais (World Bank, 2005; Rodrik, 2006). A ênfase passou a recair na necessidade de certa parcimônia na busca de reformas seletivas, focadas e bem sequenciadas. Foi também reduzida a dicotomia Estado–mercado no que se refere aos respectivos papéis para uma política de desenvolvimento efetiva. Onde havia polarização ideológica, a palavra de ordem passou a ser pragmatismo. Houve ainda evolução na compreensão do papel essencial das instituições para o funcionamento de uma economia de mercado. São muitas as dimensões da mudança no debate, e aqui cabe citar apenas algumas das mais importantes.

MANTER UM ALTO PATAMAR DE CRESCIMENTO É UM OBJETIVO PRIMORDIAL

Os episódios de desenvolvimento sustentado têm uma característica comum: apresentam um equilíbrio dinâmico entre acumulação tecnológica, eficiência na alocação de recursos, transformação tecnológica e equidade. Assim, o crescimento econômico é um meio essencial para compatibilizar esses objetivos.

A primeira das conclusões mais importantes sobre a experiência dos anos 1990 é que o sucesso em promover o crescimento sustentado depende de uma agenda de reformas que vá além da obtenção de ganhos de eficiência (World Bank, 2005). Isso não significa que seja equivocada a visão de que é necessário satisfazer a um conjunto de condições para viabilizar o crescimento. Trata-se, sobretudo, de complementá-lo. O crescimento econômico não é automático; precisa ser gerado, e, para tanto, é preciso compreender as diferenças entre as reformas que facilitam o uso mais eficiente dos recursos existentes e as ações de cunho estrutural. Tal diferenciação é fundamental, na medida em que o crescimento econômico é o veio condutor das transformações produtivas e sociais que resultam no desenvolvimento em sentido amplo. Essas transformações são cumulativas, graduais, e dependem da contínua evolução institucional para se sustentarem ao longo do tempo. Por conseguinte, uma estratégia bem-sucedida de desenvolvimento deve ter como foco manter um alto patamar de crescimento como condição necessária à sua realização.

A adoção de políticas de estabilização deve ser conduzida de modo a minimizar as vulnerabilidades da economia. Erros de política econômica que resultem em crescimento baixo são custosos e prenunciam instabilidade. Na América Latina, os exemplos são inúmeros. Políticas de controle da inflação a partir de âncoras cambiais insustentáveis em geral resultaram em crises cambiais e bancárias. Ajustes fiscais, baseados em cortes de investimentos públicos e no aumento de impostos distorcivos, reduziram a produtividade da economia e o crescimento. Como resultado, a própria solvência fiscal foi comprometida no médio prazo. Tendo em vista que o crescimento perene é o elemento essencial que possibilita transformações estruturais na economia, fica claro que a estabilidade macroeconômica precisa ser compatível com a manutenção de um patamar elevado de crescimento, pois, do contrário, ela mesma não é sustentável. As políticas monetária, fiscal e cambial não devem objetivar apenas a estabilização macroeconômica (baixa inflação, orçamentos públicos sob controle etc.), mas, também, a manutenção de níveis altos de emprego e de um ambiente propício ao investimento. Um dos erros da agenda de reformas dos anos 1990, na América Latina, foi o peso insuficiente da preservação do emprego e da manutenção do crescimento.

A POLARIZAÇÃO ESTADO–MERCADO DEVE DAR LUGAR A UM PRAGMATISMO QUE OBJETIVE O DESENVOLVIMENTO

Os limites e riscos da ação estatal são há muito conhecidos. Mas a teoria econômica acentuou, nas últimas décadas, a compreensão dos limites do mercado. Mercados livres não conduzem necessariamente à eficiência econômica quando existem falhas de mercado (assimetria de informação, custos de transação, existência de externalidades, falhas de coordenação, mercados incompletos etc.). Nessas circunstâncias, o setor privado não é capaz de prover alguns dos elementos essenciais ao processo de transformação dinâmica da economia. Falhas de mercado são comuns na vida real, e o Estado pode ter o papel de minimizar essas falhas, atuando como protetor de direitos, regulador de atividades, indutor de comportamentos e, em muitas situações, agente ativo em vários campos. A questão que se coloca em grande medida deixa de ser normativa e passa a ser de execução: se o governo é capaz de fazer algo positivo a respeito das falhas de mercado, que o faça com controles institucionais adequados. Nos maiores exemplos de sucesso no desenvolvimento econômico, houve forte participação estatal. Políticas de crédito direcionado e promoção industrial seletiva foram parte importante do sucesso asiático em encadear transformações produtivas estruturais.

Por outro lado, convém que a ação de Estado seja pautada pela prevalência de sinais de mercado, posto que as falhas de governo também são custosas, como mostra a experiência desenvolvimentista da América Latina. A agenda do Consenso de Washington foi correta ao salientar a necessidade de estabilidade econômica e os riscos de falhas governamentais a partir de políticas mal concebidas, o que era natural tendo em vista as distorções acumuladas nas décadas anteriores. Mas foi insuficiente o foco no fortalecimento das instituições de Estado que dão sustentação e estabilidade ao próprio funcionamento do mercado. Naturalmente, são necessárias estruturas de governança para que essas funções possam ser executadas a contento.

Uma das inúmeras áreas em que essa perspectiva aparece de forma clara é no debate sobre políticas industriais. Em termos genéricos, política industrial refere-se a ações de governo com foco estratégico no desenvolvimento de novas atividades produtivas que gerem encadeamentos no restante da economia. Em termos de princípios, uma política industrial moderna visa a identificar áreas em que as intervenções para corrigir falhas de mercado possam ter mais chances de sucesso, e não a gestão direta de atividades econômicas.

São tradicionais e, em grande medida, corretas, certas restrições a políticas desse tipo: o governo não deve escolher vencedores, as ações públicas podem levar a uma má alocação de recursos, há espaço para corrupção, entre outras. Por outro lado, é possível abordar o problema reconhecendo também que políticas de promoção industrial e coordenação de mercado podem ter um papel a desempenhar em ambientes com presença de falhas de mercado. Isto porque, nesse caso, fica truncado o investimento e o adensamento de cadeias produtivas, essenciais para viabilizar as transformações dinâmicas que levam ao desenvolvimento. Assim, a questão da promoção industrial não deve ser vista de maneira dogmática: trata-se de reconhecer que, *a priori*, nada há em relação a ela que não se aplique a outras áreas em que a intervenção governamental já se dá sem maiores controvérsias. Por exemplo, a disponibilização de bens públicos e a regulação das áreas de educação, saúde, proteção à propriedade, investimento em infraestrutura etc. também demandam intervenção estatal e influenciam o perfil e a competitividade da economia.

AS INSTITUIÇÕES SÃO IMPORTANTES, E FUNÇÕES INSTITUCIONAIS NÃO SE CONFUNDEM COM FORMAS INSTITUCIONAIS

O desenvolvimento econômico depende da disposição individual de investir e criar novas atividades. É necessário que as estruturas de incentivo existentes na economia estejam ajustadas de modo a viabilizar a iniciativa privada. Os preços relativos são parte essencial dessa estrutura de incentivos. Minimizar distorções de preços relativos foi um dos focos — assim como estabilidade macroeconômica e privatização — da agenda de reforma do Consenso de Washington. Mas esses incentivos não funcionam sozinhos na ausência de instituições adequadas. Um sistema efetivo de proteção e de controle da propriedade, um arcabouço regulatório que assegure a competição, instituições políticas e sociais capazes de gerenciar conflitos, mecanismos eficazes que assegurem a cooperação social e a confiança entre indivíduos são exemplos de instituições necessárias ao funcionamento da atividade privada. Mas são também difíceis de construir, pois precisam de longo tempo de maturação, e estão inseridas no contexto histórico e político de cada sociedade.

De modo geral, as reformas institucionais são bem-sucedidas quando mudam de forma permanente as estruturas de incentivo na economia, orientando-as em direção aos objetivos de desenvolvimento desejados. Isso significa que a estruturação das reformas deve ter em vista as condições iniciais prevalecentes em cada caso, e as restrições — econômicas e políticas — que condicionam a velocidade do processo e a própria configuração das instituições.

Uma implicação dessas considerações é que a base institucional para o funcionamento de uma economia de mercado é muito variada. Não há correspondência entre determinado "mercado" e o conjunto de instituições requerido para fazê-lo funcionar adequadamente. As diferentes formas de organização institucional das economias avançadas são um testemunho da infinidade de alternativas existentes para que uma dada função institucional seja desempenhada — regimes de seguridade social, leis trabalhistas, órgãos de proteção à concorrência, legislação societária etc. diferem de economia para economia.

Por extensão, o mesmo se aplica às economias menos avançadas. Estas, certamente, têm ainda mais dificuldades de gerar instituições eficazes para a gestão de uma economia moderna, dado o seu ponto de partida, mas isso não significa que não possam desenvolver seu próprio conjunto de instituições. As possibilidades de diversidade institucional são infinitas, pois o desenvolvimento é um processo dinâmico, e as instituições necessárias para sustentá-lo mudam ao longo do tempo. Trata-se, em última instância, de considerar que os mercados não existem no vácuo, mas estão assentados em estruturas sociais mais amplas que determinam o seu funcionamento.

Um exemplo comum na literatura de como uma dada função institucional — no caso, a proteção à propriedade — pode ser desempenhada a partir de formas institucionais diferentes é a comparação das experiências chinesa e russa, no que diz respeito à proteção do direito de propriedade. Na China, a propriedade privada não era devidamente regulamentada no início do período de reformas nos anos 1980, mas a atividade econômica privada desenvolveu-se, mesmo assim, em parceria com governos locais, a partir do rápido crescimento de empresas de propriedade coletiva, as *township and village enterprises* (TVEs). Nesse caso, o direito de propriedade do fluxo residual de lucros corporativos se dava em parceria com as autoridades locais, que tinham os incentivos (maior receita tributária local, entre outros) e a capacidade de manter o pleno funcionamento do arranjo. A mudança nas estruturas de propriedade deu-se, inicialmente, no âmbito dessas empresas. Ao longo do tempo, houve uma progressiva consolidação da confiança na proteção dos direitos, e a estrutura chinesa evoluiu para formas mais convencionais de propriedade privada. Já no caso russo, houve uma rápida transferência de propriedade de ativos produtivos para o setor privado, mas a proteção dos direitos de propriedade e dos contratos dependia de tribunais pouco eficazes, que operavam em um vazio institucional. Isso mostra que a proteção dos direitos de propriedade pode ocorrer a partir de formas pouco convencionais, desde que assentadas em um ambiente institucional apropriado, ao passo que um arcabouço aparentemente eficaz pode se mostrar insatisfatório, justamente por estar descolado do contexto institucional mais essencial.

UMA AGENDA PARA O DESENVOLVIMENTO

Como observação final, cabe mencionar, sucintamente, alguns ingredientes gerais comuns a experiências bem-sucedidas de desenvolvimento. No que se refere aos condicionantes puramente econômicos, não há dúvida de que deve haver um sistema de mercado para determinar a alocação de recursos, o que requer políticas que respeitem sinais de preços relativos. Uma condição necessária é, naturalmente, uma gestão macroeconômica competente, ou seja, orientada para a promoção da estabilidade econômica, e que evite períodos de inflação excessiva seguidos de paradas bruscas de crescimento. Além disso, tal estabilidade econômica não pode prescindir da manutenção de um patamar elevado e pouco volátil de crescimento, pois, do contrário, ela mesma não se sustenta. A discussão anterior, a respeito da experiência da América Latina e do Leste europeu nos anos 1990, evidencia os potenciais custos de estratégias de estabilização em condições recessivas. A comparação do diferencial acumulado de renda que se abre, mesmo em períodos curtos de tempo, entre países que lograram manter altas taxas de crescimento de forma perene e outros, que foram submetidos a ciclos recessivos frequentes, deixa claro o custo *permanente* da interrupção do crescimento. Deve-se ter em mente, pois, que: a) o crescimento econômico alto e, na medida do possível, pouco volátil é um meio para o fim maior do desenvolvimento, econômico e social; b) o alongamento dos horizontes é um fator primordial para sustentar o *animal spirits* do setor privado, de modo que este possa "realizar" o crescimento e expandir os níveis de emprego e de consumo.

Cabe destacar, ainda, que as experiências bem-sucedidas de transformação produtiva, no mundo em desenvolvimento, contaram com a integração à economia global como alavanca do crescimento. Apesar dos desafios impostos pela crise de 2008, especialmente o risco de retrocesso no processo de globalização, a mensagem básica permanece: é importante que uma sociedade identifique seu estoque de competências, com o qual poderá interagir com o restante do mundo. A mobilização desse estoque de competências deve objetivar sua própria ampliação por meio da abertura ao comércio internacional e da incorporação de tecnologia e de conhecimento. Especialmente no contexto dos países emergentes, o uso da demanda externa é um elemento essencial para a transformação produtiva, a criação de economias de escala e o adensamento industrial. A experiência asiática bem-sucedida demonstra isso amplamente. Logo, é crucial a manutenção de sinais de mercado e de uma configuração dos principais preços macroeconômicos — taxa de juros, taxa de câmbio real etc. — compatíveis com a *criação* e a exploração plena de vantagens comparativas em escala global.

De modo mais geral, o desenvolvimento sustentado requer um equilíbrio dinâmico entre acumulação tecnológica, eficiência na alocação de recursos, transformação tecnológica e equidade. Trata-se de pôr em marcha um processo adaptativo que resulte em transformações produtivas. Para tanto, é necessário instaurar um processo contínuo de inovação institucional que acompanhe essas transformações. É um processo multigeracional, inerentemente incerto, no qual as limitações e as respostas institucionais adequadas mudam ao longo do tempo. Além disso, como se trata de um processo de longo prazo, torna-se especialmente relevante a capacidade de redirecionar capital e recursos humanos, conforme o processo de mudança estrutural na economia avance no sentido de setores mais dinâmicos e intensivos em conhecimento. Daí a necessidade de aperfeiçoamento institucional, nos âmbitos de regulação de mercados, governança pública e privada, proteção da concorrência e gerenciamento de conflitos, de modo a compatibilizar os objetivos, muitas vezes antagônicos em um dado momento no tempo, de crescimento econômico e equidade. As especificidades da herança histórica e institucional e das organizações políticas e sociais tornam impossível mapear *ex ante* a forma institucional em que cada sociedade irá responder ao desafio do crescimento.

Essas considerações remetem, finalmente, a questões de natureza política. O desenvolvimento é, em grande medida, condicionado pelo processo histórico, pela herança institucional e pelas restrições objetivas do presente. A evolução institucional seguirá, necessariamente, caminhos específicos a cada sociedade. Não se trata, portanto, de defender este ou aquele modelo, mas de considerar que os processos de transformação produtiva e institucional que levam ao desenvolvimento comportam diferentes trajetórias institucionais e políticas. A ocorrência de tais transformações depende ainda da existência de liderança política. No caso do Brasil, por exemplo, a conquista da democracia é o ponto de referência fundamental, e, a partir dela, uma construção institucional condizente com os desafios que se colocam. O caminho brasileiro foi bem-sucedido nos últimos anos, por exemplo, em melhor compatibilizar crescimento econômico e equidade na vigência de uma democracia representativa. Por outro lado, no caso do Brasil, o progresso recente foi mais limitado em termos de aperfeiçoamento da governança pública, criação de sistemas de inovação tecnológica e produtiva, e gestão estratégica da política econômica. Esses elementos também são constitutivos de uma agenda de desenvolvimento de longo prazo e, para que possam ser encaminhados, dependem da existência de lideranças políticas que atuem em um sistema político funcional, isto é, que possibilite a estruturação dos processos decisórios relevantes.

Conclusão

Ao longo da década de 2000, houve a confluência de dois processos paralelos. O primeiro foi o de globalização, francamente favorável à inclusão (em bons termos) de um número crescente de países em desenvolvimento na economia mundial. Na ótica dos países em desenvolvimento, a globalização nessa década se deu de forma sensivelmente diferente do esperado há poucos anos, tendo em vista a experiência não totalmente favorável das décadas de 1980 e 1990. Como explicitei, a ascensão da China foi elemento fundamental para isso, por meio de sua contribuição para a alta dos preços das commodities e para o aumento do mercado mundial no tocante às manufaturas dos países em desenvolvimento. Em grande medida, foi o impacto *sistêmico* da China que alterou as condições em que se deu a globalização nos últimos anos. Isso não ocorreu sem custos, como demonstram o aumento do endividamento dos países centrais, os desequilíbrios globais do período, e, em última instância, a crise financeira de 2008, ainda em pleno andamento quando da elaboração deste capítulo.

O segundo processo foi a consolidação de uma visão mais flexível a respeito das políticas e dos caminhos que levam ao desenvolvimento econômico, em parte em decorrência das decepções da década de 1990, com os resultados da agenda de reformas realizada. Novamente, o sucesso da China, da Índia, e, mais recentemente, de outros países de peso, como o Brasil, foi um ponto de referência importante para a profunda reavaliação estratégica adotada em um grande número de países.

Da confluência desses processos resultou uma mudança nas percepções a respeito dos espaços existentes para a estruturação de estratégias de desenvolvimento. A alteração para melhor dos padrões de inserção internacional dos países em desenvolvimento nos últimos anos influenciou os mapas cognitivos dos *policymakers*, da academia, das forças políticas e do público em geral acerca dos novos desafios e oportunidades criados pela globalização, particularmente no que se refere à possibilidade — e mesmo à necessidade — de experimentação nas políticas públicas. Em última instância, na ótica dos países emergentes, a grande novidade da experiência da década de 2000 parece ter sido a reafirmação da existência de espaço para a inserção internacional positiva e para agendas afirmativas de desenvolvimento, onde antes havia uma tendência de resignação defensiva ao que seria uma globalização de caráter opressor e necessariamente desigual.

Cabe, por fim, uma nota de alerta. Se a história é um bom guia, é elevado o risco de desdobramentos nocivos da crise de 2008, que podem comprometer a sustentação do processo de transformação no mundo em desenvolvimento. Os desequilíbrios globais de poupança, que se provaram insustentáveis, iniciaram uma reversão gradual: em meados de 2009, a poupança privada nos Estados Unidos já estava crescendo, e o endividamento privado começava a ser reduzido. Mas esse não será um processo indolor: a desalavancagem do setor privado implica crescimento mais baixo, na medida em que, sob hipóteses razoáveis, o endividamento das famílias e do setor financeiro norte-americano pode ainda levar alguns anos para retornar a um padrão consistente, com expansão significativa do emprego e da renda. Além disso, a redução da dívida privada tem como contrapartida direta o aumento substancial do endividamento público, com consequências negativas, desde menor crescimento até a perda de graus de liberdade na gestão econômica. Esse roteiro é, de modo geral, comum aos países centrais.

A maior incerteza decorre da possibilidade de reversão do processo de globalização a partir de uma recessão mundial prolongada. A redução nos volumes de comércio internacional, uma possível tensão social — desta feita, especialmente nos países desenvolvidos —, uma incipiente tendência ao protecionismo e o repatriamento de capitais são apenas alguns exemplos de dificuldades reais ou potenciais. Caso se aceite a premissa do papel sistêmico desempenhado pelas economias emergentes, que reduzem progressivamente o hiato de conhecimento e produtividade em relação ao mundo desenvolvido, é plausível considerar os deslocamentos sociais — desta vez nas economias centrais — como um risco importante para a globalização nos moldes da última década. Questões de equidade, proteção trabalhista e ambiental tornam-se, nesse contexto, mais determinantes para a definição do que será a globalização no pós-crise financeira.

Por outro lado, os países em desenvolvimento, que acumularam poupança nos últimos anos, estão em melhor situação, mas não livres de risco. A China tem papel ímpar. A reconfiguração de suas políticas, no sentido de aumentar o papel de sua demanda doméstica para o crescimento global, já foi iniciada. Ao longo do tempo, haverá um maior dinamismo no mercado interno chinês, mas a transição pode se mostrar difícil e comprometer a sustentação do crescimento da economia chinesa, ainda que apenas temporariamente. Muitos outros países em desenvolvimento têm tido a capacidade de executar políticas expansionistas no contexto da crise — inclusive o Brasil —, o que testemunha a extensão das mudanças na qualidade dessas economias. Elas estão sendo chamadas a desempenhar um papel ativo na solução da crise. Mas não se pode subestimar a natural dificuldade em conceber uma estrutura de governança global compatível com a nova estrutura econômica. São sérios os riscos de um contexto global adverso nos próximos anos, o que pode fazer retroceder alguns dos avanços obtidos na integração dos países em desenvolvimento.

Bibliografia

ADB. *Asian Development Outlook*. Manila: Asian Development Bank, Apr. 2008a.

_____. *The US financial crisis, global financial turmoil, and developing Asia:* is the era of high growth at an end? Manila: Asian Development Bank, 2008b. (ADB Working Paper, 139.)

BLANCHARD, Olivier; GIAVAZZI, Francesco. *Rebalancing China:* a three-handed approach. s. l.: Jan. 2006. (CEPR Discussion Paper, 5.403.)

BRENDER, Anton; PISANI, Florence. *Globalized finance and its collapse*. Bruxelas: Dexia Asset Management, 2009. Disponível em: <http://www.dexia-am.com/globalisedfinance/Globalised finance.pdf>.

CALVO, Guillermo A. Capital flows and capital market crisis: the simple economics of sudden stops. In: _____. *Emerging capital markets in turmoil:* bad luck or bad policy? Cambridge: MIT Press, 2005.

CARNEIRO, Ricardo. *Globalização e inconversibilidade monetária*. Campinas: IE/Unicamp, abr. 2006. (Texto para Discussão, 120.)

CASTRO, Antonio Barros de. From semi-stagnation to growth in a Sino-centric market. *Revista de Economia Política*, jan./mar. 2008.

CUNHA, André Moreira. A economia política do "milagre chinês". In: ENCONTRO NACIONAL DE ECONOMIA, 36. 2008, Salvador. *Anais...* Salvador: Anpec, 2008.

DOOLEY, Michael; FOLKERTS-LANDAU, David; GARBER, Peter. *An essay on the revived Bretton Woods system*. s.l.: NBER, 2003. (National Bureau of Economic Research Working Paper, 9.971.)

_____; _____; _____. *The US current account deficit and economic development:* collateral for a total return swap. s. l.: NBER, 2004. (National Bureau of Economic Research Working Paper, 10.727.)

EICHENGREEN, Barry. Global imbalances: the new economy, the dark matter, the savvy investor, and the standard analysis. *Journal of Policy Modeling*, v. 28, n. 6, 2006.

GOLDSTEIN, Morris. A grand bargain for the London G20 Summit: insurance and obeying the rules. 2009. Disponível em: <http://www.voxeu.org/index.php?q=node/3100>.

HAUSMANN, Ricardo; HUANG, Jason; RODRIK, Dani. *Growth accelerations*. s. l.: NBER, 2004. (National Bureau of Economic Research Working Paper, 10.566.)

IMF (Internation Monetary Fund). Globalization, Commodity Prices, and Developing Countries. *World Economic Outlook*, chapter 5, Apr. 2008.

KAMINSKY, Graciela L.; REINHART, Carmen. The twin crisis: the causes of banking and balance of payments problems. *American Economic Review*, v. 89, n. 3, p. 473-500, 1999.

LIPTON, David; SACHS, Jeffrey. Creating a market economy in Eastern Europe: the case of Poland. *Brookings Papers on Economic Activity*, n. 1, 1990.

OCAMPO, José Antonio. International asymmetries and the design of the international financial system. Santiago do Chile: Cepal, abr. 2001. (Serie Temas de Coyuntura, 15.)

PULA, Gabor; PELTONEN, Thomas. *Has emerging Asia decoupled?* An analysis of production and trade linkages using the Asian input-output table. Frankfurt: European Central Bank, 2009. (ECB Working Paper, 993.)

REINHART, Carmen; ROGOFF, Kenneth. The aftermath of financial crisis. *American Economic Review*, v. 99, n. 2, p. 1-10, 2009.

RODRIK, Dani. Goodbye Washington Consensus, hello Washington confusion. *Journal of Economic Literature*, v. 44, 2006.

_____. *The social costs of foreign exchange reserves*. s. l.: NBER, 2007. (National Bureau of Economic Research Working Paper, 11.952.)

_____. *Normalizing industrial policy*. Washington, DC: World Bank Commission on Growth and Development, 2008. (Working Paper, 3.)

ROUBINI, Nouriel; SETSER, Brad. The US as a net debtor: the sustainability of the US external imbalances. *Roubini Global Economics*, 2004.

STIGLITZ, Joseph E. Towards a new paradigm for development: strategies, policies and processes. Geneva: Unctad, 1998. (Raul Prebisch Lecture.)

SUBRAMANIAN, Arvind. Coupled economies, decoupled debates. 2009. Disponível em: <http://www.iie.com/publications/opeds/oped.cfm?ResearchID=1202>.

UN (United Nations). Report of the Commission of Experts of the President of the United Nations General Assembly on Reforms of the International Monetary and Financial System. New York: United Nations, 2009.

WILLIAMSON, John. *Latin American adjustment:* how much has it happened? Washington, DC: Institute for International Economics, 1990.

WOLF, Martin. *Fixing global finance*. New York: Johns Hopkins University Press, 2007.

WORLD BANK. *The East Asian miracle:* economic growth and public policy; a World Bank policy research report. Washington, DC: World Bank, 1993.

_____. *Economic growth in the 1990s:* learning from a decade of reform. Washington, DC: World Bank, 2005.

XIAOCHUAN, Zhou. On savings ratio. Pequim: The People's Bank of China, 2009. Disponível em: <http://www.pbc.gov.cn/english/detail.asp?col=6500&id=179>.

2

Governança global e Banco Central: a emergência da autoridade privada

Lourdes Sola

Este capítulo é deliberadamente heterodoxo. Trata de uma instituição estratégica para a análise econômica a partir de categorias clássicas da ciência política e da sociologia: autoridade, capacitação do Estado, soberania. São clássicas, mas não atemporais. Fazem parte de uma problemática secular que emergiu com a formação dos Estados nacionais e com o capitalismo, como, de resto, as ciências que, de alguma forma, integram essa narrativa (Hirschman, 1977). São também conceitos que passaram por várias reencarnações, conforme as sucessivas transformações no sistema político internacional e as mudanças na estrutura do capitalismo. Além disso, pertencem à categoria de conceitos "essencialmente passíveis de contestação", tal como o de democracia, e, por força de seu componente normativo, prestam-se a diferentes interpretações. Também variam em função do modo de inserção dos diferentes Estados no sistema econômico e político internacional e de suas respectivas trajetórias. Termos como soberania, autoridade, capacitação do Estado terão significados político-econômicos e cargas simbólicas distintos dos vigentes no berço dos Estados nacionais, ou seja, na Europa, quando referidos a um Estado-nação que deve sua existência ao fim do estatuto colonial.

Os bancos centrais, como instituições públicas subestatais que são, também passaram por reencarnações. Variaram as regras, as normas e os valores condensados nas diretrizes econômicas que guiaram as práticas dessas instituições nos países hegemônicos — a Inglaterra e os Estados Unidos. Variaram, também, os *role models* condensados na teoria econômica, conforme o regime monetário internacional e o poder hegemônico de turno.

A última encarnação, a atual, corresponde à era do capital globalizante e ao que se tornou conhecido como o "regime" monetário pós-Bretton Woods, cujo início data dos anos 1970. Trata-se de uma era marcada pela tendência à liberalização e à desregulação dos sistemas financeiros nacionais e à independência dos bancos centrais em relação ao Poder Executivo; por turbulências no sistema internacional, na periferia e na Europa pré-euro, que culminaram com um *crash* no coração do capitalismo em 2008. Mas essa também foi a era de uma onda maciça de democratizações, que adquiriu escala global a partir dos anos 1990, e se refletiu na preferência pelo constitucionalismo liberal (ainda que formal) por parte das populações envolvidas. Esse ponto é fundamental: a atração normativa que a democracia exerceu (e continua exercendo) incluiu um conjunto de direitos e de liberdades, mas não se esgota nisso. Deriva também da perspectiva de maior estabilidade política, quando entranhada em regras constitucionais, percebida como uma âncora contra as instabilidades do passado e as incertezas da transição. A atração normativa do constitucionalismo liberal foi retratada por Claus Offe (2002:121), que afirmou que as Constituições oferecem "uma linha de demarcação clara entre o que pode ser contingente, com respeito aos resultados do processo político e os conflitos de interesse aí contidos, e o que não pode ser objeto de tais conflitos por estar registrado constitucionalmente".

Por motivos que procuro demonstrar, as transformações dos bancos centrais, ao longo desse período, caracterizam uma revolução silenciosa — e constituem uma das principais dimensões da globalização econômica. A necessidade de especificar em que consiste essa subversão explica a estratégia adotada aqui: o recuo histórico para demarcar bem as diferenças entre o exercício da "autoridade monetária" hoje e em regimes anteriores. Antes dela, com apoio em Weber, era possível manter a linha divisória tradicional entre a noção de autoridade, atributo exclusivo do Estado, e a noção de mercado, o reduto no qual os interesses privados fluem livremente. De forma similar, as noções tradicionais sobre autoridade no sistema internacional valiam-se das concepções de Weber sobre o Estado e o domínio da política internacional. Ambas as linhas de análise apoiavam-se em dois pressupostos — válidos no contexto histórico pré-globalização. Por um lado, o domínio do doméstico como algo fundamentalmente diverso do domínio internacional. O primeiro, caracterizado pela prevalência da autoridade (reconhecida como legítima) do Estado; o segundo, pelo reinado da anarquia (um mundo hobbesiano sem comando e sem regras), dada a ausência de um estado global no cenário internacional. Por outro lado, na medida em que é da essência do Estado "o monopólio do uso legítimo da força em um dado território", a maioria dos Estados "pode se apoiar na obediência de seus cidadãos, estabelecendo códigos legais nos quais a ameaça de coerção física fica apenas implícita". Em outros termos, a noção de autoridade pressupõe uma relação hierárquica e o reconhecimento (tácito) de sua legitimidade por parte de quem obedece. Historicamente, pressupõe um processo de concentração de poderes no Estado e uma capacidade coercitiva, que não é limitada pelos princípios do liberalismo constitucional ou por qualquer modalidade de *checks and balances*.

As transformações ocorridas nas últimas três décadas do século XX obrigaram a uma revisão das concepções tradicionais sobre autoridade e sobre a natureza do sistema internacional. Está fora do escopo deste capítulo analisá-las, basta indicar alguns desdobramentos de ordem geral como pano de fundo para situar o tema deste estudo: as características distintivas do exercício da "autoridade monetária" na era da globalização.

Com respeito à arena internacional, em lugar de um "Estado de natureza" hobbesiano, existem elementos de ordem "e interações institucionalizadas, padronizadas" entre atores transnacionais, que estudos mais recentes procuram resgatar. Muitos desses elementos e interações escapam ao controle e, portanto, à autoridade dos Estados nacionais, o que remete ao segundo desdobramento: a difusão da autoridade e do poder entre novos (e velhos) atores. Alguns deles assumiram papéis e funções de autoridade no sistema internacional no que diz respeito a "uma questão ou um domínio específico" e de "algum modo lhes é facultada alguma forma de autoridade legítima".[1]

É por esse ângulo que analiso aqui uma das mudanças significativas do período: as formas de autoridade exercidas pelos atores de mercado, secundados pelas agências privadas de classificação de risco, que compartilham com os bancos centrais o exercício da "autoridade monetária". A partir desse contexto é que se torna inteligível também a prescrição e a tendência à autonomia dos bancos centrais em relação ao Executivo, observada em todos os continentes. Como um dos tópicos das reformas de Estado, justifica-se abordá-la e avaliá-la em termos de um processo de capacitação ou de recapacitação do Estado para exercer suas funções.

Essas características distintivas por si sós justificariam mirar o banco central como objeto de análise transdisciplinar. Mas há outra razão adicional, cujo alcan-

---

[1] Hall e Biersteker (2007:3-4). A abrangência dessa transformação — e os desafios teóricos e empíricos que implica — tem sido objeto de análise por várias perspectivas. Para Hall e Biersteker: "incluem, mas não se restringem à autoridade aparente exercida pelas forças globais de mercado [...] [incluem] também organizações não governamentais em defesa dos direitos humanos e do meio ambiente, movimentos religiosos transnacionais e mesmo máfias e exércitos mercenários".

ce teórico e cujas implicações práticas merecem registro. A identidade entre banco central e "autoridade monetária"— de uso corrente entre economistas — deve ser problematizada. A sugestão tácita de que são termos intercambiáveis, frequente na literatura econômica, obriga a especificar as condições em que essa identidade se atualiza. Obriga, sobretudo, a rever criticamente os *role models* estilizados na literatura econômica convencional. Nesses textos, a prescrição da independência dos bancos centrais prescinde do quadro de constrições políticas que limitam o exercício da autoridade monetária nas democracias dominantes: o do constitucionalismo liberal.

Essa é uma questão estratégica para as democracias emergentes de mercado, nas quais os políticos eleitos se confrontam com um desafio nada trivial: a responsabilidade de construir um "equilíbrio delicado entre um sistema crível e confiável de autoridade monetária e a legitimidade democrática".[2]

Bancos centrais: em perspectiva histórica e transdisciplinar[3]

Os bancos centrais modernos são instituições econômicas e políticas públicas, não pautadas pelo critério de maximização do lucro, cujas funções e poder são específicos: derivam do comando que exercem sobre os recursos monetários. Nessa capacidade, definem a política monetária, têm forte influência sobre a formação das taxas de câmbio, e atuam como guardiões da estabilidade financeira. Suas decisões afetam as variáveis macroeconômicas que determinam o crescimento, o produto e as políticas nacionais de desenvolvimento, bem como as condições de cooperação internacional, monetária e financeira. Como regra geral, os bancos centrais são regulados por um mandato de governo (ou de governos), que define os objetivos da instituição e em que condições deverá exercer o controle sobre os recursos monetários.

Depois de situar os bancos centrais nos contextos histórico e teórico em que se desenvolveram, o capítulo discute as regras e as instituições sociais que mol-

---

[2] Whitehead (2002:137). A epígrafe que abre o texto, de autoria de Greenspan, resume o argumento: "Em uma sociedade democrática não se pode ter uma instituição parcial ou totalmente dissociada do processo eleitoral, que disponha dos poderes que os bancos centrais intrinsecamente têm".

[3] Baseado no verbete "Central banks", de Lourdes Sola, em Badie, Berg-Schlosser e Morlino (2011).

dam sua atuação como sistemas confiáveis de autoridade monetária, nos níveis nacional e internacional. Segue-se uma discussão das questões contemporâneas de maior interesse. Em que medida as mudanças nas formas de interação entre os bancos centrais e os agentes de mercado explicam a redefinição e o fortalecimento dos poderes dessas instituições na era da globalização financeira? Qual a relação entre esses processos e a tendência global à "independência" dos bancos centrais em relação o Executivo de governos eleitos, nas velhas e novas democracias?[4] Essas questões trazem à tona uma problemática de grande relevância para o cientista social, qual seja: a forma pela qual tem sido resolvido, na teoria e na prática, o conflito entre dois objetivos. Por um lado, o objetivo de proteger a instituição das pressões desestabilizadoras da política competitiva de curto prazo, e, por outro, o princípio democrático da *accountability*.

O banco central como ator subestatal: teoria e história

Um exame atualizado dos bancos centrais existentes indica uma variedade bem maior de objetivos e de mandatos do que faz supor a teoria dominante — a das expectativas racionais —, na qual se baseiam as prescrições e os modelos recomendados nos últimos 30 anos. Sua forte influência é notável, no entanto, em duas tendências de alcance global. Em termos dos objetivos da instituição, há convergência em torno da primazia da estabilidade de preços. Em termos do mandato, ou seja, do comando sobre os recursos monetários, observou-se um aumento dramático no número de bancos centrais que adquiriram independência legal em relação aos respectivos governos (Maxfield, 1997). Isso, não obstante a variedade existente quanto às práticas e aos mandatos da instituição observados entre países e regiões, limita o escopo para generalizações. Além do mais, as funções e os poderes dos bancos centrais foram redefinidos várias vezes ao longo do tempo, desde sua criação, em meados do século XIX, na esteira do Banco da Inglaterra, criado em 1694.

O status que tem hoje um banco central moderno — como instituição pública não orientada pela maximização do lucro — é resultante de um processo histórico

---

[4] Note-se que a ênfase nesse tipo de relação — com governos eleitos — deve-se ao fato de que a recomendação de "independência" ou "autonomia" dos bancos centrais não costuma se colocar em governos não democráticos, como a China e a Rússia, para mencionar dois dos Brics.

evolutivo, ancorado nas regras e nas instituições que sustentam suas três funções básicas: a de banco do governo, a de detentor do monopólio da emissão de moeda, e a de banqueiro do sistema bancário, que inclui a função de *last resort lender*. Tais funções refletem uma relação única, distinta e variável ao longo do tempo entre a instituição e os seus dois principais clientes: o governo e as instituições financeiras que se orientam pela maximização do lucro, especialmente os bancos comerciais.

A relação entre os bancos centrais e o governo

A atribuição das funções de banco do governo a uma instituição bancária já existente, como ocorreu na Inglaterra e em parte da Europa continental, envolveu uma relação dual entre as partes. Por um lado, foi resultado de um processo de delegação política de parte do governo; por outro, sustentou-se em relações de tipo contratual entre as duas partes. Em uma perspectiva de longo prazo, essa relação dual com o governo está subjacente ao padrão histórico observado por historiadores econômicos como Goodhart, ou seja, uma alternância entre fases marcadas pela proximidade ou pela distância. Em outros termos, subordinação ou autonomia.[5]

Historicamente, um ciclo de delegação política se inicia no momento da sua fundação, quando um banco comercial existente ganha foros especiais, a exemplo do Banco da Inglaterra, graças a uma carta-licença ou alvará. É constituído como banco do governo, com o objetivo de garantir o financiamento de seus gastos acima do limite estabelecido pela arrecadação de impostos e a custos comparativamente baixos, mas em troca da outorga de privilégios monopolistas, especialmente o monopólio da emissão de moeda.[6] No começo do século XX, esse primeiro ciclo de delegação política havia se completado na maioria dos Estados-nações.

Um dos componentes centrais da formação dos Estados nacionais é justamente o fato de que o Estado se arroga a função de emissor da moeda no território geográfico onde exerce sua autoridade — na verdade, se apropria dela. Isso lhe permite, em um momento posterior, conceder o status de *legal tender,* ou seja, de moeda de curso forçado, às notas emitidas por seu banco. Daí a necessidade de uma instituição que administre o valor da moeda. É justamente essa condição de único

---

[5] O que se segue é uma interpretação livre de Capie, Goodhart e Schnadt (1994:1-242).
[6] Antes disso, outros bancos comerciais emitiam notas bancárias de ampla circulação.

emissor de uma única moeda com circulação garantida em um dado território — condição garantida pelo Estado — que explica porque o banco central constitui, historicamente, um componente indispensável da soberania política. Na Inglaterra e em vários países do norte da Europa, essa instituição é indissociável dos processos de padronização da moeda e do estabelecimento de um sistema de pagamentos de âmbito nacional, essenciais à formação do Estado-nação. Por isso, a constituição de bancos de governo desse gênero, nos países economicamente retardatários da Europa — Itália e Alemanha –, abriu espaço para o uso intensivo dos recursos monetários com vistas à promoção do desenvolvimento econômico, e para lançar as bases da unificação política. Mais tarde, países em desenvolvimento seguiriam a mesma trilha.

O padrão observado nos países em desenvolvimento que se constituíram como novos Estados soberanos foi similar, mas não idêntico. Em alguns deles, os bancos centrais recém-criados atuaram como peça-chave na formação de mercados nacionais e na consolidação da independência monetária, pondo fim ao seu estatuto colonial. Por essa razão, diz-se que sua criação adquiriu um valor simbólico quase tão importante quanto o da bandeira e o do hino nacionais.

Paralelamente à delegação política que acompanha a relação entre governo e banco central, existe também uma relação contratual de ordem econômica, ou seja, fundada no interesse mútuo e em um cálculo econômico. Emprestar ao governo a juros fixos gera lucros que se somam àqueles auferidos pela emissão de moeda. Do ponto de vista do governo, há interesse em ter "seu próprio banco", na medida em que obtém financiamento de seu déficit a custo baixo: seu poder como o maior cliente do banco, além disso, permite-lhe pressionar para reduzir a um mínimo os juros correspondentes. Por outro lado, tipicamente, os bancos centrais são os principais detentores dos títulos da dívida de um governo, na medida em que investem seu capital nesses instrumentos de longo prazo. Onde existe (ou pode existir) um mercado doméstico para a dívida pública, há condição de mobilizar empréstimos voluntários por parte de poupadores, constituindo-se, assim, uma fonte adicional de financiamento para os déficits do governo. Trata-se de um mercado monitorado pelo banco central, que, então, acrescenta a suas funções a de gerenciador da dívida pública.

A preferência por financiamento mais barato é um componente intrínseco da relação do governo com seu banco central, mas, do ponto de vista histórico, o recurso à expansão monetária com vistas a financiar o déficit governamental — ou seja, a monetização da dívida do governo — representou um fenômeno excepcional nos países industrializados. Ocorreu em conjunturas de guerra, como, por exemplo, nas guerras napoleônicas e na Guerra Civil norte-americana. Os estudos históricos efetuados pela equipe de Goodhart demonstram as razões econômicas e políticas pelas quais os bancos centrais se caracterizam por uma aversão congênita à inflação e ao risco. Pois, como principais detentores da dívida do governo e, na medida em que já auferem lucro com seus empréstimos, têm interesse dominante na estabilidade do valor real desses empréstimos. A isso se acrescenta o fator reputação: uma moeda forte reflete a credibilidade do emissor e o compromisso da instituição emissora com a estabilidade de preços. Por isso, até 1970, nos países industrializados, o compromisso de um banco central com a convertibilidade e/ou com a estabilidade de preços foi rompido apenas em uma circunstância: quando a própria sobrevivência do Estado esteve ameaçada por guerras.

Por isso mesmo, o viés inflacionário supostamente inerente à política econômica, ou seja, a tentação de monetizar os gastos do governo nos países industrializados, representa um desdobramento recente e datado. Para entendê-lo, faz-se necessária uma análise mais contextualizada do "regime" monetário essencialmente instável e movediço que caracteriza a era da globalização financeira, ou seja, o período denominado pós-Bretton Woods (inaugurado no princípio dos anos 1970).

Até então, o "imposto inflacionário" constituiu um recurso típico de alguns países em desenvolvimento, especialmente os da América Latina. Dois fatores estruturais explicam o apelo a essa forma de financiamento do governo. Um é o sistema tributário, que refletiu a limitada capacidade do Estado para se consolidar como autoridade fiscal, impessoal e amplamente reconhecida como tal. Além disso, o recurso ao "imposto inflacionário" permitiu socializar os custos da industrialização, com um mínimo de contestação em torno das políticas relevantes. Pois, apesar de seu viés fortemente redistributivo a favor dos lucros, o impulso à acumulação de capital se refletia em melhoria na renda e no emprego em termos absolutos. O caso mais típico é o do Brasil, no qual o empenho do Estado em levar adiante uma estratégia proativa de escolha dos vencedores, desde os anos 1930, baseou-se na distribuição seletiva de incentivos fiscais e monetários a agentes econômicos específicos.

O banco dos bancos

Em sua relação com o sistema bancário e com as instituições financeiras pautadas pelo critério de maximização do lucro, os bancos centrais desempenham funções de orientação e monitoramento. Na medida em que os bancos comerciais atuam como tomadores e como fornecedores de empréstimos simultaneamente, são também multiplicadores de crédito. Dado que crédito é dinheiro, as suas decisões microeconômicas guiadas pelo interesse em maximizar seu lucro incidem diretamente sobre a redução ou o aumento do estoque de dinheiro disponível na economia. Ao mesmo tempo, a prioridade dos bancos centrais — a estabilidade financeira e econômica — os levou a desenvolver um papel gradualmente mais proativo para controlar essa fonte de volatilidade. A função de emprestador de última instância (*lender of last resort*) — sempre exercida na esteira de crises financeiras — gira em torno da responsabilidade sistêmica da instituição: sempre em troca de um aumento significativo de seus poderes de supervisão e de regulação sobre os bancos comerciais.

Enquanto a função de *lender of last resort* é solicitada e acionada reiteradamente em tempos de crise, em tempos normais, a liderança do banco central sobre as instituições maximizadoras de lucro é exercida através de operações de mercado aberto (*open market*). Para manter o controle diário sobre as taxas de juro nominais de curto prazo, o banco central compra ou vende títulos em troca de *cash* e, com isso, suas decisões afetam a base monetária. Nesse caso específico, seu poder sobre a oferta de moeda e sobre outras variáveis econômicas é exercido por meio dos mercados. Em outros termos, utilizando um sistema complexo de incentivos e penalidades — principalmente taxas de redesconto —, pode induzir ou dissuadir os bancos comerciais a prosseguirem com suas estratégias de empréstimo. Na medida em que o banco central impõe as condições para a provisão de crédito (dinheiro), tudo se passa como se detivesse "o poder mágico de criar ou de destruir dinheiro" (Greenspan apud Capie et al., 1994:241-244). Mas o faz ancorando-se nos mecanismos de mercado, quer dizer: valendo-se de sua posição monopolística no mercado de crédito, e antecipando a resposta previsível e autointeressada das instituições pautadas pelo lucro à sua política de juros.

É a partir desse pano de fundo que se torna inteligível o uso do termo "banco central" como equivalente ao termo "autoridade monetária", conforme o uso corrente entre economistas.[7] Por isso, vale a pena indicar em que pressupostos se apoia a identidade entre os dois termos, tidos como intercambiáveis. Primeiro,

---

[7] Pela ótica do cientista político, os dois termos não são intercambiáveis: não é em todas as circunstâncias que um banco central pode exercer sua suposta autoridade — ao contrário, a rota explosiva da inflação sugere uma erosão simultânea da capacidade de comando do banco central sobre os recursos monetários.

onde quer que exista mercado, as instituições financeiras e os investidores fazem seus cálculos e agem de forma independente uns dos outros. Segundo, o poder do banco central sobre os recursos monetários é o poder de um *rule maker*, ou seja, uma extensão da capacidade do Estado de fazer valer tais regras (*enforcement*). É, portanto, uma extensão da autoridade do Estado. Terceiro, a credibilidade da instituição deriva de sua capacidade de governança, definida em termos de seus objetivos básicos, ou seja, a estabilidade de preços e financeira, o que, por sua vez, deriva, principalmente, das credenciais técnicas de seus gestores.[8]

Ao tratar dos regimes monetários internacionais em que os bancos centrais operam, os cientistas políticos que se dedicam à economia política partem do pressuposto de que tais regimes estão ancorados em regras e normas, e de que estas são contingentes. Além disso, pressupõem que os mercados doméstico e internacional estão implantados (e enraizados) em instituições sociais e são permeados por elas. Por essa perspectiva, a história da ordem (e da desordem) monetária internacional é tratada como "a história da construção e da demolição de regras e normas, constitutivas e regulatórias, explícitas ou tácitas, substantivas e processuais", conforme a proposta de Hall (2008). É um mapa cognitivo que procura dar conta dos processos sociais, e político-econômicos, que explicam tanto a formação quanto a desarticulação dos consensos em torno das políticas que definem determinado regime monetário internacional.

Weber fornece pistas teóricas importantes para situar a questão da "autoridade monetária" como instituição subestatal — em termos de duas formas de poder contrastantes exercidas por "um grande banco central". Respectivamente: "o poder derivado de uma constelação de interesses, que se desenvolvem em um mercado formalmente livre; e o poder derivado de uma autoridade estabelecida, que aloca o direito de comando e o dever de obedecer". Quando um banco central impõe condições para garantir o crédito por meio de suas operações de *open market*, os bancos membros do sistema e outros agentes econômicos submetem-

---

[8] Esses são pressupostos fortes, que podem não se cumprir — por várias razões cuja análise está fora do escopo deste capítulo. Os construtivistas, por exemplo, contestam vigorosamente o primeiro pressuposto. As reações de "manada", o típico comportamento de *overshooting* etc. e a antecipação de problemas, que põem em questão a disposição de um país de honrar seus compromissos via fuga de capitais, obrigam a rever esse pressuposto. Eles refletem, ao contrário, a existência de visões, ideário e cálculos econômicos compartilhados entre os agentes de mercado — e não a tomada de decisões independentes umas das outras. Da mesma forma, o banco central está longe de ter a capacidade de *enforcement* de um *rule maker*, nas circunstâncias de rota explosiva da inflação, como bem demonstra a experiência brasileira nos anos 1980.

-se a elas por força de seu próprio interesse, ou seja, com base em cálculos econômicos autônomos. Um banco central, no entanto, pode usar sua capacidade de comando sobre os recursos monetários de uma forma que o aproxime da "autoridade formal de um governo". Quando, "em virtude de sua posição central", a instituição tenta regular o ciclo econômico; ou quando os bancos são convocados a depositar uma proporção previamente estipulada de seus ativos líquidos, sob a forma de reservas a lucros baixíssimos, submetem-se contra seu interesse microeconômico de maximização do lucro. Tratando-se de Weber, a distinção corresponde a tipos ideais de poder. Na prática, ambas as fontes de poder coexistem e podem se sobrepor.

No entanto, a distinção teórica é fundamental por várias razões. Por um lado, a noção de autoridade monetária caracteriza uma relação desigual entre a instituição e os agentes de mercado — uma relação de comando e subordinação (*herrschaft*) entre governante e governado. Trata-se, portanto, de uma modalidade específica de autoridade política, conforme explorei há anos (ver Sola, Kugelmas e Whitehead, 2002; Sola e Whitehead, 2005). Por outro, a relação que se exerce através de um conjunto de incentivos e desincentivos dirigidos a atuar sobre a "constelação de interesses" que se situa no mercado caracteriza uma forma proativa de influência, cujos resultados são calculáveis, mas menos previsíveis. Baseia-se em um duplo pressuposto: a autonomia dos agentes, cuja resposta é pautada por um cálculo racional, de autointeresse; e a capacidade do banco central de antecipá-la corretamente.

A distinção sugerida por Weber permite situar, em perspectiva histórica, a problemática explorada por Sola e Whitehead como típica das democracias emergentes de mercado na era do capital globalizante. Nelas, o desafio principal, em termos de governança monetária, consiste na tarefa de reconciliar dois requisitos distintos: credibilidade aos olhos do mercado e legitimidade política democrática aos olhos das *constituencies* que integram o eleitorado doméstico. Por um lado, a integração a mercados globais formalmente livres requer a construção de um sistema confiável de autoridade monetária. Por outro, sua legitimação política no plano doméstico pressupõe a ação conjugada de processos negligenciados pela análise econômica convencional. Primeiro, a existência de uma coalizão social favorável à estabilidade econômica e financeira, como um "bem público", o que pressupõe a existência (ou a formação) de consensos mínimos. Segundo, a construção institucional de um sistema de *checks and balances* para disciplinar os poderes discricionários da autoridade monetária: pois esta é, por definição, uma autoridade derivada de um ato de delegação por parte de políticos eleitos.

A economia política internacional dos bancos centrais

O regime monetário e financeiro atual — caracterizado como pós-Bretton Woods (1971-1973 até hoje) — apresenta dois traços distintivos em relação ao anterior: o fortalecimento do poder dos bancos centrais em relação aos respectivos governos, e a redefinição de sua "autoridade" em relação aos agentes transnacionais do mercado. Para entender esses processos, é necessário introduzir uma mudança de foco: da análise dos bancos centrais como instituições subestatais, para uma perspectiva que inclua também sua condição de ator público transnacional no contexto da globalização econômico-financeira. Vale dizer, um ator que opera em um sistema de governança que contém várias instâncias decisórias (*multilevel governance*). Em outros termos: o comando da instituição sobre os recursos monetários foi redefinido em função das mudanças ocorridas em sua forma de interação com o governo e com os agentes de mercado. Parte dessa transformação se desdobrou no quadro cognitivo da teoria das expectativas racionais — centrada no princípio da credibilidade dos bancos centrais aos olhos dos mercados financeiros. Está intimamente ligada a uma série de desdobramentos que distinguem a era pós-Bretton Woods dos regimes monetários precedentes: respectivamente, o padrão-ouro clássico (1887 a 1914), as décadas do entre guerras, e o sistema de Bretton Woods (1945-1971). Enquanto estes últimos são definidos como regimes monetários internacionais, cujas regras e normas foram desenhadas e impostas pelo Reino Unido e pelos Estados Unidos, respectivamente, o pós-Bretton Woods é considerado por economistas como Eichengreen (2008) um "não sistema".

Dois desdobramentos refletem o caráter instável e movediço do contexto econômico no qual as funções (e os poderes) do banco central foram redefinidos, no período pós-Bretton Woods: os sucessivos fracassos das tentativas de estabelecer uma *ordem* monetária internacional estável, e uma fase de intensa experimentação técnica e teórica, marcada por controvérsias no campo da economia monetária. A revolução racionalista, em particular a aplicação da teoria das expectativas racionais pelos banqueiros centrais, representou um ponto de inflexão decisivo para ancorar a redefinição das regras e normas que passaram a definir o que se entende por "boas práticas" monetárias.

As duas questões básicas, em torno das quais giraram a prática e a teoria dos bancos centrais nesse período, foram sintetizadas e exploradas pelo economista Stanley Fischer (1994:262-304). Por um lado, giraram em torno das tendências inflacionárias "inerentes ao conflito entre os efeitos de curto prazo e os de longo prazo da expansão monetária". Por outro, trouxeram à tona uma questão normativa, ou seja, "deveriam girar em torno do conflito entre a necessidade de proteger a instituição das pressões políticas associadas ao financiamento dos gastos do governo e o princípio da *accountability* na relação com o público".

Banco central e governo

Os poderes atuais dos bancos centrais vinculam-se a transformações cruciais na relação que estabelecem com seus clientes, ou seja, com o governo e os agentes financeiros privados, as quais incluem, também, mudanças nos mapas cognitivos adotados pelos banqueiros centrais. Na raiz dessas transformações está a mudança nas prioridades da gestão monetária: a primazia da estabilidade de preços em relação a outros objetivos, como a maximização do emprego e do PIB. O contexto político-econômico subjacente é o seguinte: a ameaça de um surto inflacionário nas democracias dominantes, nos anos 1970 e 1980, especialmente nos Estados Unidos e no Reino Unido, constituiu uma experiência sem precedentes em tempos de paz. O consenso político internacional que havia legitimado o regime de Bretton Woods já fora abalado em 1971-1973 pela decisão unilateral do presidente Nixon de rever para baixo a taxa fixa de câmbio dólar/ouro e o abandono abrupto da convertibilidade. Tratando-se da moeda de reserva internacional, a desvalorização da moeda norte-americana e a transição abrupta de uma taxa fixa para uma taxa flutuante de câmbio refletiram-se diretamente na erosão das reservas estrangeiras dos demais países membros do sistema — a maioria das quais em dólar. É contra esse pano de fundo que se tornam inteligíveis a erosão do consenso em torno do regime monetário de Bretton Woods liderado pelos Estados Unidos, e a crise de legitimação da ordem monetária internacional.

A análise dessa conjuntura crítica traz à tona questões de grande interesse para o cientista social. Ilustra bem a capacidade que tem um Estado poderoso — hegemônico — de transferir os custos de um ajustamento doméstico aos demais parceiros do sistema de trocas comercial e financeiro. Além disso, ilustra a relevância de uma ação política coordenada no plano internacional com vistas a contra-arrestar (ou minimizar) os efeitos adversos dessa modalidade de poder, a exemplo da rota seguida pelos países da Europa. Assim, o fracasso das tentativas de proteger a Europa da instabilidade financeira que se seguiu à crise do sistema de Bretton Woods, sobretudo a crise do sistema europeu de câmbio no início dos anos 1990, deu novo impulso à construção das instituições que sustentaram os arranjos de Maastricht com o objetivo de estabelecer uma ordem monetária regional. Central para esse processo foi a redefinição dos poderes do bancos centrais nacionais paralelamente à criação do Banco Central Europeu (BCE), ao qual foi transferida parte substantiva do comando sobre os recursos monetários relevantes. Cabe, por isso, conceituar esse experimento de construção de uma autoridade monetária transnacional nos termos da noção clássica de *statecrafting* explorada por Sola e Whitehead (2005). Ou seja, como uma modalidade de construção institucional inseparável de um processo de transição de poder, envolvendo um projeto político de longo prazo, múltiplos atos de delegação política soberana e deliberação democrática entre os parceiros relevantes.

É nesse contexto extremamente instável e movediço que as novas funções atribuídas aos bancos centrais ganham sentido. A centralidade da política monetária e a reação monetarista à dominância do pensamento keynesiano marcaram uma mudança paradigmática: a superação do dirigismo econômico do pós-guerra, estruturado em torno da gestão da demanda, com base em controles sobre a taxa de câmbio, a taxa de juros e os preços. Marcaram também o fim da subordinação dos bancos centrais às autoridades fiscais domésticas.

O apoderamento dessas instituições, em particular o do Federal Reserve (FED) dos Estados Unidos, ilustra muito bem como o exercício da autoridade monetária — como uma modalidade de autoridade política — pode ser reforçado e redesenhado no marco político do constitucionalismo liberal. Três dimensões são relevantes para explicar essa transição: o fortalecimento dos bancos centrais como *rule makers*, as dimensões políticas de sua capacitação efetiva de governança monetária, e o poder comparativo do *hegemon* — emissor da reserva internacional, o dólar — de liderar os arranjos internacionais que permitiram transferir os custos do seu ajustamento a outros parceiros.

A autoridade do FED como ator subestatal é especificada e limitada constitucionalmente. Sua autonomia em relação ao Executivo é limitada pela supervisão do Congresso, e os objetivos da instituição são estabelecidos por um mandato dual: estabilidade de preços e maximização do produto e do emprego. Contudo, em fins da década de 1970 e início dos anos 1980, nem as constrições constitucionais, nem tampouco a perspectiva do enorme custo social e político, decorrente de uma eventual recessão e do desemprego, impediram a opção por uma terapia de choque para reverter a aceleração da inflação. O aumento dramático na taxa de juros vigente nos Estados Unidos, aprovado pelo então presidente do FED, Paul Volcker, marcou uma reviravolta na política monetária. Os processos decisórios que levaram a isso continuam subestudados, mas as informações disponíveis na literatura jornalística confirmam o que pode ser caracterizado como a lógica e a dinâmica política da emergência.⁹ A reviravolta resultou de sucessivos atos de delegação política dos poderes Executivo e Legislativo ao FED, e pôde ser legitimada politicamente aos olhos do público em função de uma experiência sem precedentes: o surto inflacionário, inédito em tempos de paz. Um dos aspectos mais importantes desse experimento — o fato de ter sido levado a cabo no quadro do constitucionalismo liberal por um banco central autônomo em relação ao Executivo, mas responsável perante o Congresso — abre espaço para uma série de questões de interesse para o cientista social, como se verá adiante.

Existe hoje uma boa dose de consenso entre economistas e historiadores econômicos a respeito do seguinte: a capacidade de governança monetária do FED — medida em termos de seu sucesso em reverter a inflação — é mais bem explicada por seus componentes políticos do que pelos técnicos. Economistas de orientação monetarista, historiadores econômicos, banqueiros centrais e cientistas sociais que se dedicam à economia política convergem em um ponto, mais bem formulado por Goodhart: "enquanto exercício técnico, [o experimento] dificilmente pode ser considerado um sucesso" (Capie, Goodhart, Schnadt, 1994). O objetivo econômico de Volcker foi realizado graças a sua determinação em enfatizar (de forma sustentada) o objetivo de estabilidade de preços ao mesmo tempo que desenfatizava — também em termos teóricos — a possibilidade de que a política monetária afetasse o nível do produto e do emprego. Isso ocorreu devido a dois componentes: o desenho institucional do FED, cujo mandato é dual; e, acima de tudo, a autoridade intelectual e moral de Paul Volcker. Para muitos decisores (banqueiros centrais) experientes, como Alan Blinder (1998; 2004), esse tipo de autoridade é um ativo fundamental para forjar a quase unanimidade com que se legitimam as decisões *colegiadas* do FED. Por outro lado, na medida em que a política monetária atua *por intermédio* dos mercados, a credibilidade técnica e moral dos decisores é um ativo fundamental também para esses mercados. Além disso, as complexidades técnicas da gestão monetária, hoje, tornam essa forma de autoridade — pessoal e contingente — um instrumento poderoso de persuasão e de legitimação nos processos deliberativos do Congresso e aos olhos do eleitorado.

As funções sistêmicas desempenhadas pelo FED — tanto em sua condição de *rule maker* quanto em sua capacidade de governança internacional — podem ser mais bem avaliadas pelo impacto dramático do aumento dos juros nos Estados Unidos sobre os países em desenvolvimento, em particular os da América Latina.

---

⁹ Ver, sobretudo, Greider (1987).

Foi a origem da mudança na escala do endividamento desses países, que haviam contratado empréstimos a juros flexíveis, e da retração dos investidores internacionais por nove anos. Explica também a maior vulnerabilidade desses países aos choques externos, e sua consequente exposição ao contágio das crises.

O que importa registrar aqui é a resposta à ameaça sistêmica suscitada pela hipótese de esses países não honrarem a dívida. Os bancos centrais dos países credores foram convocados a se envolver na coordenação dos arranjos institucionais que viabilizaram a transferência dos custos do ajustamento nos Estados Unidos aos países devedores. A ameaça de que o endividamento exponencial destes últimos se refletisse no sistema bancário internacional deu novo impulso à criação de novos arranjos internacionais, em concerto com o FMI e com os representantes dos bancos privados. As respostas à "crise da dívida" na América Latina foram desenhadas por comitês organizados para esse fim — e levadas a cabo (*enforced*) bilateralmente, ou seja, com cada um dos países endividados. Como se sabe, os acordos relevantes basearam-se em um sistema de condicionalidades: reformas estruturais liberalizantes, incluindo a desregulação e a abertura do sistema financeiro doméstico, e independência do banco central.

A concorrência por crédito e por investimentos estrangeiros explica a aquiescência de vários países à maioria dessas prescrições. Explica também sua incapacidade de articular uma coalizão política capaz de formular uma estratégia acordada de renegociação das dívidas. A explicação que dá Sylvia Maxfield (1997) para a tendência generalizada à autonomia dos bancos centrais — a conquista de credibilidade, em um contexto de intensa concorrência por investimentos estrangeiros — é válida, mas limitada aos países em desenvolvimento. A correlação entre aumento da concorrência transnacional por parte as instituições financeiras, por um lado, e a tendência à autonomização dos bancos centrais, por outro, estendeu-se pelos cinco continentes a partir de fins dos anos 1980 e, com maior intensidade, a partir da década de 1990. Faz-se necessário especificar as razões dessa correlação, bem como seus limites.[10]

Bancos centrais e governança global: a emergência da autoridade privada

A tendência à autonomia dos bancos centrais em relação aos respectivos governos responde a uma transformação decisiva no modo de interação entre a "autoridade

---

[10] A Bélgica, a Itália e a Inglaterra fazem parte desse grupo.

monetária" e os agentes de mercado. Ela remete ao processo mais abrangente pelo qual as transações financeiras adquiriram escala transnacional, as quais, por sua vez, estão intimamente ligadas ao fortalecimento dos mercados cambiais e aos mercados desintermediados (*bond markets*, nos quais se negociam os títulos das dívidas soberanas). Central a esse processo foi (e é) a intensificação da concorrência entre bancos, e destes com outros intermediários financeiros, para além dos limites territoriais dos Estados soberanos. Pressões competitivas explicam também a proliferação das "inovações financeiras", ou seja, o recurso dessas instituições à criação de novos instrumentos de débito/crédito, para torná-los mais atraentes aos tomadores de empréstimos e aos investidores, corporativos ou públicos. Nesse novo contexto, os controles regulatórios dos bancos centrais domésticos sobre as transações financeiras perderam eficácia, pois, à densidade e à extensão das operações viabilizadas pela tecnologia da informação, somaram-se os processos de desregulação e liberalização dos mercados financeiros domésticos.

Em um sistema em que não há um governo mundial, a capacidade de governança se localiza em múltiplos *loci* de autoridade monetária (e fiscal), pública e privada, nacional e transnacional. Hall (2008) descreve as mudanças pertinentes como um processo pelo qual os bancos centrais se integram em um novo sistema — um sistema de governança monetária global em que coexistem vários níveis decisórios. Incluem-se aí as instituições transnacionais públicas dotadas de poderes de coordenação e de supervisão monetárias, como o Bank of International Settlements (BIS), ou o Banco Central Europeu, cujas regras são adotadas a partir de processos deliberativos de escala transnacional, com a participação dos bancos centrais nacionais. O fato de a adesão aos sistemas de regras que resultam desses processos ser voluntária por parte dos países relevantes — e de as regras serem aplicadas, no plano doméstico, por uma autoridade estatutária constituída — evidencia o quanto sua implementação depende também de variáveis políticas domésticas.

Nesse quadro, os agentes econômicos privados que operam no mercado cambial, e no mercado de títulos soberanos, têm o poder de adjudicar a credibilidade das políticas monetária e fiscal de cada país; e o fazem por meio de julgamentos de mercado. Essa função é complementada pelas agências de avaliação de risco, também privadas, as quais avaliam a credibilidade dos instrumentos das dívidas soberanas, corporativas e municipais. Esse tipo de poder reflete uma transformação estrutural sem precedentes, que caracteriza a era do capital globalizante: a emergência da autoridade privada como parte integrante do sistema de governança global, ambiente no qual os bancos centrais passaram a operar.

É a partir dessa transformação — acelerada pelos processos de desregulação e de liberalização dos mercados financeiros domésticos, e pela tecnologia de informação — que se torna inteligível a prioridade atribuída à autonomia do banco central como fator de credibilidade econômica de alcance global. O fim da conversibilidade do dólar em ouro a uma taxa de câmbio fixa, no começo dos anos 1970, significou também o fim de uma âncora monetária de referência para a estabilidade das demais taxas de câmbio — e, sobretudo, para a concepção de moeda fiduciária lastreada em uma commodity como o ouro. Nesse quadro, a construção de uma autoridade monetária confiável passou a depender da tarefa de tornar crível seu compromisso com a estabilidade de preços. Significava garantir aos detentores de riqueza, privados ou públicos, que seus empréstimos seriam honrados por seu valor real, acrescido de um prêmio de risco. Na medida em que os poderes dos bancos centrais são limitados, pois só podem controlar diretamente as taxas de juro nominais de curtíssimo prazo, a preocupação central passa a ser como assegurar que a política monetária atue com eficácia por intermédio dos mercados. Essa é uma questão que tem uma forte dimensão técnica.

Depois de anos de experimentação, economistas e banqueiros centrais admitem que essa questão foi resolvida, nos termos do consenso criado em torno da aplicação da teoria das expectativas racionais à gestão monetária. Nesses termos, a política monetária pode atuar, por intermédio dos mercados, graças à capacitação (e ao empenho) dos bancos centrais para antecipar e coordenar as expectativas futuras dos agentes econômicos. Essa é a razão pela qual o requisito de independência do banco central no nível global foi postulado (e valorizado) por essa escola como uma condição necessária para obter a confiança dos mercados. Os dois requisitos que habilitariam a instituição a lograr a credibilidade desejada andam juntos: independência em relação aos governos e "transparência" na relação com os mercados — entendida como a capacidade de comunicar com clareza a relação entre os objetivos e os métodos da política monetária.

Foi esse mapa cognitivo que deu origem a um novo consenso teórico a respeito da tomada de decisões e dos pronunciamentos dos banqueiros centrais nos últimos anos, que se contrapõem às práticas vigentes até há alguns anos, marcadas pelo maior sigilo nos processos decisórios relevantes (colegiados ou não), pela ambiguidade dos comunicados, e pelo estilo oracular dos pronunciamentos, justificados em termos predominantemente técnicos.[11]

---

[11] Para comparar esses dois momentos — e o avanço institucional propiciado pelo novo consenso — quanto ao "requisito" de transparência, vale a pena recorrer a Greider (1987) e a Blinder (2004).

Embora o novo vínculo entre credibilidade e transparência se reporte prioritariamente à relação entre banco central e agentes de mercado, a ênfase na estratégia de comunicação como fator de estabilização e de coordenação de expectativas pode transcender esse universo. Representa uma mudança de foco cuja dimensão normativa não pode ser ignorada por várias razões: porque abre espaço para o escrutínio do grande público e dos políticos eleitos, e porque obriga os formuladores de política monetária a explicitar as constrições tanto políticas quanto técnicas que limitam as suas opções. Além disso, na medida em que tais constrições são variáveis, específicas ao contexto, as recomendações do tipo *one model fits all* perdem eficácia e legitimidade técnica. A maior clareza quanto aos inevitáveis *trade-offs* e às escolhas entre os objetivos conflitantes com que se defrontam os formuladores de política monetária explica por que economistas de cepa liberal saúdam essa mudança: como uma "revolução silenciosa", na fórmula de Blinder (2004), ou em termos de "banco central como arte", na percepção de Shiller (2004). Em ambos os casos, como uma forma de saber onde o *mix* entre arte e teoria (aplicadas) é inerente ao processo de formação da política monetária. Em suma, a "revolução silenciosa" abre espaço para contestar a despolitização radical da autoridade monetária — uma das características distintivas do sistema de normas — e dos *role models* para bancos centrais — associados à globalização financeira. Note-se, no entanto, que o novo consenso refere-se mais aos procedimentos do que ao conteúdo da política monetária, que, para esses autores, é essencialmente passível de interpretação, comportando, portanto, contestações.[12]

Os limites da teoria das expectativas racionais aplicada à política monetária, no entanto, são também palpáveis, como apontam alguns de seus críticos, de orientação construtivista. Ela está ancorada nos seguintes pressupostos: um mercado livre, formado por agentes econômicos independentes uns dos outros, cujos cálculos econômicos incluem o impacto *esperado* da política monetária. Por um lado, isso explica a capacidade do mercado de antecipar os efeitos futuros das ações do banco central, trazendo-as para o valor presente. Por outro, o pressuposto de que os agentes tomam decisões racionais independentes está na origem da dificuldade de explicar os julgamentos de mercado que se revelam irracionais: "exuberância irracional", "comportamentos de manada" ou *overshooting*.

---

[12] Shiller (2004) ressalta que a "arte de banco central" é inseparável da tarefa confiada à autoridade monetária — a promoção do bem-estar humano.

Os construtivistas, em contraste, pressupõem um modo de interação relacional entre os agentes de mercado entre si e com a autoridade monetária. Por essa perspectiva, os "julgamentos de mercado", racionais ou irracionais, refletem um sistema de significados compartilhado pelos atores relevantes, ancorado em normas e valores que definem um regime monetário. A definição do que sejam "as boas práticas" de governança monetária em boa medida passa por seu crivo, como indicam as formas mais dramáticas de julgamento de mercado — as fugas de capital. Esses acordos tácitos são reiterados e sustentados pelas comunidades epistêmicas relevantes — economistas especializados e banqueiros centrais. É a partir do ambiente internacional assim retratado que se pode situar a emergência da autoridade privada em uma de suas encarnações, típicas da era do capital globalizante: a autoridade do mercado, capacitado a adjudicar maior ou menor credibilidade às políticas de um dado banco central e a julgar a solvência de um país. Em outros termos, ao fazê-lo, exerce um tipo de autoridade, e, com isso, baliza os poderes da autoridade monetária como ator subestatal. Trata-se, portanto, de um tipo de autoridade monetária compartilhada e dividida com os bancos centrais — uma das marcas registradas da era do capital globalizante.

O economista político de tradição construtivista Rodney Bruce Hall (2008) situa a tendência generalizada à autonomia *de jure* dos bancos centrais em um contexto decisório específico de múltiplos níveis: os poderes atribuídos à instituição têm a ver com o seu papel de última (talvez única) âncora nominal para garantir que os empréstimos internacionais sejam honrados — portanto, um *modicum* de estabilidade econômica. É a partir dessa perspectiva que o autor situa a recomendação da nova ortodoxia: a necessidade de promover a convergência internacional das políticas monetárias, a ser viabilizada pela independência dos bancos centrais. Em seus próprios termos, a convergência consiste em "implantar as estruturas que permitem efetivá-las [as políticas monetárias] no nível de governança mais local possível, ou seja, no nível nacional — um impulso uniforme para lograr o objetivo de estabilidade de preços" (Hall, 2008:230).

Há pontos de interseção entre as duas escolas que são de grande interesse para o cientista social. O mais importante deles é um pressuposto não declarado, tácito, quando se referem à tarefa de conciliar dois objetivos: o de proteger a autoridade monetária das pressões contraditórias (e inflacionárias) da política competitiva de curto prazo, e o da legitimação política. Ambas as escolas dão por estabelecido o marco político no qual os banqueiros centrais costumam operar nas democracias dominantes — o do constitucionalismo liberal. A compatibilização dos dois objetivos, o da credibilidade econômica aos olhos do mercado e o da legitimidade política doméstica aos olhos do eleitorado, foi resolvida na prática e também conceitualmente. Nesses países, a distinção entre "independência operacional" e "independência dos fins" da política monetária é praticamente consensual. A discricionariedade do banco central, no primeiro caso, estaria limitada à escolha dos instrumentos para concretizar os fins definidos em última instância por políticos eleitos. As formas de *accountability* praticadas são múltiplas e coerentes. Primeiro, incluem o acesso livre da opinião pública aos relatórios periódicos relevantes e aos modelos econômicos do banco central, o que permite estabelecer uma comparação entre as previsões da instituição e os resultados obtidos. Segundo, a prestação de contas periódicas aos políticos eleitos, no Congresso.

As democracias emergentes de mercado, no entanto, confrontaram-se com a tarefa de compatibilizar o objetivo de integração aos mercados globais, que impõem um conjunto de disciplinas fiscais e monetárias, com a tarefa de construir as instituições e o consenso indispensáveis para legitimar uma autoridade monetária confiável. Isso envolve um projeto de longo prazo, um processo de deliberação democrática, liderança e a formação de *constituencies* que sustentem a estabilidade financeira e de preços como objetivos prioritários, ou seja, como valores domésticos legítimos. Desse ponto de vista, constituem ainda experimentos de *statecrafting*, isto é, de construção das instituições que capacitem o Estado a exercer com eficácia a autoridade monetária e também a autoridade fiscal.

Conclusões

As mudanças econômicas e políticas que ocorreram nas últimas três décadas do século XX obrigam a uma revisão das concepções tradicionais sobre autoridade e sobre as características da arena internacional. A crise global de 2008 e as turbulências na zona do euro deram novo impulso e sentido de urgência a esse tipo de revisão. Há convergência entre analistas e historiadores econômicos em relação a um desafio: a saída da crise passa pela tarefa de redesenhar o atual sistema regulatório, cujo fracasso é percebido de forma aguda nos Estados Unidos e em outras democracias industrializadas do Atlântico Norte. Isso caracteriza um novo deslocamento da agenda global cujos contornos são ainda imprecisos.

O foco deste capítulo incidiu sobre as mudanças no exercício da "autoridade monetária" ao longo de três séculos, a partir das relações cambiantes entre os bancos centrais e seus principais clientes, respectivamente, o governo e os agentes de mercado. Mas as razões desse recuo histórico e do recurso às categorias clássicas da sociologia e da ciência política, como autoridade, soberania e capacitação do Estado, se justificam em termos de uma problemática contemporânea: as incertezas econômicas e políticas do cenário pós-2008. Por isso, procurou-se ancorar a análise em uma das características distintivas da globalização econômica — a difusão da autoridade monetária como um processo inseparável da emergência da autoridade privada –, exercida por agentes de mercado, através de julgamentos de mercado. Ao mesmo tempo, a análise desenvolvida aqui permite descartar a hipótese de um Estado hobbesiano de natureza, na arena monetária internacional. Pois, nesse plano, os bancos centrais são autoridades anfíbias: ao mesmo tempo em que são instituições públicas subestatais, são, também, um dos atores transnacionais relevantes de um processo incipiente de governança monetária e financeira global, estruturada em vários níveis. Em outros termos, também na arena internacional específica em que se situam essas instituições — da governança monetária –, observam-se alguns elementos de ordem e "de interações institucionalizadas, padronizadas" entre atores transnacionais. Essa constatação torna-se fundamental à luz da crise de 2008/2009 e das turbulências na zona do euro, as quais trouxeram, para o centro da agenda global, dois desafios: como evitar crises recorrentes e quais são as condições para superar definitivamente a crise atual.

Uma forma de abordar a questão é registrar os pontos de convergência para ancorar o debate e, eventualmente, a construção de consensos mínimos. Um deles já foi mencionado: a saída da crise passa pela tarefa de redesenhar o atual sistema regulatório. Mas há também a tarefa de reequilibrar a economia internacional e as relações Norte–Sul. Este é um dos aspectos sem precedentes do deslocamento da agenda global, pois regulação ou rerregulação, nos planos doméstico e internacional, são processos que não redundam apenas na mudança de relação entre Estado e mercado, mas devem exigir uma recapacitação dos Estados, do Norte e do Sul. Bons exemplos desse deslocamento da agenda incluem a nova cartilha elaborada pelo FMI sobre controle de fluxos de capitais, e a criação de regras internacionais contra a manipulação de preços agrícolas, propostas pelo G-20, de olho na escassez de alimentos. Mas como fazer valer essas regras de modo a que sejam incorporadas na agenda dos respectivos Estados? Essa questão traz para o centro do palco uma questão contemporânea, essencialmente política: a autoridade monetária como um processo de construção, que inclui o desenho de novas instituições, mas, também, a formação de consensos em torno de novos critérios de legitimação; o que remete à necessidade de uma profunda revisão do sistema monetário, percebida por historiadores econômicos, banqueiros centrais e outros *policymakers* como a condição necessária para reequilibrar a economia internacional e superar definitivamente a crise. O reconhecimento de que outras moedas deverão compartilhar com o dólar a condição de moeda internacional de reserva no futuro próximo atesta a profundidade e a abrangência dos processos de difusão de poder, dos quais a difusão da autoridade monetária é apenas um dos aspectos.

Bibliografia

BADIE, B; BERG-SCHLOSSER, D.; MORLINO, L. (Eds.). *International encyclopedia of political science*. Thousand Oaks, CA: Sage, 2011.

BEST, Jacqueline. *The limits of transparency:* ambiguity and the history of international finance. Ithaca, NY: Cornell University Press, 2005.

BLINDER, Alan. *Central banking in theory and practice*. Cambridge, MA: MIT Press, 1998.

____. *The quiet revolution:* central banking goes modern. New Haven, CT: Yale University Press, 2004.

CAPIE, Forrest; GOODHART, C.; SCHNADT, N. The development of central banking. In: CAPIE, F. et al. (Eds.). *The future of central banking;* the Tercentenary Symposium of the Bank of England. Cambridge: Cambridge University Press, 1994.

____ et al. (Eds.). *The future of central banking;* the Tercentenary Symposium of the Bank of England. Cambridge: Cambridge University Press, 1994.

EICHENGREEN, Barry. *Globalizing capital:* a history of the international monetary system. Princeton: Princeton University Press, 2008.

FISCHER, Stanley. Modern central banking. In: CAPIE, F. et al. (Eds.). *The future of central banking;* the Tercentenary Symposium of the Bank of England. Cambridge: Cambridge University Press, 1994.

GREIDER, William. *Secrets of the temple:* how the Federal Reserve runs the country. New York: Simon and Schuster, 1987.

HALL, Rodney Bruce. *Central banking as global governance:* constructing financial credibility. Cambridge: Cambridge University Press, 2008.

____; BIERSTEKER, Thomas (Eds.). *The emergence of private authority in global governance*. 3. ed. Cambridge: Cambridge University Press, 2007.

HIRSCHMAN, A. O. *The passions and the interests*. Princeton: Princeton University Press, 1977.

MAXFIELD, Sylvia. *Gatekeepers of growth:* the international political economy of central banking in developing countries. Princeton: Princeton University Press, 1997.

OFFE, Claus. A atual transição da história e algumas opções básicas para as instituições da sociedade. In: BRESSER PEREIRA, L. C.; WILHEIM, J.; SOLA, L. (Orgs.). *Sociedade e Estado em transformação.* São Paulo: Unesp; Brasília: Enap, 2002.

POSEN, Adam. Why CBI does not cause low inflation: there is no institutional fix for politics. In: O'BRIEN, R. *Finance and the international economy.* Oxford: Oxford University Press, 1993.

____. When central banks buy bonds; independence and the power to say no. In: BARCLAYS CAPITAL ANNUAL CONFERENCE, 14., New York. *Proceedings...* New York, 2010.

SHILLER, R. J. Introduction. In: BLINDER, A. *The quiet revolution:* central banking goes modern. New Haven, CT: Yale University Press, 2004.

SOLA, Lourdes; WHITEHEAD, Laurence (Eds.). *Statecrafting monetary authority;* democracy and financial order in Brazil. Oxford: Center for Brazilian Studies, 2005.

____; KUGELMAS, Eduardo; WHITEHEAD, Laurence (Orgs.). *Banco central, autoridade política e democratização:* um equilíbrio delicado. Rio de Janeiro: FGV, 2002.

WHITEHEAD, Laurence. On monetary authority. In: WHITEHEAD, L. *Democratization:* theory and experience. Oxford: Oxford University Press, 2002.

3

As transformações recentes do sistema financeiro internacional*

Eduardo Kugelmas

Este capítulo examina as recentes mudanças no sistema financeiro internacional, tendo por foco prioritário a orientação, a retórica e as políticas do Fundo Monetário Internacional (FMI) voltadas para os países em desenvolvimento e as estruturas financeiras internacionais. Também apresenta interpretações preliminares sobre as consequências dessas mudanças para o Brasil. Nos últimos anos, vários pesquisadores, políticos e mesmo ativistas passaram a questionar veementemente as orientações e políticas do FMI. Em resposta, o fundo vem efetuando tentativas tímidas de mudança. Como muitos observadores já assinalaram, a imagem da instituição tem sido fortemente abalada por sucessivos transtornos financeiros, como a crise asiática de 1997/1998, a russa de 1998, a brasileira de 1998/1999 e a turca de 2001. Tal processo culminou com a crise argentina, iniciada em 2001, e que perdurou por três anos. A orientação do FMI é questionada por economistas de diversos matizes teóricos e ideológicos, tornou-se o alvo preferido dos movimentos antiglobalização, e a revisão de suas recomendações sobre reformas estruturais passou a ser considerada pré-requisito indispensável em quase todas as propostas de modificação das estruturas financeiras internacionais.[1]

---

* Texto escrito originariamente em inglês com o título de "Recent modifications of the international financial system", traduzido e atualizado por Moisés Marques e Maria Rita Loureiro, e publicado em Sola e Whitehead (2005:37-56).
[1] Com a crise financeira internacional desencadeada nos Estados Unidos em 2007/2008, parece inevitável que as mudanças no FMI se concretizem, uma vez que seu papel prioritário – evitar situações sistêmicas como essa – fracassou definitivamente, passando a exigir a redefinição

O fundo tem dado passos moderados em vista da revisão de suas posições prévias (o que alguns denominam autocrítica), particularmente com relação à sua defesa apressada da ampla liberação dos fluxos de capital transnacionais. As políticas aplicadas durante as crises nas economias emergentes foram reconsideradas, sendo criado um Departamento de Avaliação Independente (Independent Evaluation Office — IEO), separado da burocracia do fundo. Houve também um intenso debate sobre os novos procedimentos para a reestruturação das dívidas nacionais, como o mecanismo de reestruturação da dívida soberana (*sovereign debt restructuring mechanism* — SDRM).

Que lições podem ser tiradas das crises financeiras internacionais dos anos 1990 e do início deste século? Há como alterar o papel do FMI? É possível restaurar medidas de controle de fluxos de capital, similares àquelas efetivadas na Malásia, no auge da crise do final da década de 1990? Essas questões estão se tornando centrais nos debates políticos e acadêmicos sobre a estrutura e o desempenho do sistema financeiro internacional, e ocupam espaço considerável na mídia, nos meios acadêmicos, e nas conferências realizadas para discutir o papel e o futuro das chamadas organizações multilaterais. É interessante observar como esse processo contrasta com o otimismo que prevaleceu na Assembleia do FMI de setembro de 1997, em Hong Kong. Naquela ocasião, o Comitê Interino afirmou a necessidade de um arcabouço que pudesse garantir a liberdade dos fluxos de capital. Com essa finalidade, exigiu-se que o Conselho Executivo preparasse uma emenda ao Acordo de Artigos do fundo, que é, na verdade, o estatuto da entidade. Tal emenda converteria a livre conversibilidade universal nas contas de capital dos balanços de pagamento em uma das metas principais da instituição, garantindo a jurisdição e o controle do FMI sobre ela. Em outras palavras, o objetivo era ampliar o significado de "conversibilidade monetária" estabelecido nos artigos, que deixaria de dizer respeito apenas às transações em conta corrente para incluir, também, as transações em conta de capital. Mais de um observador já notou que tal orientação representaria uma mudança de 180° na intenção dos fundadores do FMI em 1944 (Boughton, 2002). Os proponentes da iniciativa receberam forte apoio do Tesouro norte-americano, que viu, nesse ato, um sucedâneo da tendência de desregulamentação dos fluxos financeiros internacionais iniciada no final dos anos 1970 e acelerada na década

---

de sua estrutura de governança. Isso ficou claro em abril de 2009, por ocasião do encontro do chamado G-20 Financeiro (N. do T.).

de 1990, especialmente com relação aos países em desenvolvimento. O encontro de Hong Kong, em 1997, foi o ponto culminante da ideia de que a integração financeira internacional poderia ser uma força benigna essencial, agindo como alavanca para o progresso socioeconômico, e como mecanismo fundamental para a disseminação do desenvolvimento global. Em suas versões mais ideológicas, propostas por parte considerável da mídia e por economistas e cientistas sociais de renome, a construção de um mundo novamente integrado era o *leitmotiv* de uma nova época a emergir no período pós-colapso da União Soviética. Versões simplificadas da tese do "fim da história", de Francis Fukuyama, foram invocadas para apoiar essa visão, e a crise mexicana de 1994/1995, a despeito de exigir um socorro de US$ 50 bilhões, foi percebida como um incidente isolado e já resolvido, sem maiores consequências.

Embora as desilusões diante da crise financeira asiática tenham adiado as propostas mais ambiciosas para modificar os artigos, a ênfase na necessidade de restrições *menores* aos fluxos de capitais ainda continuou presente nos documentos oficiais até 1998. Contudo, o otimismo de Hong Kong foi logo suplantado por um novo clima cultural e ideológico, quando passaram a surgir críticas crescentes à atuação do FMI nas crises de fins dos anos 1990, e quando começaram a aparecer dúvidas acerca do papel benevolente da integração financeira. Dúvidas, aliás, não mais confinadas aos grupos anticapitalistas de esquerda e aos movimentos antiglobalização. O FMI assumiu um papel defensivo ante as críticas de personalidades como Joseph Stiglitz, economista-chefe do Banco Mundial,[2] e George Soros, símbolo da especulação financeira. Outros economistas com presença frequente na mídia e credenciais acadêmicas impecáveis, como Paul Krugman e Jeffrey Sachs, também se juntaram a esses questionamentos. Causou forte impacto a publicação, no prestigioso periódico *Foreign Affairs*, de um artigo crítico de Jagdish Bhagwati (1998), enérgico defensor do livre-comércio. Bhagwati rejeitava fortemente a expansão da ideia de livre-comércio no setor financeiro, insistindo na importância de diferenças analíticas entre os fluxos de bens e serviços e os fluxos financeiros. Empregando linguagem semelhante à utilizada pelos críticos da globalização, Bhagwati referiu-se ironicamente ao "complexo Tesouro–Wall Stre-

---

[2] Stiglitz deixou o Banco Mundial em meio a dissensões com Larry Summers, à época subsecretário do Tesouro norte-americano, além de economista laureado na área acadêmica. Em 2002, Stiglitz foi agraciado com o prêmio Nobel de Economia. Embora o prêmio tenha sido conferido por trabalhos anteriores, seu prestígio reforçou a legitimidade de suas críticas ao FMI e a alguns aspectos da globalização.

et". Para ele, as propostas de liberalização das contas de capital eram orientadas por interesses associados a esse complexo.

Assim, a crítica à globalização financeira tornou-se uma atitude acadêmica "respeitável" devido à importância da comunidade epistêmica de onde partia, formada por estudiosos oriundos das melhores universidades não só norte-americanas como do restante do mundo, intelectualmente moldados pela corrente econômica neoclássica. Os argumentos e controvérsias sobre o papel do FMI, e de outras entidades multilaterais, têm se tornado parte integrante do debate sobre reformas da estrutura financeira internacional, no espaço social que poderíamos denominar "esfera pública" mundial, no qual são discutidas questões relativas à economia política internacional (Armijo, 2002).

O amplo debate dessas questões nos anos mais recentes tem provocado reações do próprio FMI. As críticas que lhe são endereçadas podem ser agrupadas em quatro tópicos,[3] em função de seus diferentes níveis de análise. O mais frequente, e amplamente comentado na mídia e nos debates políticos, é a natureza das condicionalidades anexadas normalmente a esses programas. Os críticos argumentam que os "pacotes" de austeridade fiscal, restrições monetárias e liberalização comercial são, na maioria das vezes, insustentáveis para as condições específicas dos países em que são aplicados. E mais: podem ser ineficazes em relação ao crescimento econômico, tendendo a piorar a situação econômica dos países mais pobres. Os programas também têm sido criticados por incentivarem o "risco moral" e serem movidos pelos interesses de prestamistas privados.

Outro tópico mencionado é a questão da legitimidade e da soberania. O FMI é acusado de subverter os processos políticos internos dos países em que atua e de impor mudanças institucionais e estruturais indesejáveis. A terceira crítica é dirigida à missão do FMI, que teria ultrapassado em muito a intenção de seus fundadores, que era promover a cooperação internacional e a estabilidade monetária e cambial. Os próprios artigos do Acordo do fundo mencionam a necessidade de corrigir desigualdades de balanço de pagamentos dos países-membros "sem recorrer a medidas destrutivas da prosperidade nacional ou internacional".[4] O quarto tópico diz respeito à falta de transparência e responsividade do próprio fundo. Esse tópico traz à baila a questão mais geral da governança global, na medida em que o FMI tem razoável poder de influência (embora menos do que supõem as teorias conspiratórias), sem

---

[3] A bibliografia sobre esse assunto é substancial; destaco aqui Stiglitz (2001) e Lee (2002).
[4] Ver art. 1º (v), texto disponível em: <www.imf.org>.

mecanismos claros de responsabilização perante a comunidade internacional. Os procedimentos de votação do FMI alocam 17,5% das cotas aos Estados Unidos, sendo exigida a aprovação de 85% dos acionistas para emendar qualquer dos artigos iniciais. A suspeita de que os Estados Unidos exercem influência indevida sobre o fundo, por meio desse poder de veto *de facto*, levanta dúvidas sobre o estilo de governança da instituição e questiona seus procedimentos.

Em textos e declarações do Grupo dos Sete (G-7),[5] países industrialmente avançados e as instituições financeiras internacionais revelaram, no auge da crise, que sua maior preocupação era com a possibilidade de que as ameaças de desestabilização local viessem a se tornar crises sistêmicas. O caso do fundo Long-Term Capital Management (LTCM), no final de 1998, foi um alerta dramático nesse sentido. Como os mercados estavam traumatizados pela crise russa e o Brasil se encontrava em situação de instabilidade, a sequência e a combinação de fatores negativos deram ensejo a algo próximo do pânico.[6] Não foi por acaso que o tema da reforma da estrutura financeira internacional tornou-se, naquele momento, questão política muito relevante; o próprio presidente norte-americano à época, Bill Clinton, levantou o problema em sua luta para extrair de um Congresso relutante o aumento na cota do país no FMI. Clinton chegou mesmo a utilizar uma expressão altamente simbólica — "um novo Bretton Woods" — no discurso feito no Conselho de Relações Exteriores em setembro de 1998. A partir daí, os debates se intensificaram, e uma série de medidas práticas foram tomadas pelo próprio FMI. O fundo inovou em sua divulgação de dados, publicando-os na internet, fazendo novos arranjos de cooperação com o Banco de Compensações Internacionais (Bank of International Settlements — BIS), e até revisando algumas de suas regulamentações prudenciais para o crédito em geral e para empréstimos bancários. O G-7 e a Organização para a Cooperação de Desenvolvimento Econômico (OCDE) expandiram o sistema de consultas mútuas entre os tesouros nacionais e os bancos centrais. A crise aguda dos últimos meses de 1998 também fomentou o debate acadêmico. Tanto que o renomado Conselho de Relações Exteriores, centro de reflexão bipartidário na cidade de Nova York, instituiu uma força-tarefa sobre o assunto.

Ao longo de 1999, ocorreram várias iniciativas. Uma conferência do Centro Internacional de Estudos Bancários e Monetários de Genebra (Centre for Economic

---

[5] Atualmente G-8, pois inclui também a Rússia. Vale lembrar que o G-20 Financeiro propõe-se a substituir, na prática, esse grupo, ao incorporar as chamadas economias emergentes (N. do T.).
[6] Para uma descrição detalhada, consultar Blustein (2001).

Policy Research — CEPR), entidade patrocinada pelo setor financeiro privado, recomendou a reorganização do FMI para torná-lo mais independente e mais responsivo. O encontro do G-7, em Colônia, em junho daquele ano notabilizou-se pelo peso atribuído às questões financeiras internacionais. Seus principais resultados foram o apoio enfático à criação de um novo espaço de discussão e análise, o Fórum de Estabilidade Financeira (Financial Stability Forum — FSF), e à promoção de uma nova iniciativa, o G-20. Esse novo órgão internacional reúne o conjunto das autoridades financeiras nacionais dos países do G-7, um representante da União Europeia, e representantes de 12 outros países: África do Sul, Arábia Saudita, Argentina, Austrália, Brasil, Canadá, China, Coreia, Índia, Indonésia, México e Turquia. Diretores do FMI e do Banco Mundial também participam desses encontros. A justificativa para a expansão dessa entidade foi a busca de maior legitimidade política e maior transparência no processo de tomada de decisão, no sistema financeiro internacional, por meio da inclusão de novos atores de peso econômico considerável entre os países em desenvolvimento. O FSF age em *low profile*, aglutinando os representantes do G-7, as entidades de Bretton Woods, e os órgãos técnicos ligados ao BIS, tendo seu secretariado na Basileia, junto ao BIS. Seu objetivo é reduzir a ocorrência de risco sistêmico mediante a troca de informações e a avaliação de problemas, como o tratamento a ser dado aos centros financeiros *offshore* e aos fundos de *hedge*.

Em meados de 1999, os documentos do FMI já refletiam uma preocupação maior com a estabilidade sistêmica e demonstravam alguma receptividade em relação às críticas sobre sua forma usual de intervir em crises e geri-las. Em seus relatórios anuais de 1999, o Fundo e o Banco Mundial[7] reconhecem a existência de deficiências em suas operações nos mercados financeiros internacionais, ou seja, admitiram que não eram apenas os desajustes macroeconômicos e institucionais dos países em desenvolvimento que causavam os problemas. Seus diagnósticos incluíam deficiências, como assimetria informacional entre credores e devedores, uso de critérios precários pelo setor privado internacional quando concedia recursos, e, ainda, o conhecido problema do risco moral, entendido como a expectativa de intervenção de entidades multilaterais e de governos do G-7 no caso de crises de liquidez ou de solvência.

Várias propostas para fortalecer o sistema financeiro global foram elaboradas pelo FMI e pelo Banco Mundial em cooperação com o BIS. Foram encorajados

---

[7] Ver Freitas e Prates (2002), artigo baseado em um amplo conjunto de documentos do FMI e do Banco Mundial.

itens como a adoção de códigos e de padrões internacionais de "bom comportamento financeiro", a harmonização do controle e dos procedimentos de contabilização, e a adoção plena do Padrão de Disseminação de Dados Especiais (Special Data Dissemination Standard – SDDS). Foram reforçadas as normas de supervisão bancária e os requisitos de capital mínimo, revendo-se e incrementando as normas do Acordo da Basileia de 1988. Tomaram-se precauções com relação à tese de abertura da conta de capital. Embora vista como desejável a longo prazo, essa tese deveria ser o corolário de uma sequência de reformas institucionais nos setores financeiros dos países receptores. A adoção de provisão de medidas de controle do movimento de capitais, a exemplo do modelo chileno, foi admitida como solução extrema em circunstâncias muito especiais.

A introdução de tais medidas, a superação relativamente rápida da crise causada pela desvalorização brasileira de janeiro de 1999, e, acima de tudo, a solução bem-sucedida do caso do LTCM reduziram a urgência de buscar reformas mais amplas. Embora fossem muitas as propostas que usavam e abusavam da metáfora "arquitetura financeira" nos seminários acadêmicos, em debates de centros de estudos e em documentos de entidades internacionais,[8] a aparente diminuição da ameaça imediata de riscos sistêmicos dissuadiu os principais protagonistas de persistirem no trabalho árduo de negociação e compromisso necessários ao consenso e a reformas concretas. A perda do senso de urgência significou a postergação de passos mais ambiciosos. Visões divergentes entre o Executivo e o Congresso dos Estados Unidos, assim como entre outros membros do G-7 também geraram a percepção da dificuldade de chegar a propostas concretas. Mudanças que envolviam maior aperto, controle dos fluxos de capitais por parte dos governos e mesmo pelas entidades multilaterais foram desacreditadas, para não dizer vetadas, pelo setor financeiro privado, que expressou sua crença dogmática, quase religiosa, nas virtudes do *laissez-faire* ou, como dizem seus críticos, no "fundamentalismo de mercado".

Assim, a tendência reformista que caracterizou o ano de 1999 não se converteu necessariamente em iniciativas mais assertivas. As avaliações das mudanças ocorridas nesse período, como as feitas por Stanley Fischer em abril de 2000, limitaram-se a ratificar a importância das reformas já em curso, insistindo na relevância de mais transparência e *accountability*.[9] Como perceberam vários críticos, a exem-

---

[8] Para uma abordagem crítica dessa metáfora, ver Armijo (2002) e Whitehead (2002).
[9] Texto disponível em <www.imf.org>.

plo do economista canadense Roy Culpeper, presidente do North-South Institute, a solução para os problemas estava, mais uma vez, sendo procurada em medidas de incremento da governança interna dos países, especialmente dos devedores. Fazia-se menção a medidas mais ambiciosas de reforma, refletindo as dificuldades do fundo em estabelecer propostas, mas sem um claro consenso no G-7.[10] Apesar disso, as mudanças do FMI em relação à sua postura anterior podem ser vistas como expressivas da necessidade de precaução na liberalização da conta de capitais. O fundo também admitia que a controvérsia sobre os prós e contras de vários regimes cambiais permanecia insolúvel. Finalmente, Fischer também mencionou a necessidade de maior envolvimento dos credores na busca de soluções para permitir uma "reestruturação ordeira" das crises.[11]

A despeito da diplomacia e da cautela de Fischer, os observadores notaram claramente que estava ocorrendo uma mudança de atitude, e mesmo de discurso, sobre o sistema financeiro internacional. Ao mesmo tempo, o novo diretor-gerente do fundo, à época o alemão Horst Kohler, ex-presidente do Banco Europeu de Reconstrução e Desenvolvimento, assumiu seu posto, demonstrando capacidade de se identificar com a mudança de imagem da instituição e o cuidado de admitir os erros do passado. Em discurso em agosto de 2000, Kohler reconheceu que os clamores por mudanças na entidade eram justificados. Ele explicou que os erros ocorreram em função do descompasso entre a velocidade das transformações econômicas mundiais e as mudanças institucionais. Referindo-se às transações internacionais, comentou:

> Os fluxos de capitais privados são agora uma das maiores fontes de promoção do crescimento e da produtividade. Mas também podem ser uma fonte abrupta de volatilidade e de crise. O que está em jogo é, então, conter o último e promover o primeiro [IMF, 2000].

O debate acadêmico sobre a necessidade de intensificar as reformas se sobrepôs às discussões sobre o conteúdo e o desenho das políticas do FMI relacionadas com a sucessão de crises. Impulsionados por trabalhos e discursos de economistas famosos, como Stiglitz (2001) e Krugman (1999), os argumentos dos críticos enfa-

---

[10] Ver <http://www.nsi-ins.ca>.
[11] Esse parece ter sido o caminho adotado na reestruturação da dívida argentina na gestão Kirchner/Lavagna (N. do T.).

tizavam a distância entre a realidade das crises da década de 1990 (em sua maioria causadas por problemas originários das transações da conta de capitais) e o modelo tradicional do FMI de análises e prescrições, centrado nas dificuldades do balanço de pagamentos causadas pelos fluxos da conta corrente. No novo esquema analítico, a resposta tradicional, similar a um reflexo condicionado, de restaurar a austeridade monetária e fiscal, podia não ser sempre adequada, e a defesa intransigente de taxas de câmbio fixas (ou semifixas, ou semiflutuantes) podia levar a enormes custos.

Essa forma de perceber os problemas coincidiu com o clamor por mudanças mais profundas no FMI e refletiu clivagens metodológicas e teóricas no pensamento econômico. Os críticos do fundo consideram a preferência clara da instituição por uma ideologia mais conservadora, e mesmo próxima do *laissez-faire* (frequentemente denominada "neoliberalismo" por seus críticos), como obstrução intelectual a um debate mais sério sobre a reforma. O crescimento dos movimentos antiglobalização, como as demonstrações feitas durante a reunião da Organização Mundial de Comércio (OMC) em Seattle, em 1999, indicou a necessidade urgente de debate. Por outro lado, setores conservadores fizeram críticas ainda mais severas às entidades de Bretton Woods, chegando a propor a extinção do FMI e do Banco Mundial.

A diferenciação proposta por Leslie Armijo (2002), no que diz respeito a alternativas de reformas para o sistema financeiro internacional, é muito útil a esta análise. Os indivíduos e organizações definidos pela autora como liberalizantes defendem a extinção de quase todos os controles sobre os fluxos de capitais em nome de sua eficiência alocativa. Esse grupo vê as instituições de Bretton Woods com desconfiança, e é favorável à redução do escopo de suas atividades. Para os mais dogmáticos desse grupo, reunidos no Instituto Cato, conhecido centro de reflexão liberal, a melhor solução seria simplesmente fechar o FMI. Identificados com os pontos de vista liberais (mas não necessariamente com sua ala extremista), há alguns nomes do mundo acadêmico, como o ganhador do prêmio Nobel, Milton Friedman, e membros do *establishment* dos Estados Unidos, como o ex-secretário do Tesouro, George Shultz, e o financista Walter Wriston, que presidiu o Citibank por muitos anos. A nomeação de Allan Meltzer, economista acadêmico identificado com essa mesma visão, para a presidência da Comissão Consultiva do Congresso norte-americano, foi um indicador do poder político dos liberalizantes. Nesse grupo, encontra-se, também, o *lobby* mais ativo do setor privado, o Instituto de Finanças Internacionais (Institute of International Finance – IIF). É interessante observar que o IIF é ambivalente com relação aos pacotes de resgate do FMI, energicamente condenados pelos mais liberais, embora vistos algumas vezes como convenientes pelos bancos privados.

A segunda abordagem, denominada por Armijo "advogados da transparência", é caracterizada por sua prudência e pragmatismo. Adota um ponto de vista moderado, favorável às reformas realizadas em 1999 pelas entidades internacionais. Cooperação, consulta e responsabilização são suas palavras-chave. Os governos dos Estados Unidos e do Reino Unido, assim como o *staff* das instituições financeiras multilaterais, tendem a ser favoráveis a esse tipo de abordagem. Embora reconhecendo defeitos nas instituições financeiras internacionais durante a década de 1990, os que a adotam apoiam correções moderadas e cautelosas, de modo a evitar discussões sobre a distribuição internacional do poder.

Uma terceira posição é defendida pelos que buscam a estabilidade financeira e são favoráveis a reformas profundas no funcionamento do FMI. Eles veem com ceticismo a atribuição de virtudes intrínsecas ao mercado, consideram as regulações necessárias e virtualmente indispensáveis, e tendem a avaliar as crises recentes do ponto de vista dos países devedores. Observam que as soluções tradicionais do FMI provocam repetidas recessões nos países que recebem "auxílio". Bastante favoráveis à limitação e mesmo à correção da instabilidade inerente à liberalização dos fluxos de capitais, os membros desse grupo apresentam várias propostas, algumas, inclusive, de criação de autoridades supranacionais. Uma sugestão interessante feita por Paul Davidson (2002) — um expoente da corrente pós-keynesiana de pensamento econômico — foi a criação de uma União Internacional de Compensação (International Clearing Union). Os principais representantes desse grupo nos círculos acadêmicos são Joseph Stiglitz, Paul Krugman e Dani Rodrik, que contam com o apoio de organismos da ONU, como a Comissão Econômica para a América Latina e o Caribe (Cepal), o Programa das Nações Unidas para o Desenvolvimento (Pnud) e o Instituto de Pesquisa sobre Desenvolvimento Social das Nações Unidas (United Nations Research Institute for Social Development — Unrisd), assim como de muitos países em desenvolvimento, e são vistos com certa simpatia por muitos governos europeus.

Finalmente, há os oponentes ao processo de globalização. Essa posição antiglobalização tem algum peso ideológico, e goza de considerável reconhecimento político. Todavia, como raramente apresenta propostas concretas de reformas, tem limitada importância no debate aqui efetuado, a menos que se possa considerá-la um sinal de alerta que reforça as advertências do grupo dos estabilizadores quanto às terríveis consequências da inação. Essa classificação não é exaustiva, e deve ser usada apenas como um quadro de referência. As distinções entre as quatro posições nem sempre são muito claras, e os participantes no debate podem ser híbridos, assumindo posições intermediárias entre as correntes ou uma combinação delas. Por exemplo, os economistas ligados ao respeitável Instituto de Economia Internacional (Institute for International Economics — IIE), de Washington, como Fred Bergsten, Morris Goldstein e John Williamson, tendem a adotar posições intermediárias entre os advogados da transparência e os favoráveis à estabilização financeira.

O amplo debate sobre as reformas e as políticas do FMI foi profundamente influenciado pelas mudanças no clima político dos Estados Unidos em 2000. O relatório da Comissão Meltzer, bem recebido pela então maioria republicana no Congresso, sugeriu a redução do escopo das atividades do FMI, limitando-o a operações que garantissem apoio financeiro de curto prazo a países que passassem por crises momentâneas de liquidez. O relatório argumentava, também, que tais países deveriam obedecer a um conjunto rigoroso de precondições. Alguns de seus críticos observaram que, naquele cenário, teria sido quase impossível organizar pacotes de auxílio nos anos 1990.

Nesse ambiente ideológico, alguns observadores esperavam que a ascensão do conservador George W. Bush à presidência dos Estados Unidos seria uma oportunidade de ouro para que os adeptos do *laissez-faire* implementassem algumas de suas mudanças prioritárias na arquitetura financeira global. O novo representante da Secretaria do Tesouro, John Taylor (renomado acadêmico da área econômica e visto como simpatizante das propostas de Meltzer), tornou-se o porta-voz governamental para questões financeiras internacionais. Em meados de 2001, Anne Krueger, outra economista com impecáveis credenciais conservadoras, tomou o lugar de Stanley Fischer no posto-chave de diretor-geral do FMI. Muitos esperavam uma ação conjunta desses novos ocupantes de posições tão estratégicas. O que ocorreu, no entanto, foi bem diferente: esquemas de ajuda financeira internacional envolvendo grandes somas foram arregimentados primeiro para a Turquia e, depois, para o Brasil.

Além disso — e para a surpresa daqueles que vinham acompanhando de perto sua carreira acadêmica —, Krueger começou a promover o *sovereign debt restructuring mechanism* (SDRM), que procurava institucionalizar soluções legais para problemas causados por impasses entre países e credores privados. Como resposta, Taylor, em nome do governo norte-americano, torpedeou a proposta e posicionou-se favoravelmente a uma alternativa de cláusulas de ação conjunta para empréstimos internacionais. O Tesouro optou por uma atitude mais próxima da defendida por representantes do setor financeiro privado, como o IIF, que temia uma proteção eventual excessiva para os devedores. Vale notar que alguns países devedores, como o Brasil, expressaram dúvidas sobre o SDRM, que poderia ser um fator desencorajante para empréstimos futuros.

A despeito de diferenças retóricas, como a do secretário do Tesouro Paul O'Neill, conhecido por sua falta de tato, não houve mudanças profundas na política econômica internacional do governo norte-americano. O que se notou foi uma certa indecisão conceitual por parte dos *policymakers*, que pareciam mais reagir às crises do que implementar uma estratégia geral. Obviamente, considerações de ordem geopolítica, especialmente depois dos eventos de 11 de setembro de 2001, também tiveram seu papel no processo decisório, abrindo caminho para operações como o socorro à Turquia. A desavença pública entre o FMI e o Tesouro dos Estados Unidos sobre a questão dos SDRMs foi um reflexo das dificuldades de definir uma direção nova e clara em um período de turbulências e transformações. Uma interpretação possível é que o unilateralismo típico da administração Bush restringiu, ou mesmo impediu, a adoção de medidas multilaterais; a recusa peremptória em aceitar fórmulas legais que pudessem implicar uma extensão do poder de jurisdição dos fóruns internacionais é típica da doutrina Bush. Aliada a uma maior sensibilidade aos argumentos do setor privado, essa atitude explicaria a oposição de Taylor.

Em outro contexto, as posições se inverteram. Com relação à crise argentina, o governo dos Estados Unidos aparentemente foi mais compreensivo do que o FMI. Em setembro de 2003, a administração Bush tomou a decisão política de apoiar um novo pacote de ajuda financeira para o país, procurando evitar o agravamento de sua situação interna. Os Estados Unidos tiveram, então, de atuar fortemente para superar a relutância dos diretores do FMI. Assim, enquanto na questão do SDRM, o FMI e Krueger demonstraram mais flexibilidade do que o Tesouro norte-americano e Taylor, no caso da Argentina, estes últimos assumiram o papel de maiores defensores das linhas típicas de atuação do fundo nos anos 1990.

O futuro das reformas financeiras globais continua incerto. A firme tendência dos países dominantes, e das instituições financeiras internacionais, a apoiar a liberalização financeira externa que caracterizou os anos 1990 foi substituída por abordagens mais moderadas e políticas de *muddling through*.[12] Essas políticas foram testadas a partir de 2004 pelo que aconteceu na Argentina e em outros países saídos de crises financeiras. Para avaliar esse processo, é preciso considerar novamente as mudanças ideológicas e intelectuais ocorridas na cultura interna do próprio FMI. Essas mudanças tiveram seu ápice na apresentação, em

---

[12] *Muddling through* significa, literalmente, o alcance de certo grau de sucesso, mesmo sem alguns dos pré-requisitos necessários (N. do T.).

março de 2003, de um relatório de coautoria de Kenneth Rogoff, então chefe da divisão de pesquisa do Fundo, avaliando os efeitos da globalização nos países em desenvolvimento (Prasad et al., 2003). Embora cuidadosamente redigido, esse documento concluiu que não existe prova empírica que confirme a existência de relação entre liberalização financeira e crescimento econômico. O relatório admite a possível ocorrência de alta volatilidade nos países em desenvolvimento mais dependentes de fluxos externos. Embora o relatório tenha sido cauteloso em evitar conclusões sobre o processo decisório, sua publicação foi percebida como uma admissão disfarçada da validade de boa parte das principais críticas feitas ao fundo. No fórum do próprio FMI criado para discutir esse documento, o economista de Harvard, Jeffrey Frankel, referiu-se ironicamente ao artigo "The cruel sea of capital", publicado em *The Economist*, que admitia ser necessário, em alguns casos, o controle de capitais. Frankel (2003) observou que muitos dos entusiastas de primeira hora da integração financeira estavam agora se distanciando da ortodoxia dos anos 1990, e não mais louvavam o processo de liberalização como indubitavelmente benéfico.

Também em 2003, o Departamento de Avaliação Independente do FMI publicou um relatório analisando as políticas do fundo para o Brasil, a Coreia e a Indonésia, e acatando vários dos pontos levantados por críticos do FMI. O relatório fez duas importantes recomendações: as políticas adotadas para combater crises de conta de capitais deveriam ser cuidadosamente reexaminadas, e o fundo deveria ser mais independente em relação a seus principais controladores (em outras palavras, o G-7). O estudo também reforçou a necessidade de uma divulgação mais ampla das informações obtidas pelas missões do FMI. No caso dos dois países asiáticos, o relatório sublinhou a séria subestimação da fragilidade do setor bancário. No caso do Brasil, destacou a pouca ênfase dada pelo FMI, em 1997 e em 1998, aos problemas resultantes de uma taxa de câmbio sobrevalorizada, que deveria ter sido objeto de uma supervisão mais acurada.

Como observado por Cartapanis e Herland (2002), parece ter ocorrido uma mudança cognitiva discreta, mas significativa. Se alguém admite que o funcionamento do sistema financeiro internacional pode ser considerado problemático, abre-se caminho para uma perspectiva analítica diferente, na qual as causas da crise podem não ser apenas os desequilíbrios institucionais e macroeconômicos dos países receptores. Temas como contágio financeiro, estagnação brusca e "efeito manada" tornaram-se mais comuns nos artigos e seminários acadêmicos, refletindo a necessidade de explicações mais coerentes para a sucessão de crises. Pode ser um exagero usar a expressão "a revanche de Keynes", como fazem Cartapanis e

Herland, mas a análise vigorosa do economista britânico dos problemas de 1930 e seu bem conhecido ceticismo quanto à liberalização dos fluxos de capitais foram amplamente citados (Carvalho, 2000).

A redescoberta de Keynes deixou sua marca nos debates sobre a reforma do sistema financeiro internacional. A ideia de "um retorno às origens" do atual sistema financeiro internacional tem ganhado aceitação, como demonstram os trabalhos de Cartapanis e Herland (2002) e mesmo de Carvalho (2000). Nas discussões de 1944 que levaram à criação do FMI, havia um acordo generalizado sobre a necessidade de se criar um organismo que pudesse garantir a liquidez internacional e combatesse crises como as de 1920 e 1930. Embora a atitude arguta de Keynes, que previu uma organização que pudesse ser "o banco central dos bancos centrais", não tenha prevalecido, o negociador dos Estados Unidos, Harry Dexter White, concordou com ele em vários pontos. A instabilidade e a volatilidade que caracterizaram o período entre as duas guerras mundiais foram um exemplo daquilo que deveria ser evitado a todo custo. Quanto a isso, havia consenso.

Assim, o pilar do regime de Bretton Woods foi o controle dos fluxos de capital. Guardadas as devidas proporções com as condições atuais, mais de 30 anos depois de ser rompido o elo entre o dólar e o ouro pelo governo Nixon, episódio que marcou o fim do regime, um estudo retrospectivo de textos da época continua sendo a base intelectual para a construção de abordagens alternativas. A já mencionada sugestão de Paul Davidson tomou por base o plano de Keynes de 1944.

Na busca por modelos, não tem sido dada a devida atenção à dimensão política. A constituição de um regime internacional é uma questão de poder, mas tal consideração, óbvia, não tem sido levada muito em conta. O texto clássico de Ruggie (1982), sobre o liberalismo inserido no regime de Bretton Woods, aponta nessa direção. A vasta literatura sobre o conceito de estabilidade hegemônica também é relevante nessa discussão. Na visão de Ruggie, o referido liberalismo foi um compromisso entre a ordem econômica liberal de relações comerciais intensas e o caminho necessário para a busca de políticas econômicas independentes por cada um dos países. O fim do regime de Bretton Woods, no início da década de 1970, trouxe não só problemas enormes para os *policymakers,* mas, também, dificuldades conceituais para os analistas. Para aqueles que tendiam a acreditar na necessidade de uma hegemonia global para a estabilidade sistêmica, o regime pós-guerra de Bretton Woods resultou basicamente do domínio econômico, político e militar dos Estados Unidos ao final da II Guerra Mundial. Consequentemente, o relativo declínio da hegemonia norte-americana pode significar uma retração da ordem econômica internacional. Para Ruggie, o regime de "liberalismo inserido" não refletia apenas a hegemonia, mas, também, o que era ainda mais importante, uma mudança nas relações Estado-sociedade e um senso de projeto social que legitimava novas formas de intervenção governamental nas economias nacionais. Por outro lado, muitos analistas, como Susan Strange, eram céticos a respeito da tese do "declínio" americano difundida nos anos 1970 e 1980. A visão mais influente sobre tal questão foi a de Robert Keohane (1984), que considerava a ordem econômica internacional um regime de cooperação que, uma vez estabelecido, não requeria a existência de hegemonia para ter continuidade.

O colapso da União Soviética, o relativo declínio econômico do Japão, e o longo período de expansão dos anos Clinton pareciam ter tornado irrelevante o tema do declínio dos Estados Unidos, que voltou à baila com o renovado interesse nas discussões sobre tipos e formas de hegemonia. Como consequência, o modelo de um novo desenho de estrutura financeira internacional que não leve em conta a supremacia dos Estados Unidos pode soar como utopia. Dessa forma, a questão de uma nova arquitetura financeira internacional torna-se parte integrante do tema da governança global. O Clube de Madri, copresidido pelos ex-presidentes do Brasil, Fernando Henrique Cardoso, e dos Estados Unidos, Bill Clinton, argumentou enfaticamente que qualquer progresso na reestruturação do sistema financeiro internacional teria de considerar essa questão.[13] A controvérsia surgida por ocasião da indicação do diretor-gerente, o ex-ministro das Finanças da Espanha, Rodrigo Rato, realçou a importância da questão da governança.[14]

A turbulência financeira já mencionada testou, até o limite, os recursos das autoridades econômicas brasileiras, que tiveram de lidar com as imprevisibilidades dos fluxos de capitais voláteis, que enfraqueceram o balanço de pagamentos do país e forçaram mudanças em sua política econômica. Os déficits crônicos em conta corrente até 2001 mostraram a extensão da vulnerabilidade externa. O momento mais dramático foi o abandono da política de câmbio fixo em 15 de janeiro de 1999. A partir de então, o Brasil tem mantido uma taxa de câmbio flexível para o real, cujos parâmetros são definidos pela ação do livre-mercado (com intervenções periódicas das autoridades monetárias quando necessário). Imediatamente após

---

[13] O Clube de Madri, uma organização composta por 44 ex-chefes de Estado ou de governo, propõe-se a promover e fortalecer a democracia. Ver <http://www.clubmadrid.org>.
[14] A indicação de Rato, em maio de 2004, resultante de um processo de negociação a portas fechadas entre os países europeus, foi amplamente criticado por sua falta de transparência. A esse respeito, ver *The Economist*, de 3 de junho de 2004.

a decisão pela flutuação, o programa governamental de estabilização monetária, conhecido como Plano Real, passou por um teste severo. A partir dali, recuperou-se e foi muito bem-sucedido após o teste da mudança de administração, em 2002.

É interessante notar que o Brasil vinha sendo apontado frequentemente como provável candidato a turbulências financeiras. Mas, até o momento, tem sido gerido de forma a evitar as consequências mais sérias das crises financeiras. Isso pode ter ocorrido porque seus *policymakers* econômicos, durante a década de 1990 — a despeito de serem frequentemente rotulados de "neoliberais" —, foram prudentes o suficiente para se recusarem a adotar as modas prevalecentes nos setores da liberalização financeira (Almeida, 2002). Mantiveram, por exemplo, alguns mecanismos de controle de capitais e, em situações emergenciais, podem aplicar outros, como depósitos compulsórios e taxação de operações financeiras, para fazer frente, pelo menos em parte, a mudanças internacionais súbitas. Outro ponto muito esquecido é que as autoridades brasileiras se negaram veementemente a discutir a opção relativa ao estabelecimento de um *currency board* durante a crise de 1999, sugestão feita naquele momento pelo próprio representante do FMI, Stanley Fischer.

Como, então, o Brasil pode se manter um participante ativo nos debates sobre a agenda financeira internacional e sobre a nova "arquitetura financeira global"? Uma das respostas mais comuns a essa pergunta, especialmente dos que defendem pontos de vista mais ortodoxos e tradicionais, é que o país deve continuar "fazendo sua lição de casa". Em outras palavras, o Brasil deve realizar o ajuste fiscal, aperfeiçoar seus fundamentos macroeconômicos, manter as políticas de estabilização, e monitorar satisfatoriamente sua economia. Isto é, o Brasil deve continuar seus esforços para se adaptar ao contexto internacional em transformação. Mas isso basta?

Minha revisão das transformações internacionais recentes sugere a existência hoje de uma janela de oportunidade para reformas que podem servir para limitar as rupturas causadas pelo funcionamento do sistema financeiro internacional. A capacidade do Brasil de formular uma nova geração de mecanismos de estabilização para a economia mundial — e, acima de tudo, de participar de sua efetiva implementação — é obviamente pequena, mas não pode ser inteiramente descartada. No caso dos países de influência média no cenário mundial, os chamados Estados-pivôs (Chase et al., 1996), o impacto das iniciativas internacionais e a busca de soluções inovadoras nas políticas econômicas internas podem ser significativos, dependendo tanto da qualidade de seus líderes quanto do tipo de políticas internas por eles adotadas (Almeida, 2002). Os líderes populistas tendem a ver somente as "ameaças externas", as "perdas internacionais" e outros efeitos negativos do processo de globalização. Os regimes ultraliberais tendem a aceitar passivamente e a endossar as pressões do sistema financeiro internacional. As consequências, no primeiro caso, podem ser fortes impulsos protecionistas, como tentativas de fechamento do mercado internacional, ou o ressurgimento de práticas autárquicas. No segundo caso, as políticas internas são provavelmente limitadas a atitudes reativas, como as simples tentativas de reduzir desequilíbrios a qualquer custo. Um exemplo desta última situação se deu na Argentina na metade final dos anos 1990 e início do século XX, nos governos dos presidentes Menem e De la Rúa. O aprofundamento subsequente das crises na Argentina demonstrou as limitações políticas e sociais desse tipo de orientação.

Há espaço, contudo, para renegociações externas combinadas com soluções internas que busquem a expansão do crescimento econômico, isto é, para a tentativa de prosseguir no limite do razoável. As crises financeiras internacionais tornaram-se crises nacionais por um processo complexo e multifacetado que carece de estudos mais cuidadosos. Um breve exame dos anos mais recentes demonstra que cada país tem sua reação específica a crises em potencial, e que as generalizações fáceis carecem de maior análise. O contraste notável entre as reações dos países asiáticos e latino-americanos ao ambiente internacional merece um estudo comparativo mais apurado. Pode-se dizer que há várias formas possíveis de inserção nacional no processo de globalização, e que algumas se mostraram mais bem--sucedidas do que outras.

Como o Brasil pode iniciar um novo ciclo de crescimento e enfrentar seus imensos problemas sociais? Essa questão está no topo da agenda intelectual e política do país nos dias atuais. A despeito de suas dificuldades, o país ainda tem algumas cartas na manga, como os sinais recentes do consenso doméstico sobre a inevitabilidade da inserção do país no processo de globalização (o debate atual gira muito mais em torno das modalidades de inserção), o fato de a governabilidade democrática ter se tornado mais claramente institucionalizada (Sola, 2005:237-267), e o fortalecimento da economia real (por exemplo, o sucesso do setor de agronegócio). Tudo isso justifica um otimismo cauteloso. Nesse contexto, a discussão sobre a redefinição das constrições externas, e de uma eventual remodelação da arquitetura do sistema financeiro internacional, é extremamente relevante. Mesmo a noção de que um país da periferia pode ter um papel a desempenhar nessa redefinição nem de longe soa improvável. O Brasil tem exercido liderança nos recentes debates sobre como medir o investimento público em infraestrutura, e mudou a metodologia tradicional do FMI para o cálculo das contas do setor público. As mudanças propostas dariam maior flexibilidade aos países devedores.

Com a crise econômico-financeira do final da primeira década do século XXI, está ocorrendo o enfrentamento das várias correntes indicadas por Leslie Armijo. A janela de oportunidade aberta pela crise pode contribuir para o debate sobre as chamadas organizações financeiras internacionais. Como se vê, esse debate não é tão recente, e só foi postergado pela visão simplista de que os anos de bonança dariam livre curso ao *laissez-faire*.

Antes da crise, o que se discutia era o número de funcionários a serem demitidos do FMI e suas formas de financiamento. Atualmente, o debate gira em torno de sua governança e das novas formas de recursos que incluem, necessariamente os países emergentes. O grupo denominado G-20 Financeiro, que representa cerca de 85% da economia mundial, quer ter voz mais ativa nesse processo de transformação do sistema financeiro internacional. E sabe que deve fazê-lo com certa rapidez, pois, se voltarem os tempos de folga financeira, certamente os países desenvolvidos tenderão, mais uma vez, a postergar as mudanças necessárias no FMI e no Banco Mundial.

Temas como as novas funções das organizações financeiras internacionais, a arregimentação de pacotes entre governos, a governança do FMI, a regulação dos mercados financeiros, bem como um maior controle sobre os paraísos fiscais foram defendidos por países diferentes na mais recente reunião do G-20. O Brasil se sentiu à vontade não só com o teor das discussões, mas, principalmente, por se sentir, de fato, parte integrante dessas mudanças, que há muito vinham sendo propostas pelo país, independentemente do governo. Como ressaltou Guido Mantega, ministro da Fazenda brasileiro, por ocasião do encontro: "esse processo não deve ser visto como algo que trará vencedores ou perdedores. Devemos assumir que esta é a única maneira de tornar essas instituições mais legítimas".[15]

Bibliografia

ALMEIDA, P. R. O Brasil e o FMI de 1944 a 2002. *Cena Internacional*, v. 4, n. 2, 2002.
ARMIJO, L. (Ed.). *Debating the global financial architecture*. New York: Suny Press, 2002.

---

[15] Ver *Folha de S.Paulo*, 27 abr. 2009. Caderno Dinheiro, B-3.

BHAGWATI, J. The capital myth. *Foreign Affairs*, v. 77, n. 3, 1998.

BLUSTEIN, P. *The chastening*. New York: Perseus Books, 2001.

BOUGHTON, J. *Inventing the postwar international system*. Washington, DC: IMF, 2002. (IMF Working Paper, 52.)

CARTAPANIS, A.; HERLAND, M. The reconstruction of the international financial architecture — Keynes' revenge? *Review of International Political Economy*, v. 9, n. 1, 2002.

CARVALHO, F. C. The changing role and strategies of the IMF and Perspectives for the Emerging Countries. *Revista de Economia Política*, v. 20, n. 1, 2000.

CHASE, R. et al. Pivotal States and US strategy. *Foreign Affairs*, v. 75, n. 1, 1996.

DAVIDSON, P. *Financial markets, money and the real world*. Cheltenham: Elgar, 2002.

FRANKEL, Jeffrey. Economic forum — is financial globalization harmful for developing countries? 2003. Disponível em: <http://www.imf.org/External/NP/EXR/ECForums/2003/052703.htm>.

FREITAS, M. C.; PRATES, D. Restructuring the international financial system. *Revista de Economia Política*, v. 22, n. 1, 2002.

IMF (International Monetary Fund). *IMF Survey*, n. 29/16, Aug. 2000. Disponível em: <www.imf.org/external/pubs/ft/survey/2000/081400>.

KEOHANE, R. *After hegemony*. Princeton, NJ: Princeton University Press, 1984.

KRUGMAN, P. *The return of Depression economics*. New York: Norton, 1999.

LEE, S. Global monitor — the IMF. *New Political Economy*, v. 7, n. 2, 2002.

PRASAD, E. et al. Effects of financial globalization in developing countries — some empirical evidence. Washington, DC: IMF, Mar. 2003. Disponível em: <www.imf.org/external/np/apd/seminars/2003/newdelhi/prasad.pdf>.

RUGGIE, J. G. International regime, transactions and change: embedded liberalism in the postwar economic order. *International Organization*, v. 36, n. 2, 1982.

SOLA, Lourdes. Financial credibility, legitimacy and political discretion: the Lula da Silva government. In: SOLA, Lourdes; WHITEHEAD, Laurence (Eds.). *Statecrafting monetary authority;* democracy and financial order in Brazil. Oxford: Center for Brazilian Studies, 2005. p. 237-267.

____; WHITEHEAD, Laurence (Eds.). *Statecrafting monetary authority;* democracy and financial order in Brazil. Oxford: Center for Brazilian Studies, 2005. p. 37-56.

STIGLITZ, J. *Globalization and its discontents*. New York: W. W. Norton, 2001.

WHITEHEAD, Laurence. Of Bubbles and Buildings: Financial Architecture in a Liberal Democratic Era. In: ARMIJO, Leslie Elliot. *Debating the Global Financial Architeture*. New York: Suny Press, 2002.

PARTE II Construção institucional e democracia no Brasil

4

O Judiciário e a arena pública

Maria Tereza Aina Sadek

Vem se tornando cada vez mais incontestável o protagonismo do Judiciário e das demais instituições do sistema de justiça na arena política. Não há como desconsiderar a participação de ministros dos tribunais superiores, de juízes, do procurador-geral da República, de procuradores e promotores em praticamente todos os eventos que marcam a história recente do país. Tal presença encontra seu principal fundamento na Constituição de 1988. O texto constitucional, contudo, fornece a base legítima para a atuação, mas não explica tudo. Outros fatores devem ser somados e combinados às determinações legais que dão ensejo à composição de atores políticos judiciais. Entre eles saliente-se o grau de institucionalização do Judiciário e do Ministério Público, características pessoais dos integrantes dessas instituições e a força relativa das demais instituições, especialmente o Legislativo e o Executivo. O principal objetivo deste capítulo é desenvolver uma reflexão preliminar sobre o processo de constituição e de atuação desses personagens judiciais, que até um passado não muito distante pouca atenção atraíam de cientistas sociais e de analistas de conjuntura.

Da letra fria da lei a ator político

Deve-se a Montesquieu — em seu *L'Esprit des lois*, de 1748 — a caracterização do Judiciário como um poder neutro, encarregado de aplicar a letra fria da lei. No século XVIII, essa assertiva revolucionária se identificava com a institucionalização de garantias para a preservação da liberdade individual contra abusos do Estado. A teoria da separação dos poderes orienta-se pelo rigoroso combate ao absolutismo. A prevalência da lei é entendida como a solução mais adequada contra o arbítrio e contra os riscos inerentes à concentração do poder. Dessa forma, o exercício do poder segundo os ditames das leis distinguiria a república do governo despótico. No despotismo, dizia Montesquieu, a soberania encontra-se nas mãos de uma só pessoa, que governa segundo sua própria vontade, e seu princípio motor é o medo. Em contraste, a república — ou o predomínio da lei — pode se organizar de duas formas: a monárquica e a democrática. Na monarquia, embora a soberania esteja nas mãos de uma só pessoa, o governo subordina-se às leis, e seu princípio é a honra. Na democracia, a soberania está nas mãos de muitos, há o império da lei, e seu princípio motriz é a virtude.

A separação dos poderes e a supremacia da lei implicam a ascensão da figura do juiz. Trata-se, entretanto, de um personagem quase anódino. Ele, na definição clássica, não é senão a "boca da lei". O poder de julgar é, de algum modo, nulo, assevera Montesquieu. A neutralidade implícita nas faculdades de julgar e de punir requer "seres inanimados", sem paixões, distantes das mazelas do dia a dia.

O Estado de direito, com tribunais autônomos em relação ao poder régio, foi, em grande parte, inspirado por esse modelo. No sistema presidencialista, no entanto, a separação de poderes, a constituição do Judiciário como poder de Estado, e o consequente ingresso de magistrados na arena política ganharam extraordinário vigor, sendo convertidos em atributos definidores dessa estrutura de poder.

Esse fenômeno foi magistralmente percebido por Tocqueville.[1] O aristocrata francês, em viagem aos Estados Unidos da América em 1831, percebeu que, naquele país, berço do presidencialismo, a construção institucional atendia aos preceitos democráticos de respeito à maioria, sem, contudo, descuidar de edificar mecanismos consistentes para a proteção das minorias e da liberdade individual. O mais importante desses mecanismos estava exatamente no Judiciário, alçado à condição de poder de Estado, ou melhor, em sua atribuição de exercer o controle da constitucionalidade das leis e dos atos normativos. Em outros termos, cabe ao Judiciário não só proferir decisões sobre conflitos e ameaças a direitos individuais, mas funcionar como uma força contramajoritária, salvaguardando a Constituição.

Como integrante de um poder de Estado, o juiz traduz na prática a ligação entre o direito e a política. Tocqueville observou, com argúcia, que, na nação norte-americana, o juiz estava presente em toda ocorrência política, interferindo nos negócios públicos. Daí sua conclusão de que o juiz é uma das primeiras forças políticas naquela realidade.

---

[1] Ver *La démocratie en Amérique*, publicada originalmente em 1832.

Esse fenômeno não se restringiu aos Estados Unidos. Todos os países que se inspiraram nesse modelo institucional de alguma forma importaram também a possibilidade de participação do Judiciário e de seus integrantes na arena pública. Tais parâmetros têm validade, ainda que, do ponto de vista da prática, na maior parte das vezes se tratasse mais de uma virtualidade do que de um fato real.

Apesar de os países da América Latina terem adotado o presidencialismo, a instabilidade política quase crônica, por um lado, e a acentuada força do Executivo, por outro, dificultaram durante um longo período o desenvolvimento das potencialidades de protagonismo judicial implícitas no sistema presidencialista. Para o argumento aqui exposto, todavia, tais circunstâncias são menos importantes do que o destaque da faculdade de atuação política dos magistrados como um componente intrínseco desse modelo institucional.

Trata-se de uma potencialidade. Tanto assim que, nos Estados Unidos, a força política do magistrado não nasceu imediatamente após a promulgação do texto constitucional (1787). Ela representou uma conquista que, na realidade, foi se consolidando. Em 1803, a Suprema Corte, presidida por Marshall, deu o primeiro grande passo na direção de preencher o papel de guardiã da Constituição, no caso Marbury *versus* Madison. Depois da Guerra de Secessão (1861-1863), a Suprema Corte passou de fato a controlar a constitucionalidade das leis, tanto federais quanto estaduais. Desde então, a participação de juízes na arena pública — uma possibilidade — converteu-se, cada vez mais, em fenômeno concreto. Basta recordar, para ilustrar, a atuação da Suprema Corte em eventos marcantes da história norte-americana: seu apoio à segregação racial, negando a cidadania aos negros na primeira metade do século XIX; sua intervenção invalidando leis sociais que objetivavam limitar a jornada de trabalho, em 1905; sua oposição ao *New Deal* do presidente Roosevelt; sua decisão a favor da pílula anticoncepcional e do aborto.

Em contraste com o modelo norte-americano, na Europa do século XVIII, verificou-se a adoção de um projeto institucional que claramente deslocava o poder do monarca para o Legislativo. O espaço reservado ao Judiciário era restrito. Cabia à instituição prestar um serviço público: aplicar a lei para a solução de conflitos e a garantia de direitos. Mas, na esfera pública, a palavra final era do Parlamento. O suceder histórico, contudo, encarregou-se de alterar o desenho original, aproximando os dois modelos, particularmente com o advento dos direitos sociais e do Estado do bem-estar social.

Assim, embora com menor vitalidade, distintos parâmetros e, consequentemente, com margem de manobra mais estreita, o processo de protagonismo judicial também acabou por ocorrer em países parlamentaristas, nos quais o Judiciário não se constitui em poder de Estado. Bastaria, apenas para exemplificar, recordar que, mesmo na Inglaterra, o país que mais relutou em admitir a interferência judicial, nos últimos tempos, tem sido significativa a participação de juízes na agenda pública. Por outro lado, em todos os países democráticos foram criados tribunais constitucionais, mas sempre independentes do Judiciário e com feição claramente política.

Críticas ao ativismo judicial não foram capazes de interromper nem sua materialização, nem sua expansão. O fenômeno se estendeu à absoluta maioria dos atuais Estados constitucionais. Os termos contemporâneos do debate não se atêm mais à existência ou não de um órgão de controle da constitucionalidade, mas tratam dos limites e da legitimidade de sua interferência, sua composição, da extensão de suas atribuições, do tempo de mandato de seus integrantes, seus valores etc.

O Judiciário brasileiro da Constituição de 1988

A estrutura básica do desenho institucional determinado pela Constituição de 1988 seguiu o modelo presidencialista, conferindo, em consequência, o estatuto de *poder* ao Judiciário. Sua identidade, contudo, foi alterada. Durante o regime militar, especialmente depois de 1969, o Judiciário não gozava de independência nem de autonomia. Não se tratava, de fato, de um poder independente. A partir do novo texto constitucional, foi implantado um modelo de presidencialismo com efetiva separação e independência entre os poderes, cabendo ao Poder Judiciário o controle da constitucionalidade e arbitrar conflitos entre o Executivo e o Legislativo.

Ademais, foram constitucionalizados direitos individuais e supraindividuais, além de ampliada a relação de matérias que não podem ser objeto de decisão política. Em decorrência, o Judiciário — como intérprete da Constituição e das leis, imbuído da responsabilidade de resguardar os direitos e de assegurar o respeito ao ordenamento jurídico — foi alçado a uma posição de destaque. Esse arranjo impôs novas atribuições tanto para o Supremo Tribunal Federal quanto para os demais tribunais, varas e juízes singulares.

A rigor, não há decisão, quer proferida pelo Executivo, quer aprovada pelo Legislativo, que não seja passível de apreciação judicial. Dessa forma, o Poder Judiciário constituiu-se num ator com capacidade de provocar impactos significativos na elaboração de políticas públicas, bem como em sua implementação. Em outras palavras: *o Judiciário tornou-se, ele próprio, um ator político*.

A redemocratização e a Constituição de 1988 tornaram o Judiciário e as demais instituições do sistema de justiça mais visíveis, tanto para os agentes políticos quanto para a população em geral. Os agentes políticos encontraram no Judiciário um novo interlocutor e uma nova arena não só para seus confrontos, mas, também, para contestar políticas governamentais e decisões de maiorias legislativas. O cidadão passou a ter na instituição um recurso para a garantia de direitos e para a solução de disputas. O Judiciário, por sua vez, vem exercendo sua capacidade de influenciar o resultado de políticas públicas e o embate político.

No que diz respeito à cidadania, a consagração de uma ampla gama de direitos — de primeira, segunda e terceira gerações — e a democratização do acesso à justiça estimularam uma crescente procura por soluções judiciais. Há mesmo quem diga que o Judiciário foi descoberto pela população. Os números relativos à entrada de processos no Poder Judiciário mostram um aumento extraordinário, na quantidade de ações e na de soluções. Para ilustrar, considerando apenas a justiça comum de primeiro grau, enquanto, em 1990, nela ingressaram 3.617.064 processos, em 2003, foram registrados 11.949.825. O período apresenta um crescimento de 8,36 vezes no volume de processos, enquanto o crescimento da população foi muito menor, atingindo apenas 1,22 vez. Esse fator de multiplicação vale para todos os ramos e instâncias, inclusive para o órgão de cúpula, o Supremo Tribunal Federal, que acusou, de 1989 até 2007, uma movimentação processual 8,10 vezes maior. Dados de 2003, coletados pelo Ministério da Justiça, indicam que havia, no país, em média, um processo para cada 10,20 habitantes.[2] Os números relativos aos julgados, mesmo que em menor proporção, também são surpreendentes: eram 2.411.847, em 1990, e subiram para 8.193.194, em 2003 — 3,38 vezes mais.[3]

Ainda no que tange à cidadania, deve ser acentuado que uma das mais importantes inovações ocorreu antes mesmo da proclamação da nova Constituição — os

---

[2] Essa média esconde variações importantes, existindo forte correlação entre o índice de desenvolvimento humano (IDH) e o número de processos. Assim, por exemplo, o estado de São Paulo, incluído entre as unidades da Federação com IDH alto, tem a mais alta taxa de litigiosidade, com um processo para cada 6,62 habitantes, enquanto, no extremo oposto, em Alagoas, que tem IDH baixo, há um processo para cada 62,38 habitantes.

[3] Apesar da resposta do Judiciário às novas ações ajuizadas, há uma contínua falta de capacidade de acompanhar a demanda. Sublinhe-se que o número de juízes e de varas aumentou constantemente durante o período, mas a carga de trabalho individual foi sempre crescente, chegando a dobrar. Em termos comparativos, trata-se da maior relação processo por juiz da América Latina.

juizados de pequenas causas, criados em 1984. O reconhecimento do sucesso desses tribunais em vários estados fez com que fossem constitucionalizados em 1988 (arts. 24, X, e 98, I). Posteriormente, em 1995, a Lei nº 9.099 dispôs sobre os juizados especiais cíveis e criminais. Mais tarde, a Emenda Constitucional nº 22, de 18 de março de 1999, dispôs sobre a criação dos juizados especiais federais. Em 2001, com a Lei nº 10.259, foram organizados nas áreas cível e penal.

Da criação desses juizados até nossos dias, a procura por essa forma de solução de conflitos tem sido crescente e absolutamente extraordinária, tanto nos juizados especiais estaduais quanto nos federais. A movimentação dos juizados especiais cíveis, nos últimos anos, chega a superar à do juízo comum em alguns estados. Além do mais, pesquisas indicam que essas cortes de justiça têm atraído demandas que, de outra forma, não seriam levadas à justiça estatal.

Já no que se refere à face mais propriamente política do Poder Judiciário originária da Constituição de 1988, um fato sempre chamou a atenção de analistas, da opinião pública e da imprensa em geral: a presença pública constante de magistrados, sua participação nos temas que marcam o dia a dia do país, e sua intervenção em questões que normalmente se supõe caberem ao Legislativo ou ao Executivo.

O modelo institucional adotado pela nova Lei Maior conferiu ao Poder Judiciário capacidade de se constituir como ator relevante e, assim, influenciar o resultado das disputas políticas. Minorias no Legislativo, grupos sociais, entidades representativas usam o recurso ao Judiciário para impedir a concretização de decisões aprovadas pela maioria, pelo Executivo, ou para preencher lacunas na legislação. Desse modo, o STF e os demais tribunais e varas funcionam como uma terceira arena decisória, com potencialidade de influenciar o resultado da disputa político-partidária.

Um estudo comparativo internacional comprova os reflexos dos traços virtuais na realidade, demonstrando que a atuação do Judiciário brasileiro tem sido de fato bastante relevante (Taylor, 2007). Após examinar o desempenho das cortes brasileira e mexicana, conclui Taylor: no período que se estende de 1988, quando da aprovação da nova Constituição, até 2002, o Supremo Tribunal Federal do Brasil — somente por meio de ação direta de inconstitucionalidade (Adin)

> concedeu decisões liminares ou de mérito invalidando parcialmente mais de 200 leis federais. Em confronto, entre 1994 e 2002, a Suprema Corte mexicana julgou a constitucionalidade de pouco mais de 600 leis naquele país usando dois instru-

mentos parecidos com a Adin, mas invalidou somente 21 leis federais. A Suprema Corte norte-americana, por sua vez, em toda a sua história, invalidou em torno de 135 leis federais apenas.[4]

Acrescente-se a esses dados que, no período de 20 anos, de 1988 a outubro de 2008, foi distribuído um total de 4.163 ações diretas de inconstitucionalidade. Esse número excepcional de Adins certamente decorre do fato de a Constituição ter ampliado o número de atores com acesso direto ao STF, sem impor custos a esse acesso. Do ponto de vista da quantidade de agentes legitimados — somam nove os possíveis titulares desse tipo de ação —,[5] trata-se de uma das cortes mais acessíveis do mundo.

O Judiciário também preenche brechas deixadas pelo Legislativo. Só no ano de 2007, três julgamentos no STF ocuparam-se desse tipo de questão: a definição da perda de mandato do político que trocasse de partido depois de eleito, o direito de greve dos servidores públicos, e se deputados poderiam acompanhar a sessão secreta do Senado que tinha por pauta apreciar o processo de cassação do mandato do ex-presidente da casa, senador Renan Calheiros.

A utilização do Judiciário para fins políticos não se restringe ao Supremo Tribunal Federal. Os demais tribunais — STJ, TSE, TST, TRF, TRT e TJs — e varas também têm sido muito utilizados. A crescente demanda por liminares é o melhor indicador desse tipo de estratégia. Mesmo que a concessão de liminar venha a ser suspensa por instâncias superiores, esse procedimento cumpre um papel relevante na luta político-partidária, quer retardando decisões, quer provocando constrangimentos para o Executivo e para a maioria, quer ainda tornando mais conhecidos determinados atores.

É igualmente relevante salientar que, em determinadas áreas de política pública, a atuação do Judiciário, tanto em primeira quanto em segunda instância, ou mesmo nos tribunais superiores, tem provocado consequências extremamente significati-

---

[4] Taylor (2007:236). O autor lembra, ainda, que as mais significativas e reais ameaças às reformas durante o governo Fernando Henrique Cardoso tiveram por palco o Judiciário. Das 10 principais iniciativas políticas aprovadas, todas foram contestadas de alguma forma no Judiciário, e sete acabaram sendo alteradas ou atrasadas de alguma maneira no STF.

[5] São eles, segundo o art. 103 da Constituição: o presidente da República, a Mesa do Senado Federal, a Mesa da Câmara dos Deputados, a Mesa de Assembleia Legislativa, o governador de estado, o procurador-geral da República, o Conselho Federal da Ordem dos Advogados do Brasil, partido político com representação no Congresso Nacional, e confederação sindical ou entidade de classe de âmbito nacional.

vas. No que se refere à saúde, por exemplo, estudos indicam que a interferência judicial tem obrigado prefeitos, governadores, órgãos federais, estaduais e municipais a redefinirem prioridades e a se defrontarem com uma situação de drástica alteração na alocação de recursos. A relevância desse tema será retomada em item específico.

Antes de prosseguir, porém, um rápido parêntese para fazer referência à reforma do Judiciário, resultante da Emenda Constitucional nº 45, aprovada no final de 2004.

A Emenda Constitucional nº 45/04

Em 8 de dezembro de 2004, depois de uma tramitação de 13 anos, o Congresso Nacional promulgou a reforma constitucional do Poder Judiciário. O tempo de tramitação é um bom indicador da dificuldade de se aprovar mudanças. Pois, apesar do descontentamento com a distribuição de justiça no país — expresso inequivocamente em pesquisas de opinião e discursos de lideranças — e da exacerbação dos sintomas da crise na prestação jurisdicional — amplamente reconhecida, mesmo entre os principais operadores do direito —, não se conseguia obter acordos. A rigor, nem mesmo o diagnóstico era minimamente consensual. O único aspecto presente em todas as críticas referia-se à excessiva lentidão para a obtenção de uma decisão judicial final. Mas suas causas eram percebidas e avaliadas das mais variadas maneiras e, em decorrência, também eram díspares as propostas de possíveis soluções.

Sem acordos mínimos e em uma situação na qual nenhum grupo tinha força suficiente para impor sua proposta, mas era capaz de vetar as demais, vários projetos de reforma se sucederam. O primeiro governo Lula, entretanto, provocou uma importante alteração na correlação de forças, criando, no Ministério da Justiça, a Secretaria de Reforma do Judiciário. Apesar das resistências, sobretudo por parte da magistratura, essa secretaria acabou por desempenhar um papel crucial no âmbito das instituições de justiça e no Congresso, acirrando o debate e forçando tomadas de posição. Ademais, foi definida uma nova estratégia — fatiar a reforma e não mais apresentá-la como um projeto global. Dessa forma, acreditava-se, seria viável a obtenção de acordos mínimos e, assim, romper a inércia. E foi de fato o que aconteceu.

Os principais pontos aprovados foram:

- criação do Conselho Nacional de Justiça (CNJ), com a atribuição de planejar as atividades do Poder Judiciário, fiscalizar atos administrativos praticados

pelos membros ou órgãos da instituição, receber e conhecer as reclamações contra membros ou órgãos. Nos mesmos moldes do CNJ, foi instituído o Conselho Nacional do Ministério Público, ambos os órgãos compostos de 15 integrantes;[6]
- instituição da súmula vinculante para o Supremo Tribunal Federal;[7]
- instituição da repercussão geral;[8]
- federalização dos crimes contra direitos humanos, podendo o procurador-geral da República suscitar, no Superior Tribunal de Justiça, em qualquer fase do inquérito ou do processo, o deslocamento de competência para a justiça federal;
- quarentena, impedindo que o magistrado venha a exercer a advocacia no juízo, ou no tribunal do qual se desligou, antes de três anos do afastamento do cargo, por aposentadoria ou por exoneração;
- fim das férias coletivas, passando a atividade jurisdicional a ser ininterrupta;
- ampliação da competência da justiça do trabalho, incluindo, entre suas atribuições, as ações que envolvam exercício do direito de greve; ações sobre representação sindical, entre sindicatos, entre sindicatos e trabalhadores e entre sindicatos e empregadores; mandados de segurança, *habeas corpus* e *habeas data*, quando o ato questionado envolver matéria de sua jurisdição; ações de indenização por dano moral ou patrimonial, decorrentes da relação de trabalho;

---

[6] A composição, predominantemente interna, obedece aos seguintes critérios: um ministro do STF, indicado pelo próprio tribunal; um ministro do STJ, indicado pelo respectivo tribunal; um ministro do TST, indicado pelo respectivo tribunal; um desembargador de Tribunal de Justiça, indicado pelo STF; um juiz estadual, indicado pelo STF; um desembargador federal de TRF, indicado pelo STJ; um juiz federal, indicado pelo STJ; um desembargador federal do trabalho, indicado pelo TST; um membro do MPU, indicado pelo procurador-geral da República; um membro do MP estadual, escolhido pelo procurador-geral da República entre os nomes indicados pelo órgão competente de cada instituição estadual; dois advogados, indicados pelo Conselho Federal da OAB; dois cidadãos, de notável saber jurídico e reputação ilibada, indicados um pela Câmara dos Deputados, e outro, pelo Senado.

[7] O STF pode, de ofício ou por provocação, mediante decisão de dois terços de seus membros, depois de reiteradas decisões sobre matéria constitucional, aprovar súmula. A partir de sua publicação na imprensa oficial, essa súmula passa a ter efeito vinculante em relação aos demais órgãos do Poder Judiciário e à administração pública direta e indireta, nas esferas federal, estadual e municipal, bem como o STF poderá proceder à sua revisão ou cancelamento, na forma estabelecida em lei.

[8] Essa medida permite que o STF recuse recursos extraordinários e agravos, e só analise questões relevantes para a ordem constitucional cuja solução extrapole os interesses das partes.

ações relativas às penalidades administrativas impostas aos empregadores pelos órgãos de fiscalização das relações de trabalho;
- manutenção do poder normativo da justiça do trabalho;
- extinção dos tribunais de alçada, passando seus membros a integrar os tribunais de justiça;
- autonomia das defensorias públicas estaduais;
- ingresso na carreira: passou a ser obrigatório que o candidato tenha, no mínimo, três anos de atividade jurídica anterior, e que as nomeações obedeçam à ordem de classificação no concurso de ingresso;
- criação de escola nacional para formação e aperfeiçoamento de magistrados;
- estabelecimento de regras para vitaliciamento, tornando obrigatória a participação em curso oficial ou reconhecido por escola nacional de formação e aperfeiçoamento de magistrados;
- criação de varas especializadas agrárias, para dirimir conflitos fundiários;
- estabelecimento da justiça itinerante; e
- descentralização, permitindo que os TRFs, os TRTs e os TJs funcionem mediante câmaras regionais.

Embora não seja oportuno fazer aqui uma análise mais detalhada de cada uma dessas alterações, cabe salientar alguns aspectos, quer por seu impacto, quer pelo grau de polêmica gerado por eles.

O CNJ foi, certamente, um dos itens mais controversos da proposta de reforma, opondo, de um lado, magistrados e promotores, e, de outro, advogados e integrantes do Executivo. Registre-se que as posições dos juízes se alteraram no decorrer dos anos. A expressiva rejeição a um órgão de controle externo, manifestada durante a discussão da emenda constitucional, enfraqueceu-se após a instalação do CNJ. Deve inclusive ser sublinhado que a Associação dos Magistrados Brasileiros (AMB) manifestou concordância e defendeu acirradamente duas de suas principais decisões: a proibição do nepotismo e o estabelecimento de teto salarial.[9]

---

[9] Ademais, deve-se reconhecer que tínhamos uma instituição pública hermética, fechada e refratária a expor publicamente suas mazelas e dificuldades. A criação do CNJ, como órgão que compõe a estrutura do Poder Judiciário, representou uma primeira iniciativa na perspectiva de construção de um Judiciário mais aberto. Hoje, sabe-se muito mais sobre o Poder Judiciário; há informações e estatísticas que permitem estabelecer políticas e avaliações mais objetivas. Foi a partir da atuação do CNJ que tanto o nepotismo quanto a ocorrência de remunerações ilegais no Judiciário se tornaram assuntos conhecidos da sociedade e objeto de discussões públicas.

Outra iniciativa também muito controversa foi a súmula vinculante. Essa ferramenta provocou fortes reações, sendo caracterizada por seus adversários (principalmente a OAB e juízes de primeiro grau) como responsável pelo engessamento do Judiciário, por limitar o direito de defesa e por desvalorizar o primeiro grau.

A repercussão geral,[10] aprovada em 2004, só entrou em vigor em 3 de maio de 2007. Isso significa que os casos prévios à mudança, que não se submetem ao requisito da relevância social, serão decididos segundo os parâmetros anteriores. Esse dispositivo permite desobstruir a pauta lotada da corte.[11] Ademais, o sistema agrupa processos semelhantes e, caso o tribunal entenda que não há repercussão geral, todos os processos que tratem do mesmo tema são paralisados. Uma mesma decisão pode valer para vários processos. Por outro lado, o STF criou um banco de dados sobre as decisões, tornando público o entendimento sobre a existência ou não de repercussão geral.

Todas essas medidas atuam para modificar o perfil do Supremo Tribunal Federal, firmando seu papel como corte constitucional e, em decorrência, diminuindo seu papel de última instância recursal. É igualmente significativo o fato de abrirem espaço para atitudes proativas, como a determinação da agenda e a agilidade em seus julgamentos.

Em resumo, as alterações constantes da Emenda Constitucional nº 45, além de fortalecerem o órgão de cúpula do Poder Judiciário, também criaram mecanismos que propiciam a celeridade da prestação jurisdicional, tornam pública a prestação de contas, contribuem para o fortalecimento das carreiras jurídicas, e providenciam a ampliação dos instrumentos para a proteção dos direitos humanos.

---

[10] Até 1988, existia um dispositivo semelhante, denominado arguição de relevância. A arguição terminou com a Constituição de 1988. A partir daí, a distribuição cresceu exponencialmente. Esse tipo de dispositivo é fundamental. No mundo inteiro, os ministros possuem o que se chama de poder discricionário para escolher quais questões merecem sua atenção. A Suprema Corte americana não julga mais do que 90 processos por ano. Recebe cerca de 5 mil demandas e faz uma seleção, de modo a chegar aos 90 que julga merecer sua atenção. No Canadá, no ano de 2009, a Corte julgou apenas 53 processos.

[11] Provavelmente, seus efeitos só serão sentidos a médio e longo prazos. O STF é obrigado a examinar o passivo de ações, aproximadamente 142 mil, que entraram antes da repercussão geral. A partir de então, casos irrelevantes, de interesse de apenas duas pessoas, deixarão de ocupar a pauta de julgamento dos ministros.

Protagonismo

A presença de magistrados na arena pública tem sido constante, crescente e visível, tornando dispensável uma constatação mais longa a respeito. Os temas podem variar, os personagens podem mudar, os interlocutores podem se alternar. A despeito dessas alterações, dificilmente se encontrará uma questão relevante sem a atuação do Judiciário, quer como personagem principal, quer como personagem pronto a entrar em cena.[12]

Os temas são múltiplos: *habeas corpus*, uso de algemas, registro de candidatos a cargos eletivos, nepotismo, demarcação de terra indígena, interrupção de gravidez de feto anencéfalo, Lei Seca, Lei de Imprensa, cotas nas universidades, "mensalão", união homoafetiva, transposição do rio São Francisco, poder de investigação do Ministério Público, escuta telefônica, fidelidade partidária etc. A lista, além de extensa, é repleta de questões sensíveis e polêmicas.

O processo de tomada de decisões expõe e confronta princípios como, por exemplo, presunção de inocência e moralidade da administração pública, direito de acusados e direito de investigar, direito de optar e imposição ou pretensão do Estado de legislar, segurança nacional, soberania nacional e direito dos índios, e diversidade cultural. O embate, contudo, não é só de princípios. Instituições, grupos, corporações, interesses imiscuem-se em categorias filosóficas abstratas. Assim, aparecem em lados opostos índios, organizações não governamentais, Ministério Público e governo federal *versus* fazendeiros, deputados e governo estadual; Igreja contra cientistas; entidades médicas em desacordo com organizações religiosas; cúpula do Judiciário e setores da advocacia em confronto com juízes de primeiro grau, aos quais se somam integrantes do Ministério Público, membros da polícia e associações representativas; políticos ameaçados de perder mandato, partidos políticos em oposição a tribunais; Legislativo *versus* Judiciário etc.

A relevância dos temas e sua potencialidade de provocar impactos no âmbito público, na esfera de ação de corporações e na área privada justificam que se dirija a atenção para as decisões judiciais, especialmente para o Supremo Tribunal Fe-

---

[12] O autor da proposta de "janela de 30 dias durante os quais parlamentares ficariam livres para trocar de partido", deputado federal Flavio Dino (PCdoB-MA), explicitou como a prontidão do Judiciário para atuar pode modificar o embate político. Afirmou que seria preferível sua proposta tramitar como emenda, e não, como projeto de lei "por temor da fase ultra-ativista do STF, que poderia considerar a emenda necessária" (*Folha de S.Paulo*, 20 nov. 2008).

deral. O espaço na mídia é significativo[13] (magistrados converteram-se em objeto de manchetes, recebendo destaque em todos os veículos, jornais, revistas, rádios, televisões e blogs); é expressivo o número de discursos de parlamentares voltados para o Judiciário, para a sua pauta e as suas decisões; é constante a interlocução com o Executivo, e considerável a atuação e o interesse de grupos e corporações.

A rigor, esse quadro marcado pela presença do Judiciário na arena pública não é novo. A novidade está em seu robustecimento, em sua profusão de cores e contrastes. A constitucionalização, como salientado, deu ensejo a uma atuação ampla por parte do Judiciário e, particularmente, de sua corte suprema, o STF. Não é acidental que o Supremo seja levado a se pronunciar sobre tantos assuntos e, menos ainda, que eles digam respeito a tão ampla gama de temas.

A presença política do Judiciário é inegável, quer agindo de forma considerada conservadora, quer de forma progressista. O desempenho desse papel está fortemente condicionado pelo desenho institucional da corte constitucional, e, também, por características de seus integrantes. O perfil de seus ministros faz diferença. Em outras palavras, a despeito dos incentivos a uma atuação política propiciada pelos parâmetros institucionais, traços individuais contam. Em consequência, a atuação da corte reflete de forma inequívoca se o grupo é mais ou menos homogêneo, do ponto de vista ideológico e doutrinário; se predominam comportamentos mais ou menos reservados, atitudes mais ou menos agressivas, mais ou menos sensíveis a problemas sociais; enfim, importa como é ocupado o espaço concedido aos atributos individuais, tanto os vistos como positivos quanto os negativos.

Na mesma medida em que se revigora o protagonismo do Judiciário, crescem e se acirram as posições favoráveis e as contrárias a esse fenômeno. A valorização do ativismo judicial e do constitucionalismo tem seu contraponto na contenção, nos riscos da extrapolação de suas funções, na importância dos preceitos majoritários. A polêmica, uma vez mais, não se restringe a princípios. Estão em jogo tanto a força relativa das diferentes instituições, e de seus integrantes, quanto a distribuição de poder no interior de cada instituição, a manutenção de privilégios, e a efetivação de projetos políticos.

Em face de tais características, não há como desconhecer o destaque e o significado do Supremo na vida pública. Destaque e significado que têm aumentado nos

---

[13] Segundo levantamento da *Folha de S. Paulo*, em 2008, o presidente do STF, ministro Gilmar Mendes, apareceu nas páginas daquele jornal 651 vezes (*Folha de S.Paulo*, 4 jan. 2009).

últimos anos, impulsionados por seu grau de institucionalização e por características de seus integrantes. Qualquer que seja sua decisão, aí incluídas sua decisão de adiar uma decisão ou sua prontidão e o receio de que possa vir a atuar, tem potencial de produzir efeitos notáveis.

Para nos atermos a exemplos mais recentes, basta recordar as reações de lideranças políticas, de parlamentares, seus parentes e apaniguados às imposições relativas à proibição de contratação de pessoas ligadas por vínculos familiares. E, por outro lado, as respostas favoráveis dos que defendem uma administração pública baseada na impessoalidade, no mérito, na moralidade.

Além disso, muitas vezes, a decisão de postergar uma decisão pode significar tanto um recurso para que as partes se ajustem (no caso da demarcação de áreas indígenas, por exemplo, a busca de solução salomônica, com maior potencial de pacificação das partes em conflito) quanto uma "briga" que o STF não esteja disposto a comprar; ou, ainda, uma estratégia para evitar dissensos internos. Por outro lado, a expectativa de sua possível atuação também é indutora de comportamentos.

Protagonismo de magistrados e política pública

Uma das áreas de política pública em que a atuação de juízes tem sido mais relevante é a da saúde. Decisões judiciais têm obrigado secretarias municipais, estaduais e órgãos do governo federal a alterar a alocação de recursos reservados a essa área.

A interferência judicial em questões que dizem respeito à política de saúde expõe um conjunto complexo de problemas. Do ângulo da administração pública, tem-se uma situação que provoca descontrole no orçamento, nas finanças, e alterações em prioridades previamente estabelecidas. O dilema pode ser sintetizado entre o benefício de um indivíduo e o bem da coletividade.

Do ponto de vista do magistrado, trata-se, antes de tudo, de dar cumprimento a um preceito constitucional.[14] Além disso, ele é chamado a se pronunciar sobre um caso individual, em relação ao qual, na maioria das vezes, sua decisão tem

---

[14] A jurisprudência sobre concessão de medicamentos tem por base uma perspectiva que restringe a questão ao caso individual e ao julgador monocrático. O juiz, nesse modelo, se vê diante de uma situação trágica, ou seja, proferir ou não uma sentença de morte.

como alternativa a vida ou a morte, a saúde ou a doença. O dilema se apresenta no caso singular concreto.

No que se refere à problemática mais ampla da "igualdade", a situação também é dilemática. A possibilidade de acesso à justiça para reivindicar um direito acaba por provocar desigualdade, ou seja, diferenças entre aqueles que têm acesso à justiça estatal e os demais portadores de moléstias semelhantes; e diferenças entre os "beneficiados" e a coletividade formada pelos destinatários de políticas públicas que a diminuição dos recursos acaba por prejudicar.

Essa situação tem por base a Constituição de 1988, ou, mais precisamente, seu artigo 196, que consagrou "o direito universal à saúde", abrangendo a assistência farmacêutica. Anteriormente, apenas os contribuintes da previdência social tinham direito ao atendimento gratuito em saúde e à distribuição gratuita de remédios. Como o direito à saúde foi universalizado e considerado um dever do Estado, muitos ingressam no Judiciário demandando determinados medicamentos para moléstias de tratamento prolongado, como, por exemplo, Aids, doença renal crônica, câncer, esclerose múltipla, hepatite etc.

Os medicamentos solicitados, muitas vezes, não são aqueles que constam da lista de distribuição da rede pública. Há relatos de reivindicações de drogas importadas de última geração. A situação de premência relatada nas demandas requer decisões igualmente urgentes. Muitas liminares são concedidas, obrigando as autoridades a fornecer medicamentos ou a providenciar internação hospitalar sob pena de bloqueio de verbas públicas.

Segundo informações publicadas no jornal *O Estado de S. Paulo* em 7 de setembro de 2008, só no estado de São Paulo, desde 2002, já haviam sido ajuizadas mais de 25 mil ações dessa natureza, impondo gastos de cerca de R$ 25 milhões por mês, apenas para a distribuição de medicamentos que não constam da lista do Sistema Único de Saúde. Da mesma forma, no Rio Grande do Sul, só no 1º semestre de 2008, haviam sido impetradas 4,5 mil ações, obrigando a um gasto de R$ 6,5 milhões mensais.

A obrigação de direcionar recursos para atender às demandas judiciais implica correspondente necessidade de alteração de orçamento e de abandono de prioridades. Como os orçamentos dos municípios e estados são limitados, não há como manter previsões iniciais.

As interferências judiciais não se verificam apenas na área da saúde. Várias outras esferas também estão sujeitas à apreciação de magistrados. Mais uma vez, só para ilustrar, um levantamento realizado pela Advocacia Geral da União indica que, em abril de 2008, havia 619 ações na justiça contestando obras do Programa de Aceleração do Crescimento (PAC). Quatro meses depois, em setembro, esse número havia subido para 923. O volume de questionamentos na justiça avançou 702% de janeiro a setembro de 2008 comparado ao mesmo período de 2007. Calcula-se uma média mensal de 103,4 ações em 2008, contra a média de 12,9 até setembro de 2007. Independentemente do mérito dessas ações, é irrefutável que afetam cronogramas e orçamentos,[15] além de transferirem, para a arena judicial, temas previamente decididos no embate político propriamente dito.

Considerações finais

Os últimos anos presenciaram uma transformação espetacular no posicionamento do Judiciário na agenda pública, na participação de magistrados e associações representativas nos debates, na liderança de experiências inovadoras, e também na quantidade e na qualidade dos dados que permitem um retrato mais acurado da instituição. Isso não se traduz em um juízo de valor, segundo o qual essas mudanças seriam qualificadas como positivas ou negativas. O que se sublinha é que o Judiciário de hoje não é o Judiciário de anos passados.

As mudanças são apreciáveis e podem ser percebidas pelos mais variados ângulos. Do ponto de vista demográfico, o número de juízes cresceu enormemente, e essa ampliação provoca efeitos na composição da magistratura: diferenças na estrutura demográfica e na morfologia sociológica.[16] Mas, além dos aspectos quantitativos, demográficos e sociológicos, que por si só já significariam uma extraordinária transformação, há também mudanças comportamentais e políticas igualmente sem precedentes. Como as pesquisas realizadas pela Associação dos Magistrados Brasileiros (AMB) indicam, já não se pode falar que os juízes compõem um grupo homogêneo e, menos ainda, que sustentam posições de louvor à instituição e ao seu desempenho, responsabilizando a legislação ou a falta de recursos materiais e humanos pelas deficiências na distribuição de justiça no país. São crescentes os percentuais de magistrados, em todas as instâncias, que susten-

---

[15] Cada ação envolvendo obras do PAC mobiliza técnicos e advogados, que buscam suspender a liminar e evitar que as obras sejam paralisadas. Embora a maioria das liminares seja derrubada, a iniciativa interrompe obras. Críticos da judicialização chegam a calcular que esse procedimento pode elevar o custo das obras em até 2,7%, e a demora no licenciamento ambiental, em 8,3%.
[16] Para uma exposição das características atuais da magistratura, ver Sadek (2006).

tam avaliações críticas tanto em relação ao desempenho do Judiciário quanto ao seu próprio, e às outras instituições.[17]

O modelo de juiz "boca da lei" — se é que alguma vez existiu — parece pertencer a tempos pretéritos, ou, na melhor das hipóteses, estar confinado a um número muito reduzido de magistrados, já em vias de extinção. Gilmar Mendes, presidente do STF, referindo-se à questão da fidelidade partidária, encarregou-se de pronunciar seu epitáfio:

> o STF não se posiciona apenas em relação à letra fria da lei [...] era uma mudança de partido a toda hora, na diplomação, antes da posse, de forma exagerada, para não falarmos do fenômeno do mensalão, que poderia supor uma mudança remunerada. É nesse contexto que o Supremo Tribunal Federal faz a revisão da jurisprudência. Não é uma leitura literal pura do texto constitucional. É um diálogo sério com a sociedade e com a realidade [*Folha de S.Paulo*, 4 nov. 2008].

Nada indica que o protagonismo judicial seja um fenômeno passageiro ou que venha a perder fôlego nos próximos anos. Os dados estatísticos e as falas de ministros, desembargadores e juízes confirmam impulsos na direção da tendência de um desempenho proativo do Judiciário.

A queda no volume de processos no STF em 2008 revela os efeitos das inovações processuais introduzidas pela Emenda Constitucional nº 45, indicando que a cúpula do Judiciário vem, de fato, se transformando em corte constitucional, diminuindo seu papel de última instância recursal. Só no ano de 2009 foram editadas 10 súmulas vinculantes. Ademais, basta examinar a pauta do STF para o ano de 2009 para reforçar a assertiva sobre a progressiva importância da dimensão referente à presença pública do Judiciário. Constam, entre outras, as seguintes questões: constitucionalidade das cotas raciais em universidades brasileiras; punição de agentes estatais que praticaram tortura durante os governos militares; reserva indígena Raposa Serra do Sol; reconhecimento de relação entre pessoas do mesmo sexo para o recebimento de benefícios previdenciários; possibilidade de interrupção de gravidez de fetos anencéfalos; necessidade de diploma em comunicação para exercer o jornalismo; poder de investigação do Ministério Público; monopólio dos Correios; matérias de direito tributário, como ICMS na base de

---

[17] Consultar as pesquisas realizadas pela AMB em 2005 e 2006, disponíveis em: <http://www.amb.com.br>.

cálculo da Cofins, substituição tributária, e o Simples Nacional. A lista de temas é polêmica e, qualquer que seja a decisão tomada, certamente provoca impactos econômicos, sociais e políticos, além de não se poder descartar a potencialidade de conflitos institucionais, particularmente com o Executivo e o Legislativo.

Ademais, a maior entidade representativa dos juízes — a AMB — converteu-se em ator político relevante, tendo participado ativamente de todos os embates que de alguma forma dizem respeito ao sistema de justiça e à vida pública. Iniciativas e comportamentos marcados pela defesa de interesses corporativos já não ocupam todo o espaço de atuação da associação. Ao contrário, o modelo tradicional tem convivido e até sido subordinado por interferências públicas republicanas, como, por exemplo, as campanhas, lideradas pela AMB, em apoio às decisões do CNJ, de combate ao nepotismo e à impunidade, ou a campanha por eleições limpas e contra a corrupção.

Acrescente-se a esses aspectos o fato de temas específicos, de repercussão não apenas no sistema de justiça, mas, também, nas instituições políticas, terem passado a ocupar posições centrais no rol de preocupações dos diferentes operadores do direito e da classe política. A chamada "judicialização dos conflitos" tem revelado uma face acentuadamente dilemática. Basta citar o exemplo aqui desenvolvido sobre as decisões judiciais que envolvem a questão do direito à saúde. O incontestável direito à universalização dos serviços públicos de saúde, quando reclamado no Judiciário, tem provocado questionamentos, contrapondo políticas coletivas e casos individuais, recursos públicos finitos *versus* direito à vida, decisão majoritária sobre alocação de recursos e decisão judicial, privilégio concedido a alguns jurisdicionados *versus* igualdade ou saúde de outros. É claro que não existe solução ótima e menos ainda fácil. O problema é grave e vem se acentuando. Mas vem crescendo conjuntamente a consciência de que as respostas não se encontram nos parâmetros tradicionais.

Esse tipo de protagonismo judicial acaba muitas vezes resultando no oposto do que se pretende. Em vez de garantir a igualdade, gera uma situação de privilégio para aqueles que têm acesso qualificado à justiça. Ademais, por alterar a alocação de recursos determinada majoritariamente, transforma demandas individuais em empecilhos para a concretização de políticas sociais, que são, em princípio, de âmbito coletivo.

Ao lado desse tipo de protagonismo, há ainda a atuação do Judiciário em casos de omissão legislativa. Nessa categoria podem ser classificadas, por exemplo, as respostas dadas ao direito de greve no setor público, à criação de municípios, à fidelidade partidária. Este último tema gerou novos atritos entre o Judiciário e o Legislativo.

A decisão do STF de manter a determinação do TSE[18] sobre a perda de mandato por infidelidade partidária provocou um acirramento nas desavenças entre os representantes das duas instituições. Além disso, estimulou discussões sobre os limites do poder de legislar do Judiciário. Editorial da *Folha de S.Paulo*, de 27 de agosto de 2008, sintetiza o posicionamento dos críticos a esse tipo de protagonismo:

> Uma coisa, desejável, é disciplinar matérias em que a ausência de regulamentação clara suscita processos recorrentes; foi o caso da súmula que baniu o nepotismo. Outra, bem diversa, é produzir normas positivas, como na decisão do Supremo sobre fidelidade partidária em 2007, matéria que deveria permanecer prerrogativa do legislador.

O presidente do Senado, em sessão comemorativa dos 20 anos da Constituição de 1988, em 5 de novembro de 2008, na presença dos chefes do Executivo e do Judiciário, condenou explicitamente este último: "Aqui e acolá o Poder Judiciário esquece que é Poder Judiciário e pensa que é Poder Legislativo". Em contraste com essa interpretação, o entendimento do presidente do STF, Gilmar Mendes, tem dado claras indicações no sentido de alargar a margem de atuação da corte.

Para que se tenha um retrato mais amplo e menos controverso do Judiciário, acrescente-se também a existência de uma série de iniciativas, bem menos polêmicas, com potencial para provocar mudanças positivas tanto na imagem do Judiciário quanto na de seu desempenho, a curto, médio e longo prazos. Além dos juizados especiais, que exigem uma nova mentalidade de seus operadores, há experiências concebidas por magistrados insatisfeitos com a rigidez do modelo tradicional, e que atuam em diferentes ramos e instâncias do Judiciário. Muitas dessas iniciativas foram tornadas públicas e sistematizadas graças à instituição do prêmio Innovare.[19]

---

[18] O TSE respondeu a uma consulta do DEM sobre fidelidade partidária, afirmando que o mandato pertence ao partido e, portanto, um parlamentar pode ser cassado caso mude de legenda. Contra essa resolução, o procurador-geral da República, Antonio Fernando Souza, e o PSC entraram com ações no STF, sustentando que a definição das regras para a troca de partido é de competência do Congresso, e não do TSE. O STF, em 12 de novembro de 2008, decidiu pela constitucionalidade da resolução do TSE sobre regras para a cassação de políticos.

[19] Esse prêmio tem o apoio da FGV, do Ministério da Justiça, da Associação dos Magistrados Brasileiros, da Associação Nacional dos Membros do Ministério Público (Conamp), da Associação Nacional dos Defensores Públicos (Anadep), e da Associação dos Juízes Federais do Brasil (Ajufe), e o patrocínio da Companhia Vale do Rio Doce. O prêmio é conferido a cinco categorias: Juiz Individual, Juizado Especial, Tribunal, Ministério Público e Defensoria Pública.

Trata-se de experiências criativas e eficazes, que podem ser aplicadas em outras varas ou tribunais.

No que diz respeito ao diagnóstico, as mudanças presenciadas nestes últimos anos são de monta. Tornou-se uma possibilidade concreta discernir as causas de problemas com base em dados, e, não, em meras suposições. A quantidade e a qualidade das informações são hoje significativamente superiores ao que se dispunha em passado recente. Ademais, foi implantado um sistema para uniformizar a coleta e a sistematização de dados em todas as unidades da Federação e em todos os tribunais. Acompanhando essa tendência, ampliou-se enormemente o grau de informatização. Tais observações não implicam sustentar que as estatísticas atuais não apresentem falhas ou que o sistema não admita aperfeiçoamentos. Significa, isto sim, reconhecer que houve uma mudança de qualidade e que hoje, em termos comparativos internacionais, o Judiciário brasileiro se distingue de forma positiva, reunindo um conjunto de dados muito maior e de melhor qualidade do que a maioria dos países democráticos (Banco Mundial, 2004; Ceja, 2005; e Cepej, 2006).

Por fim, mas sem a pretensão de concluir, o Judiciário e seus integrantes constam da pauta pública, vieram com força e para ficar. À expansão do protagonismo, no entanto, não tem correspondido igual expansão na presteza e na qualidade da prestação jurisdicional. O que parece seguro afirmar é que à tradicional crítica à lentidão, à morosidade na obtenção de uma sentença final, vêm se somar os receios de uns, e as aclamações de outros, às participações de magistrados na vida pública que colocam em xeque a concepção majoritária de democracia.

Bibliografia

ARANTES, Rogério Bastos. *Judiciário e política no Brasil*. São Paulo: Sumaré, FAPSP, Educ, 1997.

BANCO MUNDIAL. *Fazendo com que a justiça conte:* medindo e aprimorando o desempenho do Judiciário no Brasil. dez. 2004. (Relatório nº 32789-BR.) Disponível em: <http://www.amb.com.br/docs/bancomundial.pdf>.

BAUM, L. A. *A Suprema Corte americana*. Rio de Janeiro: Forense, 1987.

BERMUDES, Sérgio. The administration of justice in Brazil. In: ZUCKERMAN, A. S. (Ed.). *Civil justice in crisis:* comparative perspectives of civil proceedings. Oxford: Oxford University Press, 1999.

BOBBIO, Norberto. *A era dos direitos*. Rio de Janeiro: Campus, 1992.

BONAVIDES, Paulo. *Curso de direito constitucional*. São Paulo: Malheiros, 1992.

BONELLI, Maria da Glória. Condicionantes da competição profissional no campo da justiça: a morfologia da magistratura. In: SADEK, M. T. (Org.). *Uma introdução ao estudo da justiça*. São Paulo: Idesp, Sumaré, 1995.

BOURDIEU, Pierre. La force du droit: elements pour une sociologie du champ juridique. *Actes de la Recherche en Sciences Sociales*, v. 64, p. 3-19, 1986.

CAMPILONGO, Celso. Magistratura, sistema jurídico e sistema político. In: FARIA, J. E. (Org.). *Direito e justiça: a função social do Judiciário*. São Paulo: Ática, 1989.

_____. O Judiciário e a democracia no Brasil. *Revista da USP*, São Paulo, n. 21, p. 116-125, mar./maio 1994.

CAPPELLETI, Mauro. *The Judicial Power in comparative perspective*. Oxford: Oxford University Press, 1989.

_____. Constitucionalismo moderno e o papel do Poder Judiciário na sociedade contemporânea. *Revista de Processo*, n. 60, p. 110-117, out./dez. 1990.

_____. O acesso à justiça e a função do jurista em nossa época. *Revista de Processo*, n. 61, p. 144-160, jan./mar. 1991.

_____. *Juízes legisladores?* Porto Alegre: Sergio Antônio Fabris, 1993.

_____. Os métodos alternativos de solução de conflitos no quadro do movimento universal e acesso à justiça. *Revista de Processo*, n. 74, p. 82-97, abr./jun. 1994.

_____; BRYANT, Garth (Eds.). *Access to justice*. Milan: Alphenaandenrij, Dott Giuffrè, Sijthoff and Noordhoff, 1978.

_____; _____. *Acesso à justiça*. Porto Alegre: Sérgio Fabris, 1988.

CARVALHO, José Murilo. Cidadania: tipos e percursos. *Estudos Históricos*, Rio de Janeiro, v. 9, n. 18, 1996.

CASTELAR, Armando (Org.). *Judiciário e economia no Brasil*. São Paulo: Sumaré, 2000.

_____ (Org.). *Reforma do Judiciário*. São Paulo: Idesp, Sumaré, 2004.

CASTRO, Marcus Faro de. Equidade e jurisdição constitucional: notas sobre a determinação normativa dos direitos constitucionais. *Revista de Informação Legislativa*, v. 28, n. 111, jul./set. 1991.

_____. Direito, economia e políticas públicas: relações e perspectivas. In: _____. *Ciências sociais hoje*. São Paulo: Anpocs, Rio Fundo, 1992.

_____. Política e economia no Judiciário: as ações diretas de inconstitucionalidade dos partidos políticos. *Cadernos de Ciência Política*, UnB, n. 7, 1993.

_____. O Supremo Tribunal Federal e a judicialização da política. *Revista Brasileira de Ciências Sociais*, v. 12, n. 34, p. 147-156, jun. 1997.

CEJA (Centro de Estudios de Justicia de las Américas). *Reporte sobre la justicia en las Américas 2004-2005*. Santiago do Chile: s.n., 2005.

CEPEJ (European Commission for the Efficiency of Justice). *European judicial systems*. s.l.: Cepej, 2006.

CHEVALIER, Jacques et al. *Droit et politique*. Paris: PUF, 1993.

CITTADINO, Gisele. *Pluralismo, direito e justiça distributiva*. Rio de Janeiro: Lumen Juris, 1999.

COMMAILLE, Jacques. *L'Esprit sociologique des lois*. Paris: PUF, 1994.

DALLARI, Dalmo de Abreu. O Poder Judiciário como instrumento de realização da justiça. In: *O Poder Judiciário e a nova Constituição*. Porto Alegre: Ajuris, 1985.

DWORKIN, Ronald. *Taking rights seriously*. Cambridge, Mass.: Harvard University Press, 1977.

ELY, John Hart. *Democracy and distrust*. Cambridge, Mass.: Harvard University Press, 1995.

FALCÃO NETO, Joaquim de Arruda. Cultura jurídica e democracia: a favor da democratização do Judiciário. In: LAMOUNIER, B. et al. (Orgs.). *Direito, cidadania e participação*. São Paulo: T. A. Queiroz, 1980.

FARIA, José Eduardo (Org.). *Direito e justiça* — a função social do Judiciário. São Paulo: Ática, 1989a.

_____. Ordem Legal *versus* mudança social: a crise do Judiciário e a formação do magistrado. In: FARIA, J. E. (Org.). *Direito e justiça* — a função social do Judiciário. São Paulo: Ática, 1989b.

_____. *Justiça e conflito*. São Paulo: Revista dos Tribunais, 1991.

_____. *Direito e economia na democratização brasileira*. São Paulo: Malheiros, 1993.

_____. O desafio do Judiciário. *Revista USP — Dossiê Judiciário*, n. 21, 1994.

_____. *O Poder Judiciário no Brasil:* paradoxos, desafios e alternativas. Brasília: Conselho da Justiça Federal, 1995.

_____; LOPES, J. R. Lima. Pela democratização do Judiciário. In: FARIA, J. E. (Org.). *Direito e justiça* — a função social do Judiciário. São Paulo: Ática, 1989.

FERRAZ JR., Tércio S. O Judiciário frente à divisão dos poderes: um princípio em decadência? *Revista USP — Dossiê Judiciário*, n. 21, 1994.

FERREIRA FILHO, Manuel Gonçalves. O Poder Judiciário na Constituição de 1988: judicialização da política e politização da justiça. *Revista de Direito Administrativo*, v. 198, 1994.

FRANKFURTER, Felix. *Law and politics:* occasional papers of Felix Frankfurter, 1913-1938. New York: Harcourt, Brace, 1939.

HACKER, P. M. S.; RAZ, J. *Law, morality and society:* essays in honour of H. L. A. Hart. Oxford: Clarendon Press. 1977.

GARAPON, Antoine. *O juiz e a democracia*. Rio de Janeiro: Revan, 1999.

HAMMERGREN, Linn. International assistance to Latin American justice programs: toward an agenda for reforming the reformers. In: E. JENSEN, E.; HELLER, T. (Eds.). *Beyond common knowledge:* empirical approaches to rule of law. Stanford: Stanford University Press, 2003.

JUNQUEIRA, Eliane Botelho. *A sociologia do direito no Brasil.* Rio de Janeiro: Lumen Juris, 1994.

____ et al. *Juízes:* retrato em preto e branco. Rio de Janeiro: Letra Capital, 1997.

KOERNER, Andrei. O Poder Judiciário Federal no sistema político da Primeira República. *Revista USP — Dossiê Judiciário,* n. 21, 1994.

LAMOUNIER, Bolivar. Redemocratização e estudo das instituições políticas no Brasil. In: MICELLI, Sérgio (Org.). *Temas e problemas da pesquisa em ciências sociais.* São Paulo: Sumaré, 1992.

LIPJHART, Arend. Presidencialismo e democracia majoritária. In: LAMOUNIER, B. (Org.). *A opção parlamentarista.* São Paulo: Sumaré, 1991.

LIMA, Roberto Kant de. Por uma antropologia do direito no Brasil. In: FALCÃO, J. (Org.). *Pesquisa científica e direito.* Recife: Massangana, 1983.

____. A cultura jurídica e as práticas policiais. *Revista Brasileira de Ciências Sociais,* v. 4, n. 10, 1989.

LOPES, José Reinaldo Lima. A função política do Poder Judiciário. In: FARIA, José Eduardo (Org.). *Direito e justiça* — a função social do Judiciário. São Paulo: Ática, 1989.

____. Justiça e Poder Judiciário ou a virtude confronta a instituição. *Revista USP — Dossiê Judiciário,* n. 21, 1994.

MENDES, Gilmar Ferreira. *Jurisdição constitucional:* o controle abstrato de normas no Brasil e na Alemanha. Rio de Janeiro: Saraiva, 1996.

MINISTÉRIO DA JUSTIÇA. *Diagnóstico do Poder Judiciário.* Brasília: Ministério da Justiça/Secretaria de Reforma do Poder Judiciário, 2004.

____ (Org.). *Prêmio Innovare:* a reforma silenciosa da justiça. Rio de Janeiro: Centro de Justiça e Sociedade da Escola de Direito do Rio de Janeiro/FGV, 2005.

MIRANDA ROSA, F. A. *Sociologia do direito:* o fenômeno jurídico como fato social. Rio de Janeiro: Jorge Zahar, 1996.

MORAES FILHO, Evaristo de. *A ordem social no novo texto constitucional.* São Paulo: LTR, 1986.

OLIVEIRA, L.; ADEODATO, João Maurício. *O estado da arte da pesquisa jurídica e sociojurídica no Brasil.* Brasília: Conselho da Justiça Federal, 1996.

PASARA, Luis. *En busca de una justicia distinta;* experiencias de reforma en América Latina. Lima: Justicia Viva, 2004.

PINHEIRO, Armando Castelar (Org.). *Reforma do Judiciário:* problemas, desafios, perspectivas. s.l.: Book Link, 2003.

PIOVESAN, Flávia. A atual dimensão dos direitos difusos da Constituição de 1988. In: PIOVESAN et al. (Orgs.). *Direito, cidadania e justiça.* São Paulo: Revista dos Tribunais, 1995.

RAWLS, John. *Uma teoria da justiça.* Brasília: UnB, 1981.

REALE, Miguel. *Por uma Constituição brasileira.* São Paulo: Revista dos Tribunais, 1995.

RENAULT, Sergio R. T.; BOTTINI, P. (Orgs.). *Reforma do Judiciário.* São Paulo: Saraiva, 2005.

SADEK, Maria Tereza (Org.). *O Judiciário em debate.* São Paulo: Idesp, Sumaré, 1995a.

____ (Org.). *Uma introdução ao estudo da justiça.* São Paulo: Sumaré, Ford Foundation, 1995b.

____. *O sistema de justiça.* São Paulo: Sumaré, 1999.

____ (Org.). *Justiça e cidadania no Brasil.* São Paulo: Sumaré, 2000.

____. El Poder Judicial y la magistratura como actores políticos. In: ____; RODRIGUES, L. *El Brasil de Lula:* diputados y magistrados. Buenos Aires: La Crujíia, 2004a.

____. Judiciário: mudanças e reformas. *Estudos Avançados,* v. 18, n. 51, maio/ago. 2004b.

____. Efetividade de direitos e acesso à justiça. In: RENAULT, S.; BOTTINI, P. (Orgs.). *Reforma do Judiciário.* São Paulo: Saraiva, 2005.

____ (Coord.). *Magistrados:* uma imagem em movimento. Rio de Janeiro: FGV, AMB, 2006.

____; ARANTES, Rogério. A crise do Judiciário e a visão dos juízes. *Revista USP — Dossiê Judiciário,* n. 21, 1994.

SALAS, Denis. *Le tiers pouvoir:* vers une autre justice. Paris: Hachette, 1998.

SANTOS, Boaventura de Sousa. *Os tribunais nas sociedades contemporâneas.* Lisboa: Afrontamentos, 1996.

SHAPIRO, Martin M. *Law and politics in the Supreme Court.* New York: Free Press, 1964.

____. Whiter political jurisprudence: a symposium. *The Western Political Quarterly,* n. 36, 1983.

____. *Courts:* a comparative and political analysis. Chicago: University of Chicago Press, 1986.

SILVA, José Afonso da. Defesa da Constituição. *Revista do Tribunal de Contas do Estado de São Paulo,* n. 61, p. 39-46, 1990.

____. *Curso de direito constitucional positivo.* São Paulo: Malheiros, 1997.

SLOTNICK, Elliot E. Judicial politics. In: CROTTY, William (Ed.). *Political science: looking to the future*. Evanston, Ill.: North-Western University Press, 1991. v. IV, cap. 3.

SMITH, Rogers M. Political jurisprudence, the "new institutionalism", and the future of public law. *American Political Science Review*, n. 82, 1988.

STEINMO, Sven et al. *Structuring politics:* historical institutionalism in comparative analysis. Cambridge: Cambridge University Press, 1992.

STONE, Alec. *The birth of judicial politics in France*. Oxford: Oxford University Press, 1997.

SWEET, Alec Stone. *Governing with judges:* constitutional politics in Europe. Oxford: Oxford University Press, 2000.

TATE, C. Neal; TORBJÖRN, V. (Eds.). *The global expansion of Judicial Power*. New York: New York University Press, 1995.

TAYLOR, Matthew. Beyond judicial reform — courts as political actors in Latin America. *Latin American Research Review*, v. 41, n. 2, p. 269-280, June 2006.

_____. O Judiciário e as políticas públicas no Brasil. *Dados*, Rio de Janeiro, v. 50, p. 229-257, 2007.

UNGER, Roberto Mangabeira. *What should legal analysis become?* London: Verso, 1996.

VIANA, Luiz Werneck et al. *A judicialização da política e das relações sociais no Brasil*. Rio de Janeiro: Revan, 1999.

_____. O terceiro poder na Carta de 1988 e a tradição republicana: mudança e conservação. In: OLIVEN, R. G.; RIDENTI, M.; BRANDÃO, G. M. (Orgs.). *A Constituição de 1988 na vida brasileira*. São Paulo: Aderaldo & Rothschild, Anpocs, 2008.

VIEIRA, Oscar Vilhena. *Supremo Tribunal Federal:* jurisprudência política. São Paulo: Revista dos Tribunais, 1994.

WALZER, Michael. *Spheres of justice:* a defense of pluralism and equality. New York: Basic Books, 1983.

WEBER, Max. *Sociologie du droit*. Trad. de Jacques Gorsclaude. Paris: PUF, 1986.

WOLKMER, Antonio Carlos. *História do direito no Brasil*. Rio de Janeiro: Forense, 1998.

ZAGREBELSKY, Gustavo. *Il futuro della Constituzione*. Torino: Eunaudi, 1996.

5

Política e reforma institucional: a difícil democratização dos tribunais de contas no Brasil[*]

Maria Rita Loureiro
Marco Antonio Carvalho Teixeira
Tiago Cacique Moraes

No Brasil, como em outros países da América Latina, as reformas do Estado e de suas relações com o mercado, desencadeadas a partir do início dos anos 1990, ocorreram juntamente com a inserção do país na economia global e a democratização das instituições políticas. Assim, o objetivo fiscal de redução dos gastos do governo (para garantir sua credibilidade perante os mercados financeiros) associou-se a promessas de mais eficiência no uso dos recursos públicos e de mais qualidade dos serviços prestados à população, a novas práticas de transparência e a maior responsabilização dos governos. Mesmo que, de modo geral, tais promessas não tenham sido cumpridas, a preocupação com o cidadão, com o maior controle dos governantes, com padrões mais democráticos de gestão pública foi gradativamente incorporada à cultura política do país. Embora tímida e hesitante, a dimensão democratizante das reformas de Estado não é apenas retórica. Ela apresenta conteúdos mais ou menos efetivos e diferentes roupagens, que abrangem desde a introdução de novas tecnologias que permitem maior divulgação dos atos dos governos, até a criação de novos mecanismos de responsabilização polí-

---

[*] Esta é uma versão modificada de texto impresso publicado na *Revista de Administração Pública*, v. 43, p. 739-774, 2009, sob o título "Democratização e reforma do Estado: o desenvolvimento institucional dos tribunais de contas no Brasil recente".

tica para além dos momentos eleitorais, durante os mandatos, e, inclusive, sob a forma de controles sociais.[1]

É pelo prisma dessa problemática de reforma de Estado, no contexto da construção de novas instituições democráticas, que se insere esta análise das transformações ocorridas nos tribunais de contas no Brasil a partir da Constituição de 1988. Com base na temática teórica de desenvolvimento institucional, procuramos discutir o que esse processo particular pode nos ensinar sobre a dinâmica mais geral que pauta o desenvolvimento das instituições políticas.

O conceito de desenvolvimento institucional, segundo Paul Pierson (2004), é mais amplo e tem especificidades em relação ao conceito de mudança institucional. Também se diferencia de escolha institucional. A mudança pode envolver alteração abrupta ou intempestiva. A escolha institucional, por sua vez, implica deliberação intencional e se origina, sobretudo, de uma concepção funcionalista que supõe serem as instituições resultado das escolhas estratégicas de atores racionais. Em contraponto à mudança ou à escolha institucional, a noção de desenvolvimento permite dar conta de transformações que ultrapassam as ações individuais e apresentam uma temporalidade de mais longo prazo. Leva em conta a sequência dos processos e as variações no ritmo das transformações, mais ou menos lentas e graduais.

O conceito de desenvolvimento institucional considera também que as transformações graduais das instituições são frequentemente marcadas por situações de *path dependence*, isto é, por processos históricos que se caracterizam por trajetórias ou caminhos que, uma vez tomados, são de difícil reversão. Assim, o processo de *path dependence* tem como traço crucial os chamados retornos positivos crescentes. Pensados inicialmente para a área tecnológica e para a economia, os retornos positivos são particularmente intensos na esfera da política, dadas as relações de autoridade e de coerção, as assimetrias de poder, o horizonte temporal de mais curto prazo dos atores políticos, e suas fortes inclinações para o *status quo*. Além disso, os mecanismos de correção das trajetórias problemáticas — como a competição e a aprendizagem, mais comuns na economia — operam em menor intensidade na esfera política, reforçando aí a permanência em caminhos já trilhados (Pierson, 2004:31-41).

---

[1] A respeito das diversas etapas do processo de reformas do Estado, e da problemática da criação de novos mecanismos institucionais de responsabilização (ou *accountability*) dos governantes no quadro das reformas de Estado, ver Abrucio e Loureiro (2005). Sobre controles sociais, ver Grau (1997).

Mesmo que a análise do desenvolvimento de instituições políticas exija que se leve em conta o processo de *path dependence*, é necessário olhar também para os momentos ou conjunturas críticas que produzem mudanças significativas ou pontos de inflexão da trajetória anterior. As conjunturas são críticas porque colocam os arranjos institucionais em novo patamar ou em novas trajetórias. Discutindo a relação entre conjunturas críticas e *path dependence*, Pierson lembra que a literatura considera que os momentos críticos em que aparecem oportunidades para grandes reformas institucionais são seguidos de longa estabilidade das instituições, ou seja, a mudança institucional é pensada em termos de profundo equilíbrio.

A nosso ver, o período entre duas conjunturas críticas não se caracteriza necessariamente por estabilidade. Ao contrário, frequentemente caracteriza-se por mudanças graduais, às vezes pouco perceptíveis, que lentamente se acumulam até que fatores exógenos (ao quadro institucional considerado) desencadeiem novos momentos críticos. O estudo que aqui realizamos sobre os tribunais de contas no Brasil mostra que, se as conjunturas críticas são produzidas predominantemente por fatores exógenos, as mudanças incrementais que se seguem a elas ocorrem por variáveis endógenas.

Com relação aos mecanismos específicos pelos quais se processa o desenvolvimento institucional, a literatura identifica três tipos. O primeiro se pela *superposição* de novas a velhas estruturas (*layering*), havendo a possibilidade, no longo prazo, de essas estruturas paralelas se transformarem em arranjos bem-sucedidos no *status quo* institucional. Vale lembrar que essa é uma situação bastante conhecida na burocracia brasileira, caracterizada pela criação de novos órgãos ao lado de antigos, com funções às vezes superpostas ou mesmo conflitantes, como forma de contornar as resistências de atores cujos interesses foram prejudicados pela inovação. São exemplos bem conhecidos as administrações paralelas do segundo governo de Getúlio Vargas e do governo Juscelino Kubitschek, nos anos 1950.

O segundo tipo de desenvolvimento institucional ocorre por *conversão funcional*. Nesse processo, as instituições existentes são redirecionadas, com mudanças nas funções que exercem e/ou nos papéis que os atores nelas desempenhavam. Em outras palavras, são processadas mudanças consideráveis no funcionamento de uma instituição, mesmo havendo a continuidade formal de suas regras. Tanto os mecanismos de superposição quanto os de conversão funcional supõem que, mesmo com pressões externas para que as estruturas se adaptem, há também dificuldades para mudanças completas. A superposição implica a negociação parcial de alguns componentes institucionais por parte das coalizões reformistas, enquanto outros permanecem intactos.

O terceiro tipo de desenvolvimento institucional ocorre por *difusão*, quando certas instituições são copiadas ou transportadas, parcial ou integralmente, para outros ambientes ou espaços societários. Esse tipo de desenvolvimento costuma ser também denominado isomorfismo ou convergência institucional e se dá, em geral, porque os atores que copiam dependem de recursos financeiros dos que estão sendo copiados, ou, ainda, porque buscam se legitimar com esse processo de adoção. Nessa situação, novas instituições são criadas ou, então, completamente substituídas (Pierson, 2004).

Por outro lado, o mais completo entendimento do processo de desenvolvimento institucional requer igualmente a análise dos fatores de resistência à mudança e de resiliência, ou seja, a capacidade que as instituições têm de recuperar rapidamente sua forma original quando cessam as pressões por mudança. De modo geral, pode-se indicar dois grandes obstáculos à mudança institucional: a capacidade de veto dos atores que se sentem ameaçados pela mudança, e a incapacidade das forças de mudança para se consolidarem e vencerem a estrutura de vetos, criando um clima de desequilíbrio ou desajuste da ordem institucional ainda vigente, ou de falta de coordenação. O conflito entre fatores de mudança e a estrutura de vetos decorre daquilo que a literatura chama de especificidade de ativos institucionais e de seus retornos positivos. Ou seja, a adaptação dos indivíduos ou organizações aos arranjos existentes permite-lhes o usufruto dos "rendimentos" produzidos por seus diferentes investimentos (em pessoas, em conhecimento técnico, em determinadas práticas etc.), e torna o novo arranjo pouco atrativo. Assim, quanto mais antiga uma ordem institucional, mais resistente será e mais incrementais serão as mudanças ocorridas. Tentaremos observar como esses processos se deram nos tribunais de contas no Brasil.

Comparando este estudo com outros realizados nos últimos anos sobre os tribunais brasileiros, surgem diferenças de abordagens. Do ponto de vista disciplinar, uma parcela significativa da bibliografia relativa aos tribunais de contas concentra-se na área do direito. Os estudos jurídicos discutem a especificidade desses órgãos no sistema de controle da administração pública e os impactos de determinadas legislações sobre as atividades desses órgãos, ou seu *status* constitucional no Brasil em comparação com outros países.[2] Na área da administração

---

[2] Sobre a especificidade dos tribunais de contas e os impactos das leis, ver Citadini (1994), Figueiredo (1991), Souza (1998) e Fernandes (2002); sobre seu *status* constitucional, ver Gualazi (1992) e Medauar (1993).

pública, de modo geral, os trabalhos analisam a organização interna e o modelo de gestão desses órgãos, e se estes garantem a eficácia e a eficiência dos gastos do governo (Oliveira, 1994; Mansour, 2001; Moreira e Vieira, 2003). As pesquisas efetuadas na ciência política, por sua vez, examinam o papel desempenhado pelos tribunais nas relações entre Executivo e Legislativo, enfatizando questões relativas à governabilidade do sistema político.[3] Também discutem o processo decisório nesses órgãos e o difícil equilíbrio entre o trabalho técnico e o perfil político de seus dirigentes (Teixeira, 2004; Azevedo e Reis, 1994).

De modo geral, os trabalhos constituem predominantemente estudos de caso ou análises das mudanças formais por que passaram os tribunais brasileiros desde a Constituição de 1891. Há poucos com pretensões explicativas mais abrangentes, entre os quais cabe destaque para o de Figueiredo, Melo e Pereira (2006), que procura identificar os fatores políticos determinantes do desempenho desses órgãos de controle externo. Assim, em perspectiva temporal sincrônica, indicam que a capacidade de fiscalizar irregularidades ou práticas de corrupção de seus jurisdicionados está altamente associada ao grau de competição eleitoral existente em cada Estado.

Diferentemente de tais estudos, nosso propósito aqui é entender a lógica do processo de transformação experimentado pelos tribunais de contas no Brasil ao longo das últimas duas décadas. A pergunta geral que nos orienta é a seguinte: o que essas transformações nos ensinam sobre a dinâmica de desenvolvimento institucional? Assim, procuraremos identificar suas características, seus fatores determinantes, seus momentos ou conjunturas críticas, como se desenrolaram seus processos de *path dependence*, e como a dinâmica entre as forças de resistência e as que impulsionam as inovações pôde gerar ritmos mais ou menos lentos de mudanças. Em outras palavras, analisamos não só as conjunturas que desencadearam mudanças de rumo, mas, também, a intensidade e o ritmo dessas mudanças e como elas acabaram gerando situações irreversíveis.

Do ponto de vista metodológico, trabalhar com o conceito de desenvolvimento institucional exige que se examine não só um determinado momento, mas processos ou sequências que se desenrolam a mais longo prazo. Por essa razão, este estudo toma como referência dois momentos críticos para a análise do desenvolvimento institucional dos tribunais de contas (TCs): a Constituição Federal de 1988 (CF88) e a Lei de Responsabilidade Fiscal (LRF), promulgada em maio de

---

[3] Ver Speck (2000), Speck e Nagel (2002), Martins (1994) e Pessanha (1997).

2000. Entre esses dois momentos críticos, ocorreu um processo lento e gradual de mudanças que se acumularam e se autorreforçaram, configurando uma situação de *path dependence*, ou seja, de trajetórias de difícil reversão. Com indicaremos a seguir, a Lei de Responsabilidade Fiscal fundamentalmente não criou novas práticas, mas reforçou, sobretudo, processos que já haviam surgido com a Constituição de 1988 e se encontravam em gestação, de forma desigual, entre os diversos TCs no país.

Ainda do ponto de vista metodológico, cabe enfatizar outro aspecto importante. Embora tenhamos levantado dados quantitativos sobre os 33 TCs subnacionais (e, em alguns momentos, também incluído o Tribunal de Contas da União — TCU), o que nos permitiu oferecer um panorama geral das principais inovações técnicas e institucionais neles ocorridas nos últimos anos, nossa análise se baseia sobretudo em dados qualitativos.[4] Consideramos que a metodologia qualitativa é a que melhor se presta à análise de processos temporais de mais longo prazo.[5] O material empírico que serviu de base à análise foi coletado em documentos oficiais — Constituição Federal, constituições estaduais, leis orgânicas municipais, leis orgânicas dos TCs etc. —; incluímos também dados levantados nos sites de todos os TCs do país e em entrevistas realizadas com oito conselheiros e 11 técnicos nos TCs de São Paulo, Minas Gerais, Santa Catarina e Goiás. Por fim, foram coletadas informações históricas relativas às trajetórias de carreiras de conselheiros dos tribunais de São Paulo (estadual e municipal), de Minas Gerais (estadual), de Santa Catarina (estadual) e da Bahia (municípios).[6]

O texto que se segue está assim organizado. Na primeira seção, retomamos, ainda que rapidamente, o desenvolvimento institucional dos TCs no Brasil, des-

---

[4] Além dos 27 TCs estaduais, há o TCU, que analisa as contas do governo federal, dois tribunais de contas municipais (o TCM de São Paulo e o do Rio de Janeiro) e quatro TCMs que examinam as contas de todos os municípios de seus respectivos estados: o TCM de Goiás, criado em 1989; o TCM da Bahia, criado em 1991; o TCM do Ceará, de 1992, e o TCM do Pará, de 1994. Nesses estados coexistem, assim, dois TCs, um que avalia as contas do estado e outro, que avalia as contas das prefeituras.

[5] O método qualitativo tem sido considerado uma abordagem metodológica valiosa para a especificação de variáveis intervenientes em processos complexos, para o desenvolvimento de novos conceitos, hipóteses e teorias e, especialmente, para a análise dos mecanismos, cadeias e processos causais presentes em processos históricos de longo prazo (Mahoney, 2007).

[6] A escolha desses tribunais foi feita por razões de ordem prática, considerando não só a existência de dados disponíveis, mas também fatores que facilitaram o deslocamento dos pesquisadores.

de sua criação no início da era republicana, com ênfase, porém, no período que se inicia com a Constituição Federal de 1988, tomada como conjuntura crítica desencadeadora de uma nova trajetória institucional. Na segunda seção, prosseguimos a análise desse processo de desenvolvimento a partir de novo ponto de inflexão, representado pela Lei de Responsabilidade Fiscal. Entre as duas conjunturas críticas, procuramos mostrar que essas instituições não permaneceram em estabilidade, mas em lento e gradual processo de transformação. Nas considerações finais, sistematizamos nossa análise, não só respondendo à pergunta, mas também levantando algumas hipóteses para futuras investigações sobre o tema.

Conjunturas críticas e incrementalismo no desenvolvimento institucional dos tribunais de contas no Brasil

Os percalços institucionais ao longo dos regimes políticos

As instituições superiores de controle das contas do Executivo começaram a surgir no momento em que o aparato administrativo do Estado moderno se tornou mais complexo, e se profissionalizou, para responder à diversificação das demandas decorrentes das transformações socioeconômicas e da modernização dos regimes políticos.[7]

No Brasil, os TCs surgiram na transição da monarquia para a república, período em que as instituições estatais se ampliaram e se reformularam para se adequarem ao novo regime político. Procurando oferecer uma visão geral das principais transformações sofridas por esses órgãos ao longo de nossa história republicana desde 1891 a 1967 (última Constituição anterior à atual, que será analisada mais a fundo), elaboramos o quadro a seguir, destacando as mudanças nas atribuições, na forma de recrutamento de seus dirigentes, e nas garantias por eles usufruídas. Como era de se esperar, tais mudanças exprimem as oscilações do regime político e a vulnerabilidade desses órgãos à interferência do Executivo nos períodos autoritários das Constituições de 1937 (Estado Novo) e de 1967 (regime militar). Com relação à forma de recrutamento dos dirigentes, observa-se que o Estado Novo retirou do Legislativo a prerrogativa de confirmar a indicação dos membros da alta corte dos TCs e a transferiu para o Conselho Federal, órgão auxiliar do Executivo.

---

[7] Ver Citadini (1994), Martins (1994), Pessanha (1997), O'Donnell (1998) e Speck (2000).

Quadro 1. Os percalços institucionais dos TCs brasileiros (1891-1967)

Constituições	1891	1934	1937	1946	1967
Atribuições constitucionais	Verificar a legalidade das contas do Executivo	Verificar a legalidade das contas do Executivo	Verificar a legalidade da execução orçamentária e dos contratos celebrados pelo Executivo	Verificar a legalidade das contas do Executivo, bem como a concessão de aposentadorias, reformas e pensões	Verificar a legalidade das contas do Executivo e realizar auditorias nas entidades fiscalizadas
Desenvolvimento	↔ (Mantém)	↑ (Avança)	↑ (Avança)	↑↓ (Avança/recua)	
Requisitos para se tornar ministro conselheiro	Não consta	Não consta	Não consta	Ter no mínimo 35 anos e gozar de plenos direitos políticos	Idade mínima de 35 anos, idoneidade moral, notórios conhecimentos jurídicos, econômicos, financeiros ou de administração pública
Desenvolvimento	↔ (Mantém)	↔ (Mantém)	↑ (Avança)	↑ (Avança)	
Forma de recrutamento de ministro conselheiro	Nomeados pelo Executivo com aprovação do Legislativo	Nomeados pelo Executivo com aprovação do Legislativo	Nomeados pelo Executivo com aprovação do Conselho Federal	Nomeados pelo Executivo com aprovação do Legislativo	Nomeados pelo Executivo com aprovação do Legislativo
Desenvolvimento	↔ (Mantém)	↓ (Recua)	↑ (Avança)	↔ (Mantém)	
Garantias a ministro conselheiro	Só perderiam o cargo por sentença judicial	As mesmas oferecidas aos ministros da Corte Suprema	As mesmas oferecidas aos ministros do Supremo Tribunal Federal	Mesmos direitos, garantias, prerrogativas e vencimentos dos juízes do Tribunal Federal de Recursos	Mesmas garantias, prerrogativas, vencimentos e impedimentos dos ministros do Tribunal Federal de Recursos
Desenvolvimento	↑ (Avança)	↔ (Mantém)	↔ (Mantém)	↔ (Mantém)	

Fonte: elaborado pelos autores com base nas constituições federais de 1891 a 1967 e em Speck (2000).

Cabe destacar uma dimensão que permaneceu estável ao longo de todo esse período, a despeito das mudanças de regime político: trata-se da garantia de permanência ou inamovibilidade de seus dirigentes. Tida como condição para a autonomia do TC, tal garantia sobreviveu, ainda que formalmente, inclusive nos períodos autoritários.

Considerando os avanços do ponto de vista republicano, pode-se destacar a exigência de pré-requisitos para se tornar membro da corte dos TCs. Até 1937, não aparecia qualquer tipo de exigência básica a esse respeito. Após 1946, foi instituída a necessidade de idade mínima e o pleno gozo dos direitos políticos. A exigência de conhecimentos específicos só surgiu em 1967, quando se inseriu, mesmo que de maneira genérica, a necessidade de o candidato possuir notórios conhecimentos jurídicos, econômicos, financeiros ou de administração pública. Vejamos, a seguir, as mudanças trazidas pela Constituição democrática de 1988.

As mudanças nos tribunais de contas após a Constituição Federal de 1988

A Constituição de 1988 foi um momento crítico no desenvolvimento dos TCs no Brasil, na medida em que colocou esses órgãos em nova trajetória institucional: a da ordem democrática. Ela criou novas regras formais e gerou práticas que, mesmo de forma lenta e gradual, tiveram altos custos políticos de reversibilidade. Entre elas, destacam-se a ampliação das funções dos TCs, abrangendo também o controle de desempenho, a indicação da maioria de seus dirigentes pelo Poder Legislativo, e a atribuição à população de poder de denúncia de irregularidades. É o que vamos examinar mais a fundo.

Resultante de intensas disputas entre as forças políticas mais expressivas no país naquele momento, a Constituição de 1988 redefiniu as instituições do Estado, ajustando-as à nova conjuntura democrática. Os TCs foram objeto de debates e de muita controvérsia no processo constituinte quanto a sua organização interna, a suas atribuições, ao critério de seleção dos membros de seu corpo dirigente, bem como às garantias a eles oferecidas. Com relação a sua forma de organização, alguns grupos defenderam a adoção de um modelo de controladoria semelhante ao dos Estados Unidos, em que um controlador-geral detentor de mandato fixo, escolhido pelo Executivo com a aprovação do Legislativo, dirige o órgão e chama para si a responsabilidade sobre suas atividades. Todavia, dando continuidade à experiência já em curso no país desde a proclamação da República, prevaleceu a estrutura de direção colegiada e autônoma em relação aos demais poderes, com a atribuição de órgão auxiliar do Legislativo no controle financeiro da administração pública. A redução das atividades e da ingerência do Executivo sobre o órgão, predominante no período anterior, talvez tenha contribuído para a escolha de um caminho no qual fosse amenizado o poder de pressão do governo. Na verdade, o Executivo não tinha força para resistir às mudanças no novo contexto político de redemocratização em que o Legislativo recuperava seu poder.

No que tange às atribuições dos TCs, a definição e a ampliação de suas competências exclusivas foram os maiores ganhos para esses órgãos dentro da estrutura de poder. Além da prerrogativa de elaborar parecer técnico sobre a tomada de contas do Executivo, também assumiram a função de realizar auditorias de desempenho das políticas públicas, superando, assim, a atividade de cunho estritamente legalista que sempre os caracterizou (ver quadro 1). Isso significa verificar não só se o gasto foi realizado segundo as normas legais, mas, também, se produziu o resultado esperado. Inclui-se, ainda, no rol das atribuições dos TCs, a apreciação da legalidade dos contratos, da admissão de pessoal, da concessão de aposentadorias, reformas e pensões, além de se manifestar acerca da legalidade das licitações em caráter prévio, evitando, assim, benefícios a determinados grupos econômicos.[8] Uma única atribuição ainda não foi transferida para os TCs, embora seja considerada hoje fundamental para completar a eficácia de sua atuação: o poder de cobrar as multas que aplicam aos tomadores de despesas. Atualmente, as penalidades são transformadas em cobrança do Executivo, o que dificulta seu recebimento, dada a pouca agilidade de sua execução.

Outra mudança importante, introduzida na conjuntura crítica que permeou a elaboração da Constituição de 1988, refere-se à forma de recrutamento do corpo dirigente. Na Constituinte, os grupos se dividiram entre a seleção por concurso público e a indicação exclusiva pelo Executivo com a confirmação do Legislativo, isto é, a forma tradicional. Porém, chegou-se a uma solução intermediária. Nesta, o Executivo perdeu o monopólio da indicação dos membros dirigentes (ministros, no caso do TCU, e conselheiros, nos demais tribunais), passando a indicar apenas um terço deles, enquanto o Legislativo ficou responsável pela indicação dos outros dois terços,

---

[8] Como exemplo, pode-se citar o veto do TCM de São Paulo a uma licitação pública da gestão do prefeito Paulo Maluf que visava abrir concorrência pública para a construção, com recursos do orçamento municipal, de um colégio militar e de um conjunto de apartamentos para oficiais do Exército. O projeto de lei tinha sido aprovado pela Câmara Municipal, mas a licitação pública acabou sendo inviabilizada pelo TCM, que a considerou ilegal. O veto do tribunal foi atribuído a pressões da opinião pública em razão do destaque que a imprensa deu ao caso (Teixeira, 2004).

mantendo-se a aprovação de todos pelos parlamentares. Foram mantidas também a vitaliciedade e as mesmas garantias oferecidas ao alto escalão do Poder Judiciário.

Além de ver reduzido seu poder de indicação, o Executivo acabou limitado a uma ou duas indicações de livre escolha. Isto porque o texto final da Constituição de 1988 prevê que, para cada três membros indicados pelo Executivo, dois devem ser selecionados entre os auditores de carreira dos próprios TCs e entre representantes do Ministério Público de Contas (MPC).

Todavia, a Constituição de 1988, no art. 75, acabou prevendo que "as normas estabelecidas nesta Seção aplicam-se, *no que couber*, à organização, composição e fiscalização" dos demais TCs. Essa expressão abriu a brecha para que os estados, na elaboração de suas constituições, assimilassem ou não as mudanças, conforme o embate de forças políticas progressistas e conservadoras neles prevalecentes.

Assim, a organização dos TCs subnacionais pós-1988 se desenvolveu de maneira heterogênea, em função da capacidade ou não de as forças com poder de veto reagirem a mudanças que porventura lhes fossem prejudiciais. No caso, por exemplo, de São Paulo, conforme relato de entrevista, os deputados estaduais, em concordância com o governador no período — Orestes Quércia —, decidiram manter a influência deste na indicação dos conselheiros do TCE-SP, não incluindo na Constituição estadual as mudanças da Constituição de 1988. Isto é, não se interpretou que o Executivo fosse obrigado a recrutar conselheiros entre auditores e representantes do Ministério Público. Tal situação só começou a ser revertida por fatores exógenos, por meio de ação direta de inconstitucionalidade (Adin), impetrada pela Procuradoria Geral da República.[9]

Na verdade, a brecha contida na expressão "no que couber" produziu três possibilidades de interpretação da Constituição de 1988 quanto à indicação dos conselheiros pelo Executivo. Na primeira, não há livre provimento por parte do governador, como no art. 75 da Constituição do Paraná, que determina, obrigatoriamente, que os dois conselheiros indicados pelo Executivo sejam seleciona-

---

[9] A Constituição paulista foi obrigada a recepcionar esse requisito por meio da Adin 397-6, de 3 de agosto de 2005, impetrada pela Procuradoria Geral da República. Até então, todos os conselheiros do TCE-SP e do TCM eram escolhidos pelo Executivo ou pelo Legislativo sem considerar as exigências da Constituição de 1988. Em entrevista, um conselheiro do TCE-SP afirmou que a expressão "no que couber" da Constituição de 1988 foi interpretada como não obrigatoriedade. Com a Adin, o TCE paulista teve de se submeter, e aguarda a aprovação de projeto de lei criando o Ministério Público de Contas que está tramitando na Assembleia Legislativa. Com relação aos auditores substitutos, só em 2007 o TCE-SP organizou seu primeiro concurso público de acesso ao cargo, portanto, com enorme atraso em relação aos demais.

dos de forma alternada, com base em uma lista tríplice de auditores de carreira e membros do Ministério Público de Contas, elaborada previamente pelo próprio Tribunal de Contas. Na segunda, o governador tem poder relativo, podendo indicar livremente apenas um conselheiro, como ocorre na maioria dos TCs. As outras duas indicações devem ser feitas alternadamente entre auditores de carreira dos tribunais e membros do Ministério Público de Contas. A terceira ocorre nos estados em que o governador conseguiu manter o poder de indicar livremente a cota de um terço das vagas até que as Adins impusessem as alterações estabelecidas pela Constituição Federal de 1988. Isso ocorreu no TCE-AC, TCE-SP, TCM-SP e TCM-RJ. O caso mais extremado é o do TCE de São Paulo, em que o Executivo exercia, de fato, o poder de influenciar até as vagas do Legislativo.[10]

Tentando sistematizar as diferenças na distribuição de poder entre Executivo e Legislativo com relação à indicação dos dirigentes dos TCs brasileiros, pode-se indicar o seguinte quadro: em 31 tribunais de contas (27 estaduais e quatro municipais), das sete vagas existentes, o Legislativo provê dois terços, e o Executivo, apenas um terço.[11] As variações ocorrem nas formas de escolha do Executivo, com mais ou menos autonomia. Em três estados — Paraná, Rio Grande do Sul e Sergipe —, o Executivo não possui vaga de livre provimento, ou seja, não tem qualquer autonomia de escolha. Em outros três tribunais — TCE-AC, TCE-RJ e TCM-RJ —, o Executivo possui duas vagas de livre provimento, isto é, não é obrigado a nomear necessariamente dentre as carreiras de auditores e representantes do Ministério Público. Entre essas duas situações extremadas de ampla e nenhuma autonomia, situam-se a grande maioria dos TCs (27), nos quais a escolha do Executivo deve ser distribuída entre uma vaga de livre provimento, uma dentro da carreira de auditor, e a outra entre os representantes do Ministério Público. O caso do TCE-SP, como já mencionado, passou de completa autonomia para a situação de autonomia relativa, que predomina nos 27 outros.

---

[10] Tal situação foi evidenciada quando os governadores Orestes Quércia (1987-1990), Fleury Filho (1991-1994) e Mário Covas (1995-2001) aprovaram ex-secretários de seus governos para praticamente todas as vagas surgidas no Conselho do TCE-SP após 1988. Dos atuais conselheiros do TCE-SP, quatro foram secretários do governo Fleury, dois foram indicados por Quércia, e um era secretário do governo Covas. Destes, apenas um estava no mandato de deputado estadual quando foi indicado para o cargo de conselheiro (Azevedo e Reis, 1994).

[11] O TC do município de São Paulo é integrado por cinco conselheiros. Tal como ocorrem com as vagas do TCU, as escolhas no TCM de São Paulo são feitas em igual proporção pelo Executivo e pelo Legislativo.

No que se refere aos requisitos para se tornar membro do corpo dirigente dos TCs, a Constituição de 1988 também proporcionou mudanças. Foi mantida a idade mínima de 35 anos e a máxima de 65. Isso reduziu práticas clientelistas comuns de nomeação de correligionários políticos com idade próxima dos 70 anos, beneficiando-os, logo a seguir, com aposentadoria integral. Adicionou-se ainda a exigência de pelo menos 10 anos de exercício em atividade profissional em áreas que permitam ao candidato adquirir conhecimentos jurídicos, contábeis, econômicos, financeiros ou da administração pública. No caso, a exigência é de conhecimentos, e não de formação. A abrangência de escolha do indicado para o corpo dirigente dos TCs, possibilitada pela não fixação de atividade profissional específica ou a não exigência de qualificação no ensino superior, explica por que, entre os cinco membros do corpo dirigente do TCM-SP, por exemplo, estejam um técnico agrícola, ex-vereador, e um securitário, também ex-vereador, sem formação superior quando nomeados.[12]

Em suma, pode-se afirmar que as mudanças trazidas pela Constituição de 1988, refletindo os novos ventos democráticos que sopravam no país, permitiram maior equilíbrio de poder entre Executivo e Legislativo na indicação dos dirigentes dos TCs, bem como a redução (mesmo que bem modesta) de práticas clientelistas e predatórias dos recursos públicos, como a nomeação de pessoas que permaneciam apenas poucos meses no cargo e se aposentavam em seguida com salários integrais. Todavia, as modificações trazidas pela Constituição de 1988 não contemplaram preocupações com o desempenho desses órgãos, e, tampouco, foram completamente implementadas, dada a dinâmica entre as forças de resistência e as que pressionavam pela inovação institucional dos TCs. Veremos, a seguir, que isso começa a mudar com a Lei de Responsabilidade Fiscal.

A Lei de Responsabilidade Fiscal e a modernização dos TCs

A Lei de Responsabilidade Fiscal foi proposta em contexto de constrangimentos externos, marcado pelas crises financeiras de 1997 e 1998, que tiveram repercussões consideráveis no Brasil, e obrigaram o país a pedir socorro financeiro ao FMI e a desvalorizar o câmbio em janeiro de 1999. Além da mudança nas políticas

---

[12] Para que seus nomes fossem aprovados, as atividades políticas foram interpretadas como suficientes para gerar os conhecimentos exigidos ao exercício do cargo de conselheiro do TCM de São Paulo (Teixeira, 2004).

cambial e monetária (com a adoção do câmbio flutuante e do regime de metas inflacionárias), o governo se viu obrigado a efetivar um programa rigoroso de ajuste fiscal, gerando, desde então, superávits primários necessários à garantia de solvência para seus credores internos e externos, com a redução sistemática da relação dívida pública/PIB. É esse quadro de crise financeira que permite explicar a tramitação relativamente rápida da lei aprovada, em maio de 2000, por 385 votos a favor, 86 contra, e quatro abstenções (Asazu, 2003; Loureiro e Abrucio, 2004).

O projeto que depois se transformou em Lei de Responsabilidade Fiscal não continha referência aos TCs. A ideia de lhes atribuir a função de fiscalizar a lei só começou a surgir durante as audiências públicas no Congresso. A despeito do clima inicial de desconfiança com relação à capacidade dos TCs, a reversão dessa atitude ocorreu após os debates e a argumentação do Instituto Rui Barbosa (órgão ligado à corporação dos conselheiros dos TCs), que procurou convencer os congressistas de que os TCs eram os únicos órgãos com capilaridade necessária para a implementação das exigências legais.[13] Assim, a decisão final representou outro marco importante na história institucional dos TCs no Brasil. Se a Constituição de 1988 já havia produzido mudanças significativas e pode ser vista como um ponto de inflexão em seu desenvolvimento institucional, a Lei de Responsabilidade Fiscal reforçou esse processo. Ela valorizou a função fiscalizatória do TCs, dando-lhes a atribuição de serem guardiões da lei.

A implementação da Lei de Responsabilidade Fiscal exigiu que se iniciasse a modernização tecnológica e a reestruturação interna dos TCs. À medida que eles se tornavam peças fundamentais para o sucesso da lei, o governo federal envolveu-se de forma particular com o processo de sua reestruturação. O Ministério do Planejamento, Orçamento e Gestão (MPOG), por meio de sua Secretaria de Gestão, encomendou estudos que diagnosticaram a necessidade de se criar sistemas informatizados para recebimento de informações por parte dos estados e municípios, de padronizar procedimentos e conceitos e, ainda, de capacitar e treinar funcionários para lidar com as novas e ampliadas atribuições dos TCs.[14]

---

[13] Informações de entrevista com o conselheiro Salomão Ribas, de Santa Catarina, na época presidente do IRB. Por sua vez, a desconfiança com relação à capacidade dos TCs de assumir funções fiscalizadoras está relacionada, em parte, com a imagem negativa desses órgãos perante a opinião pública, e com outros órgãos estatais, que os consideram ineficientes e parciais em suas decisões, e até sujeitos a práticas de corrupção (Speck, 2001; Abrucio, Arantes e Teixeira, 2005).

[14] Além do diagnóstico realizado também em 2001 pela Fundação Instituto de Administração (FIA) da USP (Mazzon e Nogueira, 2002), foi encomendada pesquisa à FGV em 2003 sobre a

Para coordenar esse amplo processo de inovações técnicas e organizacionais, criou-se, em 2001, o Programa de Modernização do Controle Externo (Promoex), com o apoio financeiro do BID. O programa está em funcionamento desde 2006, sob a coordenação do MPOG, e inclui, em sua gestão, funcionários da maioria dos TCs e de suas instituições de apoio estratégico e técnico, como o Instituto Rui Barbosa (IRB) e a Associação dos Membros dos Tribunais de Contas do Brasil (Atricon). O programa se insere no contexto maior de modernização da administração pública, iniciado no governo de Fernando Henrique Cardoso e do qual também fazem parte o Programa Nacional de Apoio à Modernização da Gestão e do Planejamento dos Estados e do Distrito Federal (Pnage), e o Programa Nacional de Apoio à Modernização Administrativa e Fiscal dos Estados Brasileiros (Penalfe), voltado para a modernização das secretarias da Fazenda dos estados e municípios. O Promoex tem gerado impactos nos TCs, não só por reforçar sua modernização tecnológica, mas, também, por alterar suas relações de poder internas (entre conselheiros e corpo técnico). Os técnicos dos TCs, especialmente os auditores, estão gradativamente aumentando seu peso nos processos decisórios, na medida em que lideram o desenvolvimento do programa dentro dos tribunais, e são os elos de ligação com o MPOG e os organismos internacionais. Isso lhes dá visibilidade externa e lhes permite desenvolver ações conjuntas e articuladas em nível nacional e mesmo internacional.[15]

Fazendo um balanço das inovações apresentadas pelos TCs a partir da Constituição de 1988, destacamos as que visam a ampliar a transparência das contas governamentais e a estimular a participação da sociedade civil em sua fiscalização, como os sistemas informatizados de controle das contas públicas, as ouvidorias e as escolas de contas (Figueiredo, Melo e Pereira, 2006). Os dados coletados nos portais eletrônicos dos respectivos tribunais permitem verificar a intensidade diferencial com que tais iniciativas são implantadas no país.

Com relação à Lei de Responsabilidade Fiscal, cabe indicar que ela expandiu os itens a fiscalizar, abrangendo a análise dos relatórios de gestão fiscal e de exe-

---

imagem dos TCs na sociedade e em outros órgãos estatais (Abrucio, Arantes e Teixeira, 2005). Com relação às funções dos TCs, a ampliação de suas atividades após a Constituição de 1988 também se deve ao fato de terem passado a fiscalizar mais entes federativos, pois os municípios aumentaram de 4.491 para 5.561 entre 1991 e 2001.

[15] Como exemplo, pode-se citar o caso do auditor substituto do TCE-PE que, por efeito do seu trabalho na coordenação do Promoex, acabou convidado para uma missão internacional financiada pelo BID para montagem do órgão de controle em Moçambique, que adotou o modelo brasileiro de tribunais de contas.

cução orçamentária do Poder Executivo de todos os entes da Federação. Como houve um aumento considerável do volume de documentos recebidos pelos TCs, gerou-se a necessidade de desenvolver sistemas eletrônicos específicos, o que, por sua vez, permitiu a padronização, a maior eficiência dos procedimentos técnicos e, potencialmente, a redução dos custos operacionais.[16]

Para responder à exigência constitucional de que os TCs estabeleçam relação mais intensa com a sociedade, foi necessário também construir novos aparatos institucionais, como as ouvidorias, as escolas de contas, e serviços como "disque denúncia", "canal do cidadão" e "fale com o presidente", para que os cidadãos possam identificar e denunciar irregularidades. Embora estabelecidas na Constituição de 1988, as ouvidorias só passaram a ser institucionalizadas na última década, muito provavelmente associadas à Lei de Responsabilidade Fiscal.[17] Avaliando a intensidade da incorporação desses instrumentos de controle social por parte dos TCs, verifica-se que apenas sete (22%) dos 32 tribunais examinados possuem ouvidoria institucionalizada, com estrutura desenvolvida especificamente para receber e apurar denúncias, reclamações, sugestões, e até elogios. Além de orientação clara sobre como realizar denúncias, esses TCs têm ainda outros canais de comunicação com a sociedade, como e-mails, formulário online, telefone, disque denúncia, e até quiosques para atendimento.

Quanto às escolas de contas, elas são centros de treinamento para os membros dos TCs, para os jurisdicionados, e inclusive para as entidades públicas envolvidas com esses órgãos.[18] Realizam ainda estudos, e desenvolvem atividades de informação e orientação dos cidadãos sobre como participar na fiscalização das contas públicas. Mesmo não fazendo parte da realidade de todos os tribunais do país, posto que são iniciativas recentes, também vinculadas à Lei de Responsabilidade Fiscal, as escolas de contas estão se difundindo na medida em que essa lei alterou

---

[16] O TCE-SC, por exemplo, distribuiu gratuitamente para os de Tocantins e do Amazonas dois sistemas operacionais criados por seus técnicos (LRF-NET e o ACP). Entrevistados indicaram que a utilização de sistemas informatizados permite a visualização de todo o processo e a identificação de problemas. Com isso, abre-se a possibilidade de atuação preventiva.

[17] A primeira foi criada em 2000, no TCE-PE; em seguida, vieram as ouvidorias do TCE-RS, em 2003, e do TCE-RR, em 2004. Alguns tribunais apenas criaram um serviço de ouvidoria na corregedoria, como o TC-GO.

[18] Deve-se dar destaque especial ao fato de que a escola de contas do TCE-PE faz também treinamento para a população envolvida com o orçamento participativo do Recife, e para membros de organizações da sociedade civil que recebem verbas públicas, como o MST (Teixeira, 2004; Teixeira e Teles, 2003).

diversos mecanismos contábeis, e os fiscalizados passaram a esperar que os TCs atuassem de forma mais educativa do que punitiva.[19]

Com relação à transparência nos TCs, cabe indicar que também experimentaram avanços significativos, quando comparados com o padrão vigente antes, de órgão praticamente isolado da sociedade. Em Pernambuco, por exemplo, o TCE permite acesso livre à prestação de contas do governo, de maneira simplificada e em linguagem compreensível para o cidadão, além de divulgar, em seu portal, os gastos executados pelo próprio órgão. Também o TCE de Mato Grosso disponibiliza dois importantes instrumentos que favorecem o controle social dos gastos públicos: o Portal da Transparência e o Portal do Cidadão. No Portal da Transparência, pode-se verificar as despesas, convênios, contratos e licitações realizados pelo próprio TCE-MT. Recentemente, o tribunal chegou a publicar informações sobre a quantidade de cargos existente, a descrição das atividades correspondentes a cada cargo, a relação, o tipo de vínculo empregatício, e onde está lotado cada funcionário. No que se refere ao Portal do Cidadão, pode-se acessar informações sobre o julgamento de contas de todos e prefeitos e do governador do estado, assim como verificar se os governantes estão cumprindo a Lei de Responsabilidade Fiscal. A existência de mecanismos de transparência pública nos TCs brasileiros — como os exemplificados em Mato Grosso e Pernambuco —, mesmo que não seja generalizada e apresente níveis diferenciados de desenvolvimento, está certamente em expansão no país.

Em seu conjunto, tais inovações têm contribuído para alterar gradativamente o perfil institucional desses órgãos e sua imagem. Em alguns estados, como Pernambuco, Santa Catarina e Rio Grande do Sul, os TCs estão mais próximos dos entes fiscalizados e da sociedade em geral, realizando sistematicamente reuniões, seminários, publicação de cartilhas e até interação sistemática online. Com isso, é de se supor que a imagem e as práticas que caracterizavam historicamente a instituição podem ser reformuladas. Em Santa Catarina, por exemplo, a pesquisa mostrou que o desempenho de seu TC é elogiado por outros órgãos da administração pública, e seus funcionários se orgulham do pioneirismo de muitas de suas inovações.[20]

---

[19] Se, até 2005, apenas o TCU, o TCE-MG e o TCE-PE tinham escolas de contas, em menos de três anos foram criadas mais 15. Hoje, há 18 escolas e institutos de contas públicas nos TCs brasileiros, funcionando algumas delas (TCE-RJ e TCE-RS) também como escolas de gestão.

[20] Entre as quais destaca-se o Plano de Carreira dos Servidores do TCE-SC, aprovado pela Assembleia Legislativa em 2004, estabelecendo que a livre nomeação para os gabinetes dos conselheiros não pode exceder 50% do total (que é de oito funcionários, número pequeno se comparado a outros TCs do país). O avanço da institucionalização democrática no TC-SC revela-se ainda se o confrontarmos, por exemplo, com o TCE-SP, em que não há qualquer restrição formal à livre nomeação nos gabinetes.

Diante desse conjunto de mudanças técnicas e institucionais, cabe indagar: qual é o balanço do processo de desenvolvimento institucional dos tribunais de contas brasileiros?

A dinâmica entre as forças de mudança e as forças de resistência

Para que se tenha uma compreensão mais completa e adequada do processo de desenvolvimento institucional, é preciso considerar não só os fatores de mudança, mas também seus obstáculos. Estes tornam-se maiores quanto mais antigas as instituições, por efeito dos mecanismos de retornos positivos trazidos pelo passar do tempo. No caso dos TCs, como são aparatos institucionais antigos no país (alguns com mais de 100 anos), e, portanto, apresentam fortes mecanismos de resistência ou resiliência, constata-se que as mudanças requerem longo tempo de maturação e ocorrem mediante processos não necessariamente lineares e seguros. Na verdade, os pontos de resistência têm sido maiores do que os de inovação.

Assim, de início, pode-se destacar os impactos limitados produzidos pela própria modernização tecnológica dos TCs. Se esse processo é condição necessária para a realização de trabalho mais eficiente e transparente, seus impactos não implicam necessariamente a transparência completa da instituição que ainda não divulga com clareza seus custos totais, nem, tampouco, o número de funcionários de livre provimento dos conselheiros. Aliás, a despeito dos avanços tecnológicos e das iniciativas de reestruturação organizacional, continuam a prevalecer práticas políticas não democráticas nesses órgãos, como o nepotismo, o clientelismo etc.[21] Na verdade, as nomeações de funcionários para os TCs constituem um dos trunfos políticos mais importantes à disposição de suas elites dirigentes, e revelam o padrão não republicano que tem vigorado historicamente nos TCs brasileiros, resistindo fortemente ao ordenamento democrático do país.

A tabela 1 permite visualizar que o número de funcionários dos TCs varia muito entre os diversos estados da Federação, e não tem a ver com o número de jurisdições fiscalizadas por cada tribunal. Ao contrário, o número de funcioná-

---

[21] O depoimento de um técnico sobre o envolvimento dos conselheiros no programa de modernização dos TCs é bastante expressivo: "Os técnicos é que carregam o Promoex [...]. Os conselheiros não se interessam nada pelo Promoex, eles só querem nomear gente".

rios, incluindo os de livre provimento, depende de negociações com o Executivo e de relações mais ou menos "amistosas" do presidente do tribunal com o governador, que, por prerrogativa constitucional, tem a iniciativa de lei sobre o tamanho do pessoal do Estado. A discricionariedade que continua a existir nesse processo revela-se ainda na ausência de informações estatísticas sobre o número de funcionários de livre provimento existente nos gabinetes dos conselheiros, mesmo no quadro atual de maior transparência dos TCs no que diz respeito à sociedade.

É interessante observar que práticas de nepotismo e clientelismo nos TCs são frequentemente denunciadas, inclusive em estados da Federação de maior desenvolvimento socioeconômico, como São Paulo. Sendo a unidade federativa brasileira com o maior grau de desenvolvimento econômico, com imprensa relativamente mais autônoma em relação ao poder político, poder-se-ia esperar que os TCs paulistas fossem os primeiros órgãos a promover, com a redemocratização e os processos de reforma do Estado que trouxeram novas regras, como a Lei de Responsabilidade Fiscal, inovações para tornar suas práticas mais republicanas. Porém, observa-se razoável descompasso entre o desenvolvimento socioeconômico de São Paulo e o desenvolvimento político-institucional de seus TCs, descompasso que contraria a própria teoria da modernização, bastante conhecida nas ciências sociais (Lipset, 1967; Dahl, 1997).

Alguns exemplos merecem ser citados. Em agosto de 2001, a Câmara Municipal de São Paulo concluiu uma Comissão Parlamentar de Inquérito (CPI) sobre o Tribunal de Contas Municipal, identificando diversas irregularidades em sua gestão,[22] como a existência de 127 cargos de livre provimento (o que representa uma média de 27,4 cargos para cada um dos cinco conselheiros), grande parcela dos quais ocupada por parentes diretos e indiretos de conselheiros: irmãos, sobrinhos, cunhados etc. Para esses cargos de livre provimento, podiam, ainda, ser contratados servidores da administração municipal (mesmo não efetivos), o que abria uma brecha para que pessoas prestes a se aposentar terminassem suas carreiras no TCM, portanto, com remuneração mais elevada a ser incorporada ao valor final de sua aposentadoria. Os conselheiros desse tribunal tentaram, no Judiciário, impedir a abertura da CPI, e criaram diversos obstáculos para responder às informações solicitadas (Teixeira, 2004).

---

[22] Disponível em: <http://www.camara.sp.gov.br/central_de_arquivos/vereadores/cpi-tcm.pdf>.

Tabela 1. Tribunais de contas estaduais

Estado	Ano de criação	Nº de unidades administrativas sob sua jurisdição	Nº de funcionários	Orçamento do TC (% do orçamento estadual)
TCE-AC	1987	207	149	1,16
TCE-AL	1947	256	681	0,87
TCE-AM	1950	282	515	1,48
TCE-AP	1991	120		2,12
TCE-BA	1915	380	720	0,45
TCE-CE	1935	119	205	0,28
TC-DF	1960	124	589	2,32
TCE-ES	1954	386	484	0,81
TCE-GO	1947	49	507	0,95
TCE-MA	1946	518	306	0,98
TCE-MG	1935	2.196	1.291	0,89
TCE-MS	1979	630	428	2,55
TCE-PA	1947	81		1,34
TCE-PE	1968	720	616	1,47
TCE-PB	1970	650	352	1,05
TCE-PI	1991	1.174	104	0,72
TCE-PR	1947	1.330	477	0,93
TCE-RJ	1947	640	240	0,80
TCE-RN	1957	452	332	0,92
TCE-RO	1983	203	284	1,54
TCE-RR	1988	85	206	1,69
TCE-RS	1935	1.218	1.005	1,01
TCE-SC	1955	1.871	451	0,74
TCE-SE	1969	235	353	1,88
TCE-SP	1921	3.021	1.364	0,34
TCE-TO	1989	350	356	0,84
TCM-BA	1980	954	449	0,27
TCM-CE	1954	1.584	300	0,22
TCM-GO	1977	1.204	293	0,57
TCM-PA	1980	630	177	0,77
TCE-MT	1953	497	400	1,61

Fonte: Figueiredo, Melo e Pereira (2006).

Política e reforma institucional

No TCE-SP verifica-se situação semelhante, inclusive em período mais recente. Denúncias publicadas em jornais no final de 2007 revelavam que os conselheiros desse órgão empregavam parentes diretos e indiretos em seus gabinetes, configurando mais uma vez a prática de nepotismo.[23] A repercussão das denúncias rendeu a abertura de inquérito e gerou reação imediata da própria direção do TCE-SP, que publicou resolução proibindo a contratação direta ou cruzada, sem concurso público, de cônjuge, parente direto ou indireto de conselheiros e auditores, além de fixar um prazo de 90 dias para a demissão dos funcionários já contratados (*Folha de S.Paulo*, 10 jan. 2008).

A rápida mudança de postura dos conselheiros — justificada por eles como decorrente das ações do Conselho Nacional de Justiça (CNJ) contra tal prática no Poder Judiciário — pode ser interpretada como enfraquecimento dos fatores de resistência por efeito de pressões externas e de maneira incremental. Relembramos que, da mesma forma que o STF, por meio de Adins, obrigou o TCE-SP a incluir em seu corpo dirigente auditores de carreira e membros do Ministério Público de Contas, o revés da questão do nepotismo só foi possível pela ação de fatores exógenos, isto é, a repercussão da matéria publicada na imprensa.

O atraso institucional do TCE de São Paulo também se estende à criação da carreira de auditor substituto de conselheiro. Embora essa carreira esteja prevista desde a Constituição de 1988, o projeto de lei abrindo tal concurso público só foi encaminhado em 2005 e, mesmo assim, só veio a ser aprovado pela Assembleia Legislativa em outubro de 2007. Além disso, tal cargo foi criado com baixíssima remuneração comparativamente a outros tribunais, o que pode ser certamente interpretado como uma última forma de resistência às mudanças promovidas pela Constituição de 1988.[24]

---

[23] Ver *Folha de S.Paulo*, 26 dez. 2007. Além do presidente, que empregava o irmão — funcionário de carreira da polícia civil —, o vice-presidente nomeara cinco filhos para funções com remuneração superior a R$ 12 mil mensais, e os demais conselheiros também haviam nomeado irmãos e noras como funcionários de seus respectivos gabinetes. Denúncias de irregularidades no TCE-SP são frequentes e datam de muito tempo. Em 3 de fevereiro de 2003, a *Folha de S.Paulo* já publicara matéria indicando que um funcionário nutricionista do TCE-SP trabalhava, desde 1995, na residência particular de um conselheiro para cuidar da saúde de seu pai.

[24] Enquanto o TCE-MT realizou concurso em janeiro de 2008, oferecendo remuneração de cerca R$ 20 mil (ver edital em <http://www.fmp.com.br/php/home.php>), o TCE-SP está oferecendo apenas R$ 3.800,00 para 40 horas semanais de jornada de trabalho. Se nessa remuneração não estão incluídas possíveis gratificações específicas do cargo, há, porém, impedimento para o exercício de outras atividades profissionais que não o magistério. O auditor substituto só terá

Também o projeto de lei criando o Ministério Público de Contas no TCE-SP, de onde seria recrutado um membro para o Conselho do Tribunal, encontra-se, desde 2005, em tramitação na Assembleia Legislativa. Segundo informações de técnicos desse órgão, os deputados estaduais, certamente interessados na manutenção da prática costumeira de livre nomeação pelo governador (sobre a qual acabavam tendo alguma influência), demonstram pouco interesse em formalizar essa mudança institucional.[25]

Além de nepotismo e clientelismo, nos TCs brasileiros também há casos de corrupção que chegaram a levar conselheiros à prisão em diversas regiões do país, nos últimos dois anos, por efeito da maior eficiência dos órgãos de investigação criminal. Vale a pena citar aqui alguns exemplos. Em abril de 2006, a Polícia Federal investigou o desvio de recursos da Assembleia Legislativa de Rondônia, levando à prisão por fraude um conselheiro do TCE-RO (*Folha de S.Paulo,* 10 ago. 2006). Em abril de 2007, o STF afastou um conselheiro do TCE-ES e abriu processo criminal contra ele, com base em denúncias oferecidas pelo Ministério Público Federal, que o relacionava à prática de peculato, lavagem de dinheiro e formação de quadrilha, em processo que se arrastava desde 2003, e que também envolveu o ex-presidente da Assembleia Legislativa, que cumpre pena em prisão (*Folha de S. Paulo,* 18 abr. 2007). Em novembro de 2007, a Polícia Federal forneceu subsídios para que o Judiciário determinasse a prisão de vários funcionários públicos, incluindo o presidente do TCE-BA, por suspeita de desvio de recursos em contratos superfaturados (*Folha de S.Paulo,* 23 e 24 nov. 2007).

Estes e muitos outros exemplos de nepotismo e corrupção, ocorridos em TCs de diferentes estados da Federação, revelam os limites das nossas instituições democráticas, que não incluem ainda mecanismos eficientes de controle dos próprios órgãos de controle (ou seja, não incluem regras de controle dos guardiões).

Diferentemente dessa visão que pode ser chamada de tecnicista, não consideramos que a política seja sempre uma dimensão negativa. Ao contrário, ela

---

direito à remuneração de conselheiro (cerca de R$ 22 mil) no período em que estiver substituindo um deles, ou quando assumir definitivamente a função.

[25] A resistência ao desenvolvimento de instituições democráticas no TCE de São Paulo manifesta-se em várias outras dimensões: a não divulgação do número de funcionários de livre provimento, dando margem a estimativas que chegam a até 30 pessoas por gabinete, e nomeação de parentes e correligionários com salários altíssimos, como a imprensa denunciou fartamente no início de 2008.

contém aspectos positivos e fundamentais em uma ordem democrática. Assim, destacamos alguns avanços — ainda que modestos — contidos na politização dos órgãos de controle de contas dos governantes. A primeira dimensão positiva é a redução do insulamento dos TCs em relação às diferentes forças políticas do Estado e da sociedade. Cabe citar, como exemplo, o processo de formação de lista tríplice para a escolha de conselheiros nas cotas dos auditores substitutos e de representantes do Ministério Público de Contas. A lista já começa a ser construída em discussão com os auditores e membros do MPC, antes de ser encaminhada formalmente ao governador, envolvendo negociações dos conselheiros com as corporações profissionais, com o governador e com o Legislativo. Mesmo que essa nova situação possa se encaminhar para um jogo de pressões corporativas, ainda é menos indesejável do que o padrão anterior, no qual o governador monopolizava a escolha dos conselheiros, pautando-se predominantemente por critérios pessoais e clientelistas.

A segunda dimensão positiva da politização — decorrente também do processo de democratização do país — pode ser encontrada na conjuntura política já descrita por Figueiredo, Melo e Pereira (2006), a maior competição eleitoral para o Poder Executivo. Segundo esses autores, quanto maior a possibilidade de alternância das forças políticas no Executivo, maior a capacidade de fiscalização dos governos por parte dos TCs.

Reforçando os aspectos de resistência e resiliência institucional presentes nos TCs brasileiros, menção especial pode ser feita ao perfil dos dirigentes. Mesmo que a Constituição de 1988 tenha estabelecido novas exigências de qualificação para a ocupação dos cargos de direção nos TCs e atribuído maior poder de indicação ao Legislativo, observou-se que o perfil dos dirigentes pouco mudou nas duas últimas décadas. As tabelas 2 e 3 permitem confrontar o perfil dos dirigentes anteriores à Constituição de 1988 com o dos atuais.

Tabela 2. Confronto da formação educacional dos dirigentes de TCs no período pré e pós-1988*

TCs	Nº de currículos analisados		Formação acadêmica						
			Direito		Administração, economia e contabilidade		Sem dados ou sem formação superior		Medicina, engenharia e outros	Outros
	Pré	Pós	Pré	Pós	Pré	Pós	Pré	Pós	Pré	Pós
TCE-MG	36	7	27	7	3	0	2	0	4	0
TCE-SC	40	8	21	2	3	2	7	2	9	2
TCM-SP	9	5	9	3	0	0	0	2	0	0
TCM-BA	17	7	3	3	2	1	4	0	8	3
TCM-RJ	5	7	2	4	1	1	0	0	1	1
Total	107	34	62	19	9	4	13	4	22	6
%			58	59	6	5	6	5	19	17

Fonte: Elaboração dos autores com base em informações fornecidas pelos TCs.
* Os dados referem-se apenas aos tribunais que disponibilizaram informações.

Tabela 3. Confronto do perfil de carreira anterior à indicação aos TCs no período pré e pós-1988*

TCs e datas de criação**	No de conselheiros nomeados nos períodos		Idade na posse: + de 60 anos		Carreira político-parlamentar				Somente carreira burocrática	
					Somente político local (vereador, prefeito)		Político estadual (deputado estadual)			
	Pré	Pós	Pré	Pós	Pré	Pós	Pré	Pós	Pré	Pós
TCE-MG (1935)	36	7	12	3	2	1	23	5	8	1
TCE-SC (1956)	40	8	13	2	0	1	18	5	14	0
TCM-SP (1967)	9	5	1	1	4	4	1	0	4	1
TCM-BA (1991)	17	7	3	2	2	0	7	1	6	5
TCM-RJ (1981)	5	7	0	1	2	2	1	0	2	4
Total	107	34	29	9	10	8	50	11	34	11
(%)			27,1	26,4	9,3	23,5	46,7	32,3	31,7	32,3

Fonte: Arquivos dos tribunais.
* Só os TCs que dispunham de dados anteriores a 1988, permitindo a comparação.
** Os dados referem-se apenas aos tribunais que disponibilizaram informações.

Um dos aspectos de interesse a observar na tabela 3 é a correspondência entre o nível da Federação em que atuam os dirigentes dos TCs e a carreira política exercida predominantemente no período anterior à nomeação. Assim, há um percentual elevado de ex-vereadores ou políticos com carreira local nos tribunais municipais, de políticos com projeção estadual nos tribunais estaduais, e, no TCU, de nomeados com projeção nacional, como deputados federais ou senadores. Isso vale para os dois períodos comparados. Por outro lado, os dados permitem observar que o período pós-1988 não apresenta mudança significativa no perfil dos dirigentes, nem com relação à formação educacional, à idade no momento da posse, nem tampouco com relação à carreira política anterior. Continuam predominando os bacharéis em direito, que chegam a quase 60%, mesmo que a legislação não exija exclusividade de formação jurídica. Quanto à carreira política prévia à nomeação para os TCs, observa-se que a exigência da Constituição Federal de 1988 — de que o Poder Executivo escolha necessariamente duas de suas três vagas entre membros de carreiras burocráticas específicas — não alterou significativamente a presença de conselheiros recrutados fora dos meios partidários (aqueles que vieram somente da carreira burocrática passaram de 31,7% para 32,3%, na comparação entre os períodos). Isso pode ser explicado pelo fato de o Legislativo ter ganhado o monopólio da nomeação de dois terços das vagas, o que muito provavelmente responde pela manutenção da proporção de conselheiros provenientes da carreira parlamentar (cujo percentual gira em torno de 56% nos dois períodos). Em outras palavras, se, por um lado, a alteração que exigiu a indicação de dois terços dos dirigentes dos TCs pelo Legislativo reforçou a presença de ex-parlamentares, por outro, as nomeações efetuadas pelo Executivo devem ser feitas, por lei, entre membros do Ministério Público de Contas e da carreira de auditores substitutos. As duas alterações se neutralizaram mutuamente, resultando na presença majoritária (mais de 50%) de conselheiros recrutados na arena político-partidária também no período pós-1988.

Do ponto de vista da idade no momento da posse, observou-se que a exigência constitucional de idade mínima de 65 anos também não gerou efeitos no perfil etário de ingresso na carreira de dirigente do TC. Se, no período pré-1988, 33% entravam com mais de 60 anos, esse percentual cai menos do que se poderia esperar, passando para 27%. De toda forma, alguma mudança deve estar em curso como efeito da exigência de idade mínima, posto que as informações levantadas para o passado, mesmo parcas, indicavam situações graves de conselheiros que permaneciam um reduzido tempo no cargo e, muito provavelmente, usufruíam benefícios de aposentadoria especial. A tabela 4 apresenta informações sobre o tempo de permanência no cargo de conselheiro.

Tabela 4. Tempo de permanência no cargo de conselheiros

Tempo no cargo	TCE-MG		TCE-SC		TCM-SP		TCM-BA		TCE-RS	
	Anos	%	Anos	%	Anos	%	Anos	%	Anos	%
Até 2 anos	5	14,28	11	26,83	0	0	3	17,64	8	21,05
De 3 a 5 anos	4	11,43	8	19,51	1	11,11	1	5,89	9	23,68
De 6 a 10 anos	13	37,15	11	26,83	3	33,33	5	29,41	6	15,79
De 11 a 20 anos	9	25,72	9	21,95	3	33,33	7	41,17	10	26,32
+ de 21 anos	4	11,42	2	4,88	2	22,23	1	5,89	5	13,16
Total	35	100	41	100	9	100	17	100	38	100

Fonte: Elaboração dos autores a partir de informações sobre inativos disponibilizadas pelos TCs.

Observa-se nesta última tabela que os TCs de Santa Catarina e do Rio Grande do Sul apresentam os maiores percentuais de curta permanência no cargo de conselheiro: cerca de 50% dos aposentados aí permaneceram menos de cinco anos em atividade.[26] Esses dados, referentes ao período anterior à Constituição de 1988, podem ser contrastados com a maior adesão atual desses mesmos tribunais a práticas mais modernizadoras e republicanas.

Em suma, além das práticas de nepotismo e corrupção que ainda resistem ao processo de democratização e de maior transparência gerado pela modernização tecnológica dos TCs, não houve alterações significativas no perfil de carreira de seus dirigentes. Os dados reforçam a ideia de que existe nos TCs, assim como em outras instituições políticas, grande resistência à mudança, que só ocorre de forma incremental ou acionada por fatores externos. Nos meios políticos, operam com maior intensidade os chamados ativos institucionais e os retornos positivos crescentes para seus atores. Estes continuam usufruindo os investimentos que aí fizeram e resistem, até o limite do seu próprio esgotamento, a mudanças que possam ameaçar a velha ordem institucional (Lijphart, 1999; Pierson, 2004).

---

[26] No material coletado, observam-se situações extremadas. No TCE-SC, por exemplo, dois conselheiros ficaram no cargo, respectivamente, dois e seis meses. O primeiro, entre 12-3 e 3-5-1968, e o segundo, de 2-1 a 30-7-1963. Em Minas Gerais, nos anos 1930, José Maria Alkmin ficou no cargo um ano, abandonando-o logo em seguida para voltar à política partidária; em período mais recente, outro conselheiro, indicado por Tancredo Neves, permaneceu pouco mais de cinco meses. No TCM-BA, no período de transição democrática, um ex-deputado estadual permaneceu no cargo de conselheiro apenas oito meses.

Considerações finais

Este capítulo teve como propósito analisar as transformações ocorridas nos TCs no Brasil nas últimas décadas, à luz da discussão da temática do desenvolvimento institucional. Essa perspectiva analítica permite considerar os processos de mudança ocorridos a longo prazo nas arenas políticas, enfatizando não só a resistência por parte dos atores institucionais ou sociais que têm poder de veto, mas também as conjunturas críticas que levam adiante as transformações, mesmo que de forma incremental.

No caso concreto dos TCs, a conjuntura crítica da democratização e da Constituição de 1988 trouxe mudanças, mas estas não foram totalmente implementadas em função da capacidade de veto das elites dirigentes (corpo de conselheiros, governadores e parlamentares). Isso ocorreu de maneira mais ou menos intensa nos diferentes tribunais do país. O caso de São Paulo, por exemplo, mostrou maior capacidade de resistência à mudança.[27]

Por outro lado, a nova conjuntura crítica da Lei de Responsabilidade Fiscal alterou esse quadro de forças políticas. As turbulências financeiras que atingiram a economia brasileira exigiram a implementação de novas práticas de responsabilidade fiscal e, consequentemente, o aparelhamento dos TCs para fiscalizar sua execução. A ampliação das funções dos tribunais, sua modernização tecnológica para atender às novas exigências legais, a valorização de seus quadros técnicos (especialmente dos auditores), além do maior poder institucional do Ministério Público no país (Arantes, 2002), tudo isso reduziu a capacidade de veto dos que queriam a manutenção do *status quo* nos TCs. Ou seja, muitas das inovações trazidas pela Constituição de 1988 com relação a esses órgãos, e que permaneciam bloqueadas, puderam ser, então, efetivadas. Em outras palavras, fatores exógenos decorrentes de uma nova conjuntura crítica permitiram a neutralização dos mecanismos de *path dependence*, fazendo com que o retorno positivo do *status quo* não mais ocorresse de forma crescente. Essa é, na verdade, uma das interpretações possíveis dos fatos mencionados sobre os tribunais de São Paulo, referentes à im-

---

[27] As razões político-institucionais que explicam a maior capacidade de veto dos TCs em São Paulo, e, ao mesmo tempo, seu relativo maior atraso institucional na adoção das mudanças trazidas pela Constituição de 1988, não puderam ser explicadas no âmbito deste capítulo, e necessitam de pesquisas mais específicas. Todavia, é plausível que estejam associadas a possibilidades menores de alternância política e, portanto, a menor demanda de fiscalização — como indicaram Figueiredo, Melo e Pereira (2006) — com maior poder de veto dos TCs às mudanças.

posição da carreira de auditor substituto e à proibição de práticas de nepotismo. As mudanças que acabaram ocorrendo nesse caso, mesmo tardiamente, se comparadas às de outros tribunais, resultaram da consolidação da ordem democrática no país (refletida, por exemplo, em uma imprensa mais livre para exercer denúncias), e também têm relação com o desenvolvimento de certa cultura política de maior responsabilidade fiscal, já identificada nos últimos anos (Loureiro e Abrucio, 2004).

Quanto aos três mecanismos de desenvolvimento institucional — superposição, conversão e difusão —, foram observados, nos TCs, principalmente os processos de superposição funcional, já exemplificados em outras áreas da estrutura burocrática brasileira. As escolas de contas, como a de Pernambuco, estão configurando um novo espaço de poder, paralelo ao colegiado dos conselheiros, visto que dispõem de dotação orçamentária específica e quadro funcional próprio, e que sua direção tem sido objeto de disputa por conselheiros e técnicos. Além disso, essas escolas têm atuado como instrumentos de articulação dos TCs com a sociedade, projetando seus técnicos para outros espaços institucionais, como o meio acadêmico, imprensa e até agências internacionais.

O processo de difusão institucional nos TCs é relativamente frequente e se associa a mecanismos de superposição. Obviamente, não implicam a mudança estrutural da instituição, como sugere a literatura, mas apenas alterações de aspectos pontuais e, mesmo assim, de forma gradual e diferencial. É o caso das ouvidorias, que se difundem gradativamente nos TCs, e das escolas de contas. É ainda o caso da prática, bastante difundida entre os diferentes tribunais do país, de "orientar antes de punir os jurisdicionados". Essa prática surgiu a partir da Constituição de 1988 (que reforçou o controle predominantemente *a posteriori*) e se fortaleceu, em especial, após a Lei de Responsabilidade Fiscal.[28]

Com relação aos mecanismos de conversão funcional (*functional conversion*), cabe destacar que esse processo não pode ser atribuído aos TCs, devido a sua própria natureza de órgão constitucional de controle das contas dos governantes. Todavia, os TCs experimentaram o processo de ampliação funcional, ao incorporarem novas funções. Além das atribuições resultantes da Lei de Responsabilidade Fiscal, pode-se citar ainda o treinamento de pessoal para atuar em novos quadros institucionais, como os dos orçamentos participativos, das auditorias de desem-

---

[28] Alguns procedimentos, como as licitações, por exemplo, são submetidos a controles *a priori*, e outros, a controles *concomitantes*, como as auditorias operacionais.

penho e de avaliação de programas, as chamadas auditorias de natureza operacional (Anops). Com tais auditorias, os TCs não se concentram apenas, como antes, nos aspectos legais da aplicação dos recursos públicos. Passam a avaliar, também, os resultados das políticas públicas, desenvolvendo trabalho articulado com os gestores de tais políticas. Realizando o chamado controle concomitante e não apenas *a posteriori*, a ampliação funcional tem efeitos nas políticas públicas por permitir a correção de rota e a consequente redução de eventuais prejuízos financeiros aos cofres públicos.

Em seu conjunto, a análise aqui efetuada indica que os pontos de resistência têm sido maiores do que os de inovação. Isto porque a modernização tecnológica dos TCs não implicou a transparência completa da instituição. Ela própria não apresenta ainda desempenho nessa área, ou seja, não divulga seus custos totais, nem tampouco o número de funcionários de livre provimento nos gabinetes dos conselheiros, salvo poucas exceções, como nos estados de Santa Catarina, Pernambuco e Mato Grosso.[29] Configura-se, assim, situação em que não há instâncias de controle dos próprios controladores.

Por outro lado, o nepotismo e o clientelismo ainda são fartamente denunciados, revelando a resistência à democratização e a permanência do padrão não republicano que tem vigorado historicamente nesses órgãos. A teoria do desenvolvimento institucional ajuda a compreender tal situação, ao apontar que, em instituições antigas — como os TCs brasileiros, que datam de mais de um século —, os fatores de resistência têm mais peso, por efeito dos mecanismos de *path dependence*, isto é, de retornos positivos trazidos pelo simples passar do tempo. Isso dá aos agentes ligados ao *status quo* mais força política do que aos agentes da mudança.

Com relação às diferenças apresentadas entre esses órgãos no conjunto do país, seu mais completo entendimento exige estudos qualitativos mais aprofundados. Como aqui constatado, os TCs de São Paulo apresentam situação de considerável atraso institucional se comparados com os de estados menos desenvolvidos, marcando um descompasso entre o desenvolvimento socioeconômico e o das instituições políticas.

Todavia, a despeito da heterogeneidade de graus de transparência e dos diferentes níveis de obstáculos à institucionalização de regras democráticas, não se

---

[29] A nomeação de funcionários de livre provimento é um trunfo político importante à disposição das elites dirigentes dos TCs. Aliás, o número de seus funcionários varia muito, e não tem relação com o número de jurisdições fiscalizadas pelos tribunais (Figueiredo, Melo e Pereira, 2006).

pode anular ou descaracterizar as mudanças que vêm pouco a pouco ocorrendo ao longo das últimas décadas. Procurando evitar incorrer em uma visão "maximalista" (do tudo ou nada), que só considera mudanças sociais efetivas as que são completas (com relação a um receituário abstrato previamente estabelecido) e realizadas de uma só vez, consideramos que as transformações institucionais se processam de forma incremental, e não necessariamente de maneira linear ou deliberada. Isto porque a dinâmica das forças políticas pode gerar resultados inesperados (nem sempre negativos), sob a pressão de fatores externos ao próprio ambiente institucional considerado.

Nesse caso, é preciso levar em conta que as inovações têm contribuído para alterar gradativamente o perfil institucional dos TCs perante a sociedade e o restante do sistema político brasileiro. Em alguns estados, como Pernambuco, Santa Catarina e Rio Grande do Sul, os TCs estão mais próximos dos entes fiscalizados e da sociedade em geral, realizando sistematicamente reuniões, seminários, publicação de cartilhas e até interação sistemática online. Com isso, pode-se supor que a imagem e as práticas que caracterizaram historicamente a instituição venham a ser gradativamente reformuladas. Em Santa Catarina, por exemplo, a pesquisa revelou que o desempenho do Tribunal de Contas é elogiado por outros órgãos públicos, e que seus funcionários se orgulham do pioneirismo de muitas de suas inovações.[30] Além disso, a ampliação das funções parece estar também gerando mudança na própria imagem dos TCs diante do restante da administração pública: "Ao se aproximarem dos gestores públicos, os tribunais perdem a imagem de algozes".

Cabe relembrar ainda o papel das variáveis exógenas, e mesmo a influência de crises econômicas, como as que geraram a Lei de Responsabilidade Fiscal e a atribuição de novas competências aos TCs. Essas variáveis criaram oportunidades não só para o surgimento de atores políticos favoráveis à mudança (partidos, lideranças, imprensa, organizações sociais e, na área específica dos TCs, os auditores substitutos e o Ministério Público de Contas), mas, sobretudo, vêm permitindo que efetuem gradualmente tais mudanças. Portanto, a análise política que enfoca o longo prazo e os processos incrementais não pode perder de vista tal dimensão.

---

[30] Entre elas, o Plano de Carreira dos Servidores do TCE-SC, aprovado pela Assembleia Legislativa em 2004, estabelecendo que a livre nomeação para os gabinetes dos conselheiros não pode exceder 50% do total (oito funcionários, número pequeno se comparado a outros TCs do país). O caráter mais avançado em termos da institucionalização democrática do TCE-SC revela-se ainda se o confrontarmos, por exemplo, com o TCE-SP, em que não há qualquer restrição formal à livre nomeação nos gabinetes.

Por fim, não é possível deixar de mencionar que a partilha de poder entre o Legislativo e o Executivo, na seleção do corpo dirigente dos tribunais de contas, representa claro avanço institucional trazido pela Constituição de 1988. Todavia, os critérios de recrutamento da alta cúpula decisória dos tribunais e a ausência de instrumentos para sua responsabilização política continuam desafiando o aperfeiçoamento da democracia brasileira. Ainda predomina o recrutamento orientado por lógica clientelista ou de troca de favores políticos. Os auditores de carreira dos tribunais e os membros do Ministério Público de Contas representam apenas dois terços dos três indicados na cota do Executivo. Os demais — cinco conselheiros nos TCEs e sete ministros no TCU — são, geralmente, selecionados entre os próprios parlamentares. E, via de regra, essa escolha é pautada por acordos entre o governo e o Legislativo, orientados por lógica de interesses particularistas. Dessa forma, é preciso que se reduza tal assimetria numérica, para que a apreciação das contas dos governantes encontre maior equilíbrio entre a dimensão técnica e política, e para que os tribunais possam exercer suas atividades com mais autonomia em relação ao Executivo e a eventuais pressões de membros individuais do Legislativo.

Mais importante, é necessário que se concretizem iniciativas de criação de instrumentos de controle dos próprios controladores, como é o caso das propostas de criação do Conselho Nacional dos Tribunais de Contas. À semelhança do Conselho Nacional de Justiça, já em funcionamento no país, estão em tramitação no Congresso Nacional, duas propostas de emendas constitucionais (PECs) para criação de um conselho que deverá exercer o controle sobre a atuação administrativa e financeira de todos os tribunais de contas.[31] Se a criação desse conselho se concretizar, como se espera, os dirigentes dos tribunais de contas que, porventura, coloquem em risco os princípios republicanos poderão vir a ser responsabilizados. Em suma, tais mudanças institucionais, nos tribunais de contas, constituem parte significativa de um conjunto mais amplo de condições necessárias para o aperfeiçoamento mais efetivo da democracia no Brasil.

---

[31] São as PECs 28/2007, do senador Vital do Rêgo Filho e a 30/2007 de autoria do ex-senador, e hoje governador do Espírito Santo, Renato Casagrande. A PEC do senador Casagrande propõe a criação de um conselho com 17 integrantes, incluindo representantes de grupos organizados na sociedade civil, como OAB. A PEC proposta por Vital Rêgo prevê um conselho composto por nove membros, exclusivamente originários dos TCS, e conta com o apoio da Associação Nacional dos Tribunais de Contas (Atricon).

Bibliografia

ABRUCIO, Fernando Luiz; ARANTES, Rogério Bastos; TEIXEIRA, Marco Antonio Carvalho. A imagem dos tribunais de contas subnacionais. *Revista do Serviço Público*, Brasília, v. 56, n. 1, p. 57-85, 2005.

_____; LOUREIRO, Maria Rita Garcia. Finanças Públicas, democracia e accountability. In: BIDERMAN, Ciro; ARVATE, Paulo (Orgs.) *Economia do setor público no Brasil*. Rio de Janeiro: Campus/FGV, 2005.

ARANTES, R. B. *Ministério Público e política no Brasil*. São Paulo: Sumaré, Educ, 2002.

ASAZU, Claudia Yukari. Os caminhos da Lei de Responsabilidade Fiscal (LRF): instituições, ideias e incrementalismo. 2003 Dissertação (Mestrado em Administração Pública e Governo) – Fundação Getulio Vargas, São Paulo, 2003.

AZEVEDO, L.; REIS, A. R. *Roteiro da impunidade*. São Paulo: Scritta, 1994.

CITADINI, R. *O controle externo da administração pública*. São Paulo: Max Limonad, 1994.

DAHL, R. *Poliarquia*. São Paulo: Edusp, 1997.

FERNANDES, Jorge Ulisses Jacoby. A responsabilidade fiscal sob a ótica do controle. In: MACRUZ, João Carlos et al. (Orgs.). *Responsabilidade fiscal*. Rio de Janeiro: América Jurídica, 2002.

FIGUEIREDO, Lúcia Valle. *Controle da administração pública*. São Paulo: RT, 1991.

FIGUEIREDO, Maurício; MELO, Marcus; PEREIRA, Carlos. Political and electoral accountability enhances accountability: a comparative analysis of courts of accounts in Brazil. In: INTERNATIONAL CONGRESS OF LASA. *Proceedings...* San Juan, 2006.

GRAU, N. C. *Nuevas formas de gestión pública y representación social*. Caracas: Centro Latinoamericano de Administración para el Desarrollo, Nueva Sociedad, 1997.

GUALAZI, Eduardo Lobo Botelho. *Regime jurídico dos tribunais de contas*. São Paulo: RT, 1992.

LIJPHART, A. *Patterns of democracy*. Government forms and performance in thirty-six countries. New Haven: Yale University Press, 1999.

LIPSET, S. *O homem político*. Rio de Janeiro: Zahar, 1967.

LOUREIRO, Maria Rita; ABRUCIO, Fernando Luiz. Política e reformas fiscais no Brasil Recente. *Revista de Economia Política*, São Paulo, v. 24, p. 50-72, 2004.

MAHONEY, J. Qualitative methodology and comparative politics. *Comparative Political Studies*, v. 40, n. 2, p. 122-144, Feb. 2007.

MANSOUR, Tatiana Rebello. *Tribunal de Contas do Acre*: considerações sobre eficiência e eficácia do controle externo. 2001. Dissertação (Mestrado em Administração Pública) – Fundação Getulio Vargas, São Paulo, 2001.

MARTINS, C. E. *O circuito do poder*. São Paulo: Humanitas, 1994.

MAZZON, José Afonso; NOGUEIRA, Roberto. *Projeto de prestação de serviço especializado para realização de pesquisa e proposição de iniciativas para adequada implantação da Lei de Responsabilidade Fiscal (LRF) pelos tribunais de contas estaduais e municipais*. São Paulo: FIA/USP, 2002. (Relatório de Pesquisa).

MEDAUAR, Odete. *Controle da administração pública*. São Paulo: RT, 1993.

MOREIRA, Elisabete de Abreu e Lima; VIEIRA, Marcelo Milano Falcão. Estruturas de poder e instituições como determinantes da efetividade do Tribunal de Contas do Estado de Pernambuco (TCE-PE). *Organizações & Sociedade*, v. 10, n. 26, p. 119-134, 2003.

O'DONNELL, G. *Accountability* horizontal e novas poliarquias. *Lua Nova*, São Paulo, Cedec, n. 44, 1998.

OLIVEIRA, Telma Almeida. *O controle da eficácia da administração pública no Brasil*. 1994. Dissertação (Mestrado em Administração) – NPGA/UFBA, Salvador, 1994.

PESSANHA, C. *Relações entre os poderes Executivo e Legislativo no Brasil – 1946 a 1994*. 1997. Tese (Doutorado em Ciência Política) – USP, São Paulo, 1997.

PIERSON, P. *Politics in time:* history, institutions and social analysis. Princeton: Princeton University Press, 2004.

SOUZA, Osvaldo Rodrigues. *A força das decisões do Tribunal de Contas*. Brasília: Brasília Jurídica, 1998.

SPECK, Bruno. *Inovação e rotina no Tribunal de Contas da União*. São Paulo: Konrad Adenauer, 2000.

_____. *Situação atual do TCM-SP: outras possibilidades de funcionamento*. Texto apresentado ao Fórum de dates sobre o TCM, realizado pela Câmara Municipal de São Paulo. São Paulo, 2001. Mimeo. .

_____; NAGEL, José. A fiscalização dos recursos públicos pelos tribunais de contas. In: SPECK, Bruno (org.). *Caminhos da transparência*. Campinas: Editora Unicamp, 2002.

TEIXEIRA, M. A. *Entre o técnico e o político:* o Tribunal de Contas do Município de São Paulo e o controle financeiro das gestões Luíza Erundina (1989-1992) e Paulo Maluf (1993-1996). 2004. Tese (Doutorado em Ciências Sociais) – PUC-SP, São Paulo, 2004.

_____; TELES, F. *A Escola de Contas Prof. Barreto Guimarães do Tribunal de Contas de Pernambuco*. São Paulo: Programa Gestão Pública e Cidadania/FGV, 2003.

6

Desenvolvimento institucional na trilha das políticas públicas: um estudo de caso sobre o Banco Central do Brasil*

Matthew Taylor

Estudos recentes enfatizam, corretamente, a ideia de que os resultados das políticas públicas derivam de determinantes institucionais (Ahrens, 2002; Haggard e McCubbins, 2001; Stein et al. 2006). Mas a literatura sobre desenvolvimento institucional registra, em escala crescente, que as instituições não têm caráter permanente. Por vezes, em momentos de crise, algumas são substituídas por outras e, com frequência, evoluem pouco a pouco ao longo do tempo. Este capítulo ilustra a tese de que o processo de *policymaking* pode ser o motor de um desenvolvimeno institucional gradativo, pelo qual as instituições evoluem mediante a acumulação de escolhas políticas feitas ao longo de muitos anos e por diferentes decisores, em resposta a eventos atuais e a desafios inesperados, econômicos e políticos.

Assim, ao mesmo tempo que as instituições têm efeito palpável sobre as escolhas de políticas, o oposto também pode ser bastante significativo. Embora o marco institucional continue sendo importante para definir os resultados futuros de uma política, frequentemente a causalidade caminha na direção oposta: o ritmo e a ordem das escolhas de políticas e o ajustamento das instituições aos processos

---

* Este capítulo foi publicado anteriormente em inglês com o título "Institutional Development through Policymaking: A Case Study of the Brazilian Central Bank" *World Politics*, (v.61, n.3, p.487-515, July 2009). Agradeço à Lourdes Sola pela cuidadosa tradução e os inúmeros aportes substantivos ao texto

de formação das políticas são fatores importantes do desenvolvimento institucional. O caminho institucional é, também por isso, mais complexo, evolutivo e multivariado do que habitualmente se supõe. Em consequência, conjunturas críticas podem se revelar bem menos significativas, como momentos de mudança institucional — ou, no mínimo, mais ambivalentes —, do que os caminhos mais cotidianos das políticas públicas que respondem aos desafios de governança do dia a dia.

Ilustro esses argumentos com a análise da evolução do Banco Central do Brasil (BC) nas seis décadas subsequentes a 1945. A vantagem, nesse caso, consiste no fato de uma reforma institucional de grande porte ter sido empreendida em dois momentos-chave da história brasileira: no início do regime militar de 1964 e depois, mais uma vez, na gênese do regime democrático, nos anos 1980. No entanto, o BC hoje é notavelmente diferente do banco central concebido nessas conjunturas críticas, sendo um *player* mais autônomo e mais poderoso do que o previsto em quaisquer desses dois momentos.

Para começar, passemos a uma rápida conceituação das relações entre os processos de *policymaking* e de desenvolvimento institucional. Em seguida, ao estudo do caso histórico em dois níveis: primeiro, mediante a análise de duas conjunturas críticas ocorridas nas quatro décadas entre a II Gerra Mundial e o colapso do regime militar; segundo, com um olhar atento no processo de formação do BC, mediante a formação de políticas públicas nas duas décadas que se seguiram à promulgação da Constituição de 1988.

O processo de *policymaking* como fonte de mudança institucional endógena

As teorias da mudança institucional podem ser categorizadas de modo sucinto, conforme as mudanças sejam causadas por forças exógenas ou endógenas, e conforme ocorram em circunstâncias excepcionais ou ordinárias. Os primeiros trabalhos nessa área enfatizaram as fontes de mudança exógenas, cuja variante mais influente talvez seja o modelo de Krasner, "de equilíbrio pontuado", segundo o qual as instituições são substituídas abruptamente, tornam-se estáticas e, depois, são substituídas por outras. Há um pressuposto subjacente a esse tipo de mudança institucional "por atacado" — é necessária alguma forma de desequilíbrio para desencadear a mudança. Tais momentos de desequilíbrio são qualificados de várias maneiras na literatura pertinente — como conjunturas críticas, *switch points* ou *turning points* —,[1] sendo o traço comum o fato de que "resultam em configurações que em seguida impõem constrições a desenvolvimentos subsquentes" (Thelen, 2003:212). Weyland (2008:285-287), extraindo lições da teoria prospectiva, afirma que a "racionalidade limitada" dos indivíduos em situações de crise pode levar a "esforços de resgate drásticos", que, no agregado, "explicam mudanças descontínuas e meias-voltas surpreendentes". Entre esses momentos excepcionais é frequente supor-se que as instituições ofereçam canais previsíveis para a solução de conflitos, impondo constrições confiáveis à formação das políticas, até a revisão seguinte. Supõe-se ainda que tais circunstâncias extraordinárias possam também desencadear mudanças endógenas, que partam da própria instituição: embora tais mudanças endógenas, desencadeadas em momentos extraordinários, tenham recebido menos atenção dos acadêmicos, um escândalo de corrupção em uma instituição como um banco central ou o Congresso pode bem levar a um *turning point* institucional.[2]

Outra possibilidade é que a mudança seja impulsionada por fontes exógenas, mas sem que isso ocorra necessariamente em momentos extraordinários ou críticos. Thelen e Steinmo (1992), por exemplo, argumentam que deslocamentos no contexto econômico e político podem levar a mudanças pelas quais "instituições anteriormente latentes tornem-se relevantes", "velhas instituições sejam postas a serviço de fins diferentes", ou os "objetivos e as estratégias institucionais se alterem". A mudança é vista como algo em curso; e a mudança institucional ocorre não como um *big bang*, mas de modo incremental (Tsai, 2006:122).

Uma última possibilidade é aquela impulsionada endogenamente, mas por fontes incrementais de mudança institucional. Os acadêmicos defensores dessa abordagem pressupõem a permanência das instituições, ainda que reconheçam que a instituição subjacente possa ter sofrido um abalo considerável sob a superfície. A pesquisa de Tsai sobre a China, por exemplo, examina como "instituições informais adaptativas" facilitam a transformação de instituições formais, "por meio do apoio político que oferecem às elites para introduzir reformas cruciais".[3] Abordagens endógenas como as de Tsai enfatizam um processo de mudança insti-

---

[1] Ver, por exemplo, Abbott (1997), Collier e Collier (1991), e Haydu (1998).
[2] Sou grato a Sergio Praça por sugerir essa possibilidade.
[3] Tsai (2006:140) e Helmke e Levitsky (2006:10-25) estendem esse raciocínio para descrever quatro tipos de instituições informais (complementares, acomodadas, substitutivas ou competitivas), com base em seu potencial de interação com instituições formais.

tucional evolutivo e gradual, embora impliquem a possibilidade de uma descontinuidade significativa e de contestações políticas.

Considero, neste capítulo, outra causa de mudança institucional endógena e incremental, talvez mais ubíqua: o processo de formação de políticas públicas.[4] Esse processo contribui para a solução de um problema teórico importante, por oferecer uma ponte conveniente entre a explicação da *gênese* institucional e a da sustentabilidade institucional ao longo do tempo, que tendem a permanecer bastante distintas. As políticas públicas podem ser uma força causal, tanto na emergência de instituições que têm por meta objetivos específicos de políticas quanto em sua evolução gradual no tempo. Também oferecem um corretivo à abordagem do equilíbrio pontuado, que tende a superestimar o caráter estático "sob a superfície de arranjos institucionais formais aparentemente estáveis" (Thelen, 2003:209, 211).

Minha lógica segue os argumentos de Acemoglu, Johnson e Robinson (2005:385-472) sobre o caráter endógeno da evolução institucional. Conforme seu raciocínio, a distribuição do poder político e a de recursos são determinantes-chave das escolhas institucionais: poder e recursos determinam como as escolhas coletivas são feitas e, assim, que instituições serão criadas. Mas, uma vez estabelecidas, as instituições influenciam a distribuição de recursos e de poder político, "afeta[ndo] a escolha de instituições econômicas e influencia[ndo] a evolução futura das instituições políticas". A temporalidade é o único fator que protege esse modelo da tautologia.

Acrescento a essa lógica o processo de *policymaking*, um canal-chave entre os recursos e o poder, por um lado, e as instituições, por outro. É certo que este não é o único fator que influencia a alocação de recursos e de poder ou o desenvolvimento institucional. O processo de *policymaking* não ocorre em um vácuo: é influenciado por atitudes das elites, pelas prioridades da cúpula do sistema político, pela

---

[4] Faço aqui distinção entre as "causas" e as "formas" de uma mudança institucional. As causas podem incluir as já mencionadas: crises, mudanças no contexto socioeconômico, instituições informais, ou o processo de formação de políticas. São centrais para este texto. Entre as formas (ou "modalidades") de mudança estão: a) "por camadas sedimentares", nas quais as instituições podem "estar em conflito ou coexistir de forma sintética" (Lieberman, 2002; Thelen, 2003); e b) "por conversão", nas quais as instituições são usadas de forma distorcida em relação aos propósitos pretendidos (Thelen, 2003), ambas discutidas em Tsai (2006). Podem incluir também: c) "deslocamento"; d) "estar à deriva"; ou e) "exaustão", discutidas em Streeck e Thelen (2005). Embora várias "formas" de mudança institucional constem deste estudo, não há espaço para tratar delas separadamente.

concorrência entre instituições e entre atores e, certamente, pelo curso das deliberações sobre os fins das políticas. Mas são várias as razões para que o processo de *policymaking* seja uma força poderosa, especialmente em condições ordinárias. Primeiro, como Pierson (1993:596) observou, as políticas têm efeitos importantes sobre as regras do jogo, "influenciando a alocação dos recursos econômicos e políticos, modificando os custos e benefícios associados a estratégias políticas alternativas e, consequentemente, alterando o desenvolvimento político ulterior". Segundo, mesmo que seja altamente contencioso, o processo de formação de políticas pode produzir sutilmente um deslocamento do poder político, de formas que podem ser imperceptíveis mesmo para os participantes, permitindo que mudanças institucionais ocorram "abaixo do radar", sem que haja um realinhamento significativo de forças políticas, ou uma redistribuição discernível dos recursos societários. Terceiro, a formação de políticas é importante para as instituições políticas porque, em certo sentido, é disso mesmo que tratam as instituições (ou é disso mesmo que se trata quando se fala em instituições). Ao mesmo tempo que existe uma certa inércia nas instituições, por autopreservação, no curto prazo, elas tendem a focalizar mais a contestação dos resultados das políticas públicas do que os debates sobre a própria estrutura institucional. Mudanças de políticas ocorrem com relativa frequência e, como a água que flui diariamente pelo leito de um rio, podem moldar pouco a pouco as instituições, conforme o seu fluxo (tal como um novo leito de rio, uma mudança pode restringir o curso futuro das políticas públicas.)

O processo de *policymaking* também influencia as instituições em bases cotidianas, pela remodelação interna das responsabilidades institucionais. No processo de *policymaking* — que inclui as tarefas de desenhar, escolher, defender, implementar e ajustar políticas específicas —, os compromissos dos membros de uma instituição com as regras institucionais podem se solidificar ou se atenuar, dependendo de suas percepções sobre a efetividade das políticas. O *policymaking* também modela o campo institucional interno, realocando responsabilidades e prestígio: uma estabilização econômica bem-sucedida, por exemplo, aumenta a probabilidade de o banco central concentrar mais sua atenção na política monetária e, assim, privilegiar seu caráter de guardião da política monetária em relação à atividade mais elitista exercida na mesa de negociação do câmbio, dedicada à contabilização das transações em condições de alta inflação. Talentos e recursos fluindo para os novos focos de políticas públicas podem refazer a instituição a partir de dentro. Finalmente, o *policymaking*, muitas vezes, indica para os *outsiders* — eleitores, políticos ou bases políticas — quais as mudanças institucionais necessárias para facilitar a adoção ou a implementação das políticas de sua preferência.

Há, por certo, um problema de regressão infinita inerente a qualquer busca pelas origens do desenvolvimento institucional — o que veio primeiro: as políticas, a política, os agentes ou as instituições? Buscar uma causa única para a mudança institucional é, portanto, notoriamente fútil. Mas, ao se recorrer ao congelamento temporário da moldura analítica para dar conta dos efeitos do processo de *policymaking*, pode-se compreender melhor duas outras questões teóricas importantes.

A primeira é que há um subtexto na aplicação do institucionalismo ao mundo "real". Quando se colocam as instituições em seu devido lugar, coisas boas, como o desenvolvimento econômico e político, ocorrem. Esse "reducionismo institucional", com foco primordial nos direitos de propriedade e no Estado de direito, suplantou a liberalização econômica como prioridade para muitas das instituições financeiras internacionais, depois do fracasso da "primeira onda" de reformas, um fracasso por elas atribuído à ausência de instituições fortes que pudessem garantir sua eficácia.[5]

Mas como fazer a escolha das instituições? O Brasil é um caso intrigante não apenas por ser a maior democracia e a maior economia da América Latina, mas porque "escolheu" instituições que se situam entre as potencialmente desestabilizadoras — por exemplo, um Ministério Público independente que funciona como um "quarto poder" no governo (Mazzilli, 1993) — e as declaradamente problemáticas — como o presidencialismo multipartidário (Mainwaring, 1995). No entanto, apesar dessas escolhas — e talvez *por causa* delas —, seu marco institucional revelou-se mais estável do que o de muitos de seus pares regionais, incluindo-se aí alguns dos que fizeram escolhas institucionais consideradas conducentes ao crescimento, conforme o receituário em vigor. O Brasil foi lento mas ficou estável, em contraste, por exemplo, com o percurso errático de seu vizinho, a Argentina, considerada uma criança prodígio pelo Consenso de Washington.

Nem a forte intransigência institucional do Brasil, nem tampouco o fracasso da reestruturação institucional radical da Argentina são tão surpreendentes. Pois, mesmo supondo-se que seja possível escolher e erigir novas instituições de forma adequada a partir do zero, como um país pode fazê-lo? Um segundo pressuposto

---

[5] Rodrik (2004) critica severamente esse "reducionismo", argumentando que a qualidade institucional é altamente nebulosa e endógena em relação aos níveis de renda, o que complica a definição de que formas institucionais levam a que resultados.

implícito é o de que as instituições podem ser (e são) escolhidas em conjunturas críticas: em determinado ponto de sua história, uma instituição é selecionada e se estabelece até o momento da mudança seguinte. Até acadêmicos cautelosos quanto às alegações da *path dependency* argumentam que, embora a *path dependency* não encerre em si mesma os resultados, a mudança ocorre dentro de certos limites "até que algo leve à erosão ou à sobrecarga desgastante do mecanismo de reprodução que gera a continuidade" (Pierson, 2000:265).

Mas a mudança nem sempre se dá mediante *big bangs*, o que em si pode não ser mau (dada a turbulência que, muitas vezes, acompanha os momentos de crise que se supõem conducentes a uma substituição institucional). Além disso, mesmo quando ocorrem mudanças institucionais aparentemente integrais, uma lição recorrente do institucionalismo histórico e sociológico é que a superposição de novas instituições às antigas estruturas de poder e de cultura raramente rende os resultados esperados (Arjomand, 1992). Como Thelen (2003:220) observa: "é difícil pensar em um único exemplo em que as instituições tenham sido escolhidas livremente, mesmo em situações que parecem ser conjunturas críticas". Como as próprias instituições — especialmente as políticas — estão longe de ser "plásticas", e como refletem os arranjos e as distribuições de poder vigentes (Pierson, 2004; Moe, 2005), raramente é possível uma mudança institucional integral. E mesmo supondo-se que conjunturas críticas permitam a substituição integral das instituições, este estudo de caso ilustra o fato de que tais escolhas podem ser menos importantes para precipitar resultados institucionais do que uma adaptação incremental, por adição, realizada a conta-gotas ao longo do tempo, que pode até tomar uma direção contrária aos objetivos estabelecidos pelos arquitetos institucionais no momento de uma grande mudança.

Não é necessário jogar fora a noção de conjuntura crítica junto com a água do banho. Em sua forma mais estrita, o conceito presta um importante serviço ao identificar os pontos nodais a partir dos quais certas trajetórias se desenvolvem e se aprofundam, gerando padrões persistentes de desenvolvimento *path dependent*.[6] E mais, ideias presentes em conjunturas críticas-chave podem muito bem oferecer pontos focais que moldem um desenvolvimento institucional subsequente,

---

[6] Ver, por exemplo, Mahoney (2000) e Pierson (2000). De acordo com Pierson (2004:51, nota 26), o que "faz uma conjuntura em particular ser 'crítica' é o fato de desencadear um processo de *feedback* positivo". Uma crítica potencial a essa definição, no entanto, é que as conjunturas críticas só são identificáveis *a posteriori*.

por canalizarem as preferências institucionais das comunidades epistêmicas para uma mesma direção. Mas a questão é que qualquer conexão entre conjunturas críticas e escolha institucional é extremamente rara. A transição direta da instituição A para a instituição B raramente ocorre em um momento específico e bem estabelecido. Em vez disso, a mudança ocorre, com frequência, por meio da acumulação de muitas escolhas discretas de políticas, de caráter aditivo, as quais desencadeiam várias formas de acomodação institucional.

Apenas ao fim de uma longa transição da instituição A ($P1$) para a A ($P1 + x$), em que Pn denota as escolhas discretas de políticas feitas pelo processo de formação de políticas, talvez seja possível dizer que uma nova instituição B ($P1$) surgiu.

Antes de passarmos a um estudo de caso, cabe uma palavra sobre o mérito desse tipo de estudo. Há um tempo e lugar para a modelagem formal e a análise estatística, como George e Bennett (2005:5-6, 23) observaram, e há complementaridades importantes entre tais métodos e os métodos de estudo de caso. Nesse projeto, porém, nem a modelagem nem as abordagens estatísticas seriam capazes de discernir com rigor a natureza complexa e altamente contextual das trajetórias de desenvolvimento institucional. Um estudo de caso, portanto, parece ser o meio mais apropriado para identificar "as trajetórias causais e variáveis que levam à variável dependente que nos interessa" — no caso, o desenvolvimento institucional. Também preferi não me empenhar na comparação de casos nacionais, em boa parte por causa da complexidade dos vários contextos temporais em que a mudança institucional ocorre no Brasil, mas espero que futuros estudiosos possam utilizar esta análise como um ponto de partida para isso. Nas conclusões, apontarei aplicações deste estudo para fins comparativos.[7]

---

[7] Cabe uma palavra sobre as fontes. Por causa do escopo deste estudo — que cobre seis décadas de desenvolvimento institucional no ambiente sabidamente volátil das políticas públicas —, baseio-me quase exclusivamente em fontes secundárias. Reconheço que isso pode ser uma limitação, apesar de muitos dos autores citados serem *policymakers* eminentes (Cardoso, Ellis, Nóbrega, Schwartsman, Simonsen) e de as outras citações (por exemplo, as de Ribeiro) se basearem em referências primárias, como entrevistas ou documentos. É importante ainda registrar que meu objetivo central não consiste em desenvolver uma história abrangente do Banco Central do Brasil, mas usar os elementos básicos e relativamente consensuais dessa história para apresentar uma tese mais ampla sobre o desenvolvimento institucional. Dado o pouco espaço aqui disponível, espero que o leitor compreenda o uso da bibliografia secundária.

As origens do Banco Central do Brasil: a relevância das conjunturas críticas

Esta seção serve de pano de fundo para a trajetória da política monetária brasileira nos últimos 60 anos, com foco na seguinte questão: por que duas conjunturas críticas que poderiam ter resultado em mudanças institucionais significativas não resultaram na reforma institucional contemplada por seus propositores? Na seção seguinte, retomarei mais uma vez a questão da relação causal entre o processo de formação de políticas e a mudança institucional.

Os bancos centrais desempenham um papel crucial na gestão da política monetária e, por meio dela, influenciam a inflação, o emprego, o crescimento e as flutuações do ciclo econômico (Lijphart, 1999:234). Nos círculos atuais de *policymakers* existe forte consenso quanto à ideia de que delegar mais poder ao banco central e, se possível, torná-lo independente, constitui um bom "marco institucional", do ponto de vista da formulação da política econômica: a independência dá mais autonomia aos bancos centrais e os protege de influências políticas que possam impedi-los de funcionar mais tranquilamente. Insular os bancos centrais da política pode melhorar a percepção de que prevalece a aplicação imparcial das regras do jogo, especialmente no caso da formulação da política monetária ou das políticas regulatórias. Permite insular também os políticos da tomada de decisões politicamente problemáticas ou custosas. Delegar esse poder aos bancos centrais propicia várias externalidades positivas: sinaliza credibilidade para os mercados domésticos e internacionais, gera comportamentos previsíveis em termos de políticas por "amarrar as mãos" dos opositores dessas políticas, e limita as alternativas disponíveis para os *policymakers* presentes e futuros (Lohmann, 1998; Maxfield, 1997).

Tais argumentos foram usados para justificar a autonomia dos bancos centrais desde a fundação do Federal Reserve nos Estados Unidos em 1913.[8] Recentemente, o fortalecimento dos bancos centrais tem sido um objetivo periférico associado ao Consenso de Washington, segundo o qual a autonomia do banco central ajudaria a cumprir pelo menos quatro dos seus 10 objetivos de política

---

[8] Embora vários bancos centrais europeus, em particular o Banco da Inglaterra e o Banco da Suécia, tenham sido criados muitos séculos antes do FED, este foi o primeiro a se beneficiar de um grau considerável de independência, em parte porque seus diretores (*governors*) tinham mandatos de 14 anos, que, teoricamente, se estendiam para além do mandato seja do Executivo que os indicava, seja da maioria dos membros do Legislativo que os aprovavam.

econômica.⁹ No Brasil, o reconhecimento da importância potencial do Banco Central precedeu a sua criação em 1964: a ideia foi lançada nos anos 1930, e formuladores influentes como Eugenio Gudin e Octavio Gouvêa de Bulhões defenderam a importância de sua criação desde os anos 1940.

Por que, então, o marco institucional do BC permaneceu tão distante do ideal, especialmente à luz de fatores como: um consenso considerável em torno da necessidade de um banco central forte entre os formuladores de política econômica; um Poder Executivo abrangente e com grande discricionariedade durante o regime militar (1964-1985); e, depois, a oportunidade única de introduzir uma mudança institucional de porte no Banco Central durante a elaboração da Constituição de 1988?

A resposta está na interação dos interesses favoráveis e contrários a mudanças de políticas, bem como na coerência entre as aspirações normativas relativas ao Banco Central e os urgentes desafios imediatos. Somados, esses fatores influenciaram o ritmo e o escopo da mudança de políticas, e também garantiram a retenção e a lentidão do desenvolvimento institucional do Banco Central. Como resultado, mesmo nas duas conjunturas críticas que teoricamente permitiriam mudanças institucionais no Banco Central (1964, quando os militares tomaram o poder, e 1988, quando da redação da Carta Constitucional), as escolhas institucionais concretas tiveram efeitos não previstos por seus artífices.

A mudança institucional se desenvolveu entre paradas e saltos, e, embora a visão corrente do que seria um "bom" banco central oferecesse um ponto focal para os *policymakers* — um objetivo comum abrangente para o qual convergia a comunidade epistêmica —, não se cria de uma só vez uma nova instituição monetária. Uma reforma institucional integral não era possível de fato, mesmo com governos autoritários. Na verdade, em certo sentido, essa possibilidade era ainda *mais* limitada pelo regime militar, por causa do imperativo central, para o regime, no que dizia respeito às políticas públicas: impulsionar o crescimento como condição para manter sua legitimidade. Em vez de ser integral, a mudança institucional deu-se em grande medida paulatinamente. Mesmo quando pequenas mudanças institucionais eram "contrabandeadas" apenas ocasional e marginalmente juntamente com políticas relevantes, tais mudanças eram sempre justificadas publicamente em termos de necessidades imediatas.¹⁰

---

⁹ Os quatro são: disciplina fiscal, liberalização da taxa de juros, taxa de câmbio competitiva (às vezes) e liberalização do investimento estrangeiro (Williamson, 1990).
¹⁰ Nóbrega e Loyola (2006:83, nota 12) observam, por exemplo, que, durante os planos de esta-

1930-1960: as origens históricas de uma instituição monetária instável

Durante a primeira metade do século XX, os arranjos monetários no Brasil caracterizaram-se por uma relação incestuosa entre o governo federal e o Banco do Brasil, um banco público de grande porte que combinava as funções de agência de desenvolvimento, banco comercial e, de forma muito limitada, autoridade monetária. Dada a força política do Banco do Brasil — que derivava de um enorme orçamento, de uma longa história que datava dos primeiros dias do Império brasileiro, bem como da ausência de um setor privado forte e da prática de distribuir postos a protegidos políticos poderosos —, quase todos os esforços para criar um banco central robusto foram desvirtuados ou rejeitados, porque vistos como demasiadamente ameaçadores.

Diante das pressões recorrentes, domésticas e internacionais, para a criação de uma modalidade de banco central que orientasse a política monetária ao longo dos anos 1930 e 1940, em 1945, o governo adotou uma meia solução: a criação da Superintendência da Moeda e do Crédito, a Sumoc. Mas, em última análise, a Sumoc seria um "tigre sem dentes", com responsabilidade apenas nominal pela política monetária, sujeita a pressões políticas intensas e sem qualquer controle sobre o Banco do Brasil (Nóbrega, 2005:285; Skidmore, 1988:30). Um segundo ponto focal de oposição à Sumoc eram os banqueiros privados. Eles temiam que a criação de instrumentos de política econômica, como reservas compulsórias, levassem a uma excessiva intervenção governamental ou pudessem ser usadas para cobrir déficits do governo (Gouvêa, 1994:113).

A Sumoc, assim, foi reduzida a um instrumento de política menor e indireto, dedicando-se, por exemplo, à condução de pesquisas e à supervisão de operações de empréstimo, ao mesmo tempo em que o Banco do Brasil combatia qualquer tentativa de convertê-la em um banco central pleno. No âmbito mais abrangente do governo federal, a Sumoc era vista com suspeição, especialmente quando seus membros defendiam uma política fiscal mais austera (Gouvêa, 1994:110-115). Muitos dos próprios diretores de proa da Sumoc opunham-se aos esforços para torná-la uma nova instituição de política monetária por temerem que todas aque-

bilização Cruzado e Bresser, preparou-se no Banco Central uma lista das mudanças legais desejadas, que foram depois introduzidas na legislação remotamente associadas àqueles planos — uma prática que se tornou conhecida no Banco Central como "contrabando".

las pressões externas levassem à criação de um banco central "populista" a partir da estrutura existente do Banco do Brasil (Santos e Patrício, 2002:98).

Ao longo do tempo, a inadequação desses arranjos tornou-se cada vez mais aparente,[11] e, no início dos anos 1960, como parte de uma iniciativa reformista mais ampla, o governo do presidente João Goulart enviou ao Congresso um projeto de criação de um banco central de fato. Mas a crise que iria culminar na deposição de Goulart pelos militares, somada à forte resistência do Banco do Brasil e dos congressistas seus aliados, bem como à do poderoso grupo de agricultores e industriais beneficiários dos empréstimos do banco oficial, fizeram o projeto ser enterrado ao chegar ao Legislativo.

1964 — a criação do Banco Central

Ao tomar o poder em 1964, os militares defrontaram-se com as grandes dificuldades econômicas que caracterizaram os últimos anos do governo Goulart: a suspensão do pagamento da dívida externa, a redução das reservas, e inflação em alta, próxima de 150% ao ano.[12] A nova equipe econômica, liderada pelo ministro do Planejamento, Roberto Campos, e pelo ministro da Fazenda, Octavio Gouvêa de Bulhões, lançou um plano econômico — o Plano de Ação Econômica do Governo (Paeg) —, que visava a reverter a inflação acelerada, especialmente o rápido aumento da oferta de dinheiro, usado pelo governo Goulart para financiar déficits governamentais, subsidiar a indústria e elevar salários (Skidmore, 1988:29-30). O plano tinha uma abordagem heterodoxa e gradualista da inflação, mas incluía uma mudança institucional adotada por Goulart: a criação do Banco Central do Brasil em 31 de dezembro de 1964, oito meses após a tomada do poder pelos militares.

A coalizão que barrou a criação de um banco central no período final do governo Goulart foi rapidamente dissolvida pelo empenho do regime militar em criar o Banco Central. Os principais artífices dessa iniciativa foram Bulhões, que havia

---

[11] A inflação anualizada subiu regularmente, de 24%, em dezembro de 1960, para 98%, em dezembro de 1962, e a estabilização passou a ser o objetivo primordial de política do Plano Trienal de 1962 do governo de Goulart — a principal iniciativa de seu governo.

[12] Embora, em retrospecto, uma inflação de apenas 150% ao ano pareça estranha à luz da inflação de quatro dígitos dos anos 1980, um *policymaker* de renome refletiu à época a preocupação dos demais *policymakers*: o principal desafio para os militares "não era exatamente a inflação, mas escapar da hiperinflação" (Simonsen, 1969:136).

dirigido a Sumoc, e o presidente Humberto de Alencar Castelo Branco — por pressão de Bulhões —, que participou pessoalmente das negociações, ajudando, assim, a reduzir a resistência dos parlamentares mais céticos (Nóbrega, 2005:286).

Mas essa mudança institucional foi menos decisiva do que se poderia imaginar. Embora a reforma tivesse criado um banco central — uma mudança significativa em termos de nomenclatura —, uma vez mais a "autoridade" monetária era um "tigre de papel". Como Santos e Patrício (2002:98) observam, a personalidade conciliadora de Bulhões levou a uma estrutura de banco central "menos distante das preferências dos parlamentares do que se esperaria". A autonomia dos diretores do banco foi facilmente minada: embora a diretoria tivesse mandato fixo, nas disputas políticas, o novo Banco Central era facilmente marginalizado pelo Banco do Brasil ou pelo Tesouro, ou formalmente por outra criação institucional do regime militar, o Conselho Monetário Nacional. Uma das fraquezas do novo Banco Central consistia na situação por ele herdada: déficits federais tão grandes que tornavam pouco efetivo qualquer controle monetário, assim como pouco significativa a demanda por títulos do governo.

Dois problemas de política surgiram devido ao fato de o Banco Central ter suas raízes na Sumoc. Primeiro, foram minados os outros intrumentos de política monetária, como as reservas compulsórias, mediante o depósito dos fundos do BC no Banco do Brasil. O "orçamento monetário", como era chamado, era imediatamente usado para reemprestar os recursos ao Tesouro, o que significava — por incrível que pareça — que reservas compulsórias mais altas podiam levar à expansão da base monetária.[13] Segundo, uma "conta movimento" provisória (conta para transações) — com a qual foram equilibradas as contas entre o Banco Central e o Banco do Brasil — foi montada apressadamente em 1964 para efetivar a criação do BC, sem passar por maiores negociações com o Congressso.[14] Apesar de este ser um recurso claramente do tipo *stop gap*, a "conta movimento" permaneceu em vigor por mais de duas décadas, até ser eliminada (já no contexto da transição democrática e das pressões internas e externas por maior disciplina fiscal e mo-

---

[13] Ellis (1969:189). Ribeiro (1990:10) notou a perversidade dessas regras institucionais: a elevação das reservas compulsórias, instrumento clássico de redução da inflação, implicava de fato o aumento da base monetária, na medida em que esses fundos eram depositados diretamente no Banco do Brasil.

[14] A "conta movimento" e o "orçamento monetário" eram dois arranjos bem mais bizantinos, pouco compreendidos pela maioria dos observadores, mesmo os da comunidade de formuladores de políticas. Para uma boa explicação dos dois instrumentos, ver Nóbrega (2005, cap. 12).

netária). Nesse ínterim, o Banco do Brasil pôde usar a *conta* para expandir seus empréstimos, enquanto o Banco Central continuava incapaz de controlar seus efeitos sobre a expansão da base monetária. Em suma, como observaram Nóbrega e Loyola (2006:67) "na prática, a reforma de 1964 levou a uma piora das instituições fiscais e monetárias do Brasil". Cinco anos depois da criação do BC, um observador informado escrevia: "é sabido que ao longo de sua história faltava um banco central ao Brasil; é talvez muito menos sabido que um centro eficiente de controle monetário é ainda algo muito distante de ser realizado" (Ellis, 1969:188).

Os anos 1970: autonomia em declínio, funcionalidade crescente

A autonomia do Banco Central sofreu nova erosão em fins dos anos 1960, mas, desta feita, por pressões que se originaram principalmente no governo. O presidente Costa e Silva e, em particular, o ministro da Fazenda, Antonio Delfim Netto, estavam convencidos de que a independência do Banco Central seria nociva à promoção do crescimento, o imperativo maior do regime militar. Em momento posterior, Roberto Campos contaria o teor da conversa que tivera com o presidente Costa e Silva, quando tentava lhe explicar por que o governo não poderia substituir sem mais nem menos o presidente do BC. Ao que o presidente respondera: "O guardião da moeda sou eu" (*Diário...*:1987:138-150). Não é de surpreender, portanto, que, entre 1967 e 1974, o Banco Central tivesse atitudes de crescente deferência para com o ministro da Fazenda, um processo que culminou em 1974, com a eliminação da exigência de mandatos fixos para os diretores da instituição (Santos e Patrício, 2002:98).

Simultaneamente, porém, reformas realizadas à margem do Banco Central acabaram por inserir essa instituição em uma série de atividades não previstas no repertório de políticas públicas. À medida que o mercado financeiro se expandia e se tornava mais sofisticado, o Banco Central viu-se também obrigado a aumentar suas capacidades regulatórias e de supervisão, o que o levou a aprimorar sua capacidade institucional de supervisão da política monetária, com a criação, inclusive, de operações de *open market* em 1973, as quais o tornaram mais apto a controlar melhor os efeitos de operações cambiais cada vez mais complexas (Maneschi, 1972:215).

Essa expansão gradual das capacidades do BC para formular políticas relevantes, em resposta a condições cambiantes e a mercados em desenvolvimento, seria mais significativa para o desenvolvimento institucional de longo prazo do que a reforma de 1964. Muitas das questões originadas durante a gênese problemática do BC, no entanto, persistiram: seu papel no financiamento do desenvolvimento, a permanência da "conta movimento" e, ainda mais importante, o poder compartilhado com o Conselho Monetário Nacional e com o Banco do Brasil. Em fins dos anos 1970, o presidente do BC, Carlos Brandão, forçou a separação das funções do Banco do Brasil e do Banco Central, mas essa iniciativa foi torpedeada pela pressão interna exercida pelo ministro da Fazenda, bem como por pressões do próprio BC, por meio de sua seção de desenvolvimento, o Departamento de Crédito Rural e Industrial (Dicri), que, no caso de uma reforma, seria fatalmente extinto.[15]

Os anos 1980 e as janelas de oportunidade

Nos anos 1980, a aceleração do processo inflacionário impeliu muitos membros do governo a reavaliarem a complexa situação criada pela superposição de responsabilidades do Banco Central, do Tesouro e do Banco do Brasil. Tornou-se cada vez mais difícil administrar a política econômica nas circunstâncias criadas pelo choque do petróleo, pela crise da dívida externa de 1982 e pela estagnação do crescimento — e, para complicar ainda mais a situação, a eleição de novos governadores, em 1982, introduziu novos atores até então externos ao núcleo do regime militar. No início de 1983, vários governadores descobriram que seus respectivos bancos estaduais podiam retirar diretamente as reservas que mantinham no Banco do Brasil. Somente depois de transcorrido um mês, o Banco Central descobriu essa operação e seus efeitos expansivos (Martone, 1993; Nóbrega, 2005:295). Ao longo de uma década, entre 1983 e 1993, o BC revelou-se extraordinariamente fraco em relação aos governadores, incapaz de discipliná-los ou de neutralizar suas práticas inflacionárias.[16]

---

[15] Nóbrega (2005:292-293).
[16] Sou grato a Lourdes Sola e a Moisés Marques por salientarem esse aspecto. Sola, Kugelmas e Whitehead (2002) sugerem que 1982, começo da redemocratização e da crise da dívida, deveria ser considerado uma conjuntura crítica para o Banco Central. No entanto, dado meu interesse em descrever as conjunturas críticas que trouxeram *mudanças institucionais* substantivas para o BC, e como 1982 não correspondeu a um rearranjo (ou intenção de rearranjar) das instituições, 1982 não me parece uma conjuntura potencialmente tão significativa quanto 1964 ou 1988. O ano de 1982 marcou claramente o começo de um novo conjunto de preocupações relativas a

Em resposta à crise que se aprofundava, um grupo de trabalho de 150 economistas reuniu-se em agosto de 1984 com vistas a definir o novo marco institucional a ser implementado antes da posse do novo governo democrático, em 1985. Essa iniciativa contou com a aquiescência entusiástica do provável futuro presidente, Tancredo Neves, bem como de seu sobrinho, provável ministro da Fazenda, Francisco Dornelles, que viam com bons olhos a criação de um arranjo institucional que protegesse as finanças públicas das pressões políticas, em especial se tal arranjo pudesse ser criado antes que assumissem o governo e, portanto, arcassem com o ônus da mudança.

A oposição viria de burocratas do Dicri e de representantes dos funcionários do Banco do Brasil, os quais mobilizaram seus aliados no Congresso para encenar ataques tempestuosos aos depoimentos dos membros do grupo de trabalho constituído pelos economisas e a suas propostas. O CMN aprovou a recomendação do grupo de trabalho em fins de novembro, mas a implementação das mudanças foi barrada um dia depois por decisão de um tribunal federal, em resposta à solicitação de um parlamentar ligado ao Banco do Brasil.

Como o coordenador do grupo de trabalho reconheceria em retrospecto, essa derrota resultou da inexperiência dos *policymakers* em lidar com a opinião pública, de um ambiente favorável a teorias conspiratórias típico do período, da relativa insensibilidade do regime anterior, e da forte oposição do Banco do Brasil, cuja influência se estendia ao Congresso (onde o líder da coalizão governamental e 11 parlamentares eram bancários), ao órgão responsável por auditorias, o TCU, e mesmo aos membros do gabinete presidencial (Nóbrega, 2005:300-303).

Aparentemente, a janela de oportunidade se fechara. Um ano depois, no entanto, diante do agravamento dos problemas, o novo governo democrático desenterrou as recomendações do grupo de trabalho, e o CMN voltou a aprová-las.

---

políticas no Brasil, o que contribuiu significativamente para a evolução do BC nas duas décadas seguintes e, nesse sentido, deslocou as preocupações dos *policymakers* do BC e do restante da comunidade de formuladores. Isso, no entanto, aponta para o problema do conceito de conjunturas críticas em termos mais abrangentes: estas devem ser definidas como "críticas" em relação *a algo* e, dependendo do item de interesse — esse *algo* pode ser uma mudança estrutural, uma mudança institucional, a mudança de diretrizes de políticas etc. —, pode-se definir tais conjunturas de forma diversa. Nesse caso, por exemplo, preferi não enfatizar 1982 como uma conjuntura crítica institucional análoga a 1964 e a 1988, embora concorde plenamente com o argumento de Sola, Kugelmas e Whitehead (2002:16) de que 1982 constituiu um momento definidor para a revisão e a reestruturação dos "mapas cognitivos e ideológicos dominantes" na sociedade brasileira, e, assim, contribuiu para o rearranjo dos temas de políticas públicas da geração seguinte.

Uma nova liminar foi encaminhada pelo mesmo parlamentar, e, novamente, as medidas foram suspensas pelo tribunal federal. O ministro da Fazenda, Dilson Funaro, defendeu publicamente as reformas, e os advogados do governo lograram reverter a decisão. Entre as mudanças resultantes, as mais importantes foram o fim da "conta movimento", em julho de 1986, que abriu espaço para um maior controle monetário por parte do Banco Central, e a criação da Secretaria do Tesouro Nacional, que facilitou um maior controle fiscal. Um ano mais tarde, no momento em que se preparava o segundo plano de estabilização, o Plano Bresser (o primeiro, o Plano Cruzado, fracassara), outras recomendações do grupo de trabalho foram implementadas: a função de banco de desenvolvimento (através do Dicri) foi eliminada; a administração da dívida pública foi transferida para o Ministério da Fazenda; e o orçamento monetário foi eliminado, graças à unificação dos orçamentos em um único orçamento federal (Nóbrega, 2005:300-303). As reformas de 1987 também criaram o Sistema Integrado de Administração Financeira (Siafi) – que possibilitou a supervisão completa do orçamento federal – e novas regras, outorgando maior autoridade ao Congresso sobre o processo de emissão de títulos da dívida pública (Santos e Patrício, 2002:99).

Esses foram tempos de grande mudanças de políticas, que levaram a mudanças institucionais importantes em meio a enormes desafios políticos e econômicos. A janela de oportunidade para tais mudanças emergiu da crise em que o país submergira, do debate sobre políticas ao longo de mais de cinco anos, do enfraquecimento das coalizões antirreforma, das pressões sobre o novo governo democrático, bem como da percepção dos ganhos políticos a serem obtidos com a derrota da inflação. Essa tendência foi consolidada com a Constituição de 1988, que, embora problemática em vários aspectos, foi crucial para cristalizar os ganhos anteriores: ao BC foi outorgada a competência exclusiva de emitir moeda, ficando este impedido de fazer empréstimos diretos ou indiretos ao Tesouro Nacional,[17] ao mesmo tempo que se restaurou a autonomia dos diretores do BC e sua nomeação pelo presidente passou a ser submetida à aprovação do Senado.

Em suma, os dois momentos com frequência considerados conjunturas críticas, no processo de mudança institucional relevante para a constituição da auto-

---

[17] Outra decisão desastrada, a de estabelecer um limite máximo de 12% para a taxa de juros real constante na Constituição, foi contornada por meio de um argumento legal, o de que esse capítulo da Constituição não poderia ser implementado sem uma lei complementar (Nóbrega, 2000:93-105). O limite máximo para a taxa de juros real não foi, porém, uma inovação de 1988. A Lei da Usura, de 1933, proibia taxas acima de 12% ao ano.

ridade monetária no Brasil, foram menos importantes para o processo de desenvolvimento da autoridade monetária do que se supõe, sendo seguidos (como nos anos 1960) ou precedidos (como nos anos 1980) por modificações institucionais significativas, resultantes dos imperativos impostos aos *policymakers* pelos desafios do momento. O aumento significativo dos poderes do Banco Central, em 1964, foi limitado no nascedouro pelas negociações com o Congresso e, embora tivessem sido criadas algumas medidas de proteção aos diretores do BC, estas estavam longe de ser ideais, sendo minadas tão logo o presidente Castelo Branco deixou o poder em 1967. A reforma institucional de 1964 não só deixou de corresponder às expectativas originais de seus propositores, como também revelou-se transitória, em virtude da mudança de curso da política econômica adotada pelo presidente Costa e Silva, com forte viés pró-crescimento. Quando a lei que retirava a autonomia dos diretores do Banco Central foi aprovada em 1974, foi vista simplesmente como a legalização *de facto,* como um desdobramento esperado desde que Castelo Branco deixara o governo (Santos e Patrício, 2002:98-99).

Do mesmo modo, a reforma institucional do BC em 1988 foi menos significativa como conjuntura crítica do que muitos afirmam. Ela foi, na verdade, o coroamento de um longo processo de mudança de políticas, o reconhecimento de um fato consumado — a exaustão de um regime de política monetária —, mais do que o estabelecimento de instituições inteiramente novas a partir do zero. A Constituição de 1988 consolidou os ganhos obtidos pela autoridade monetária de forma incremental na década anterior, em especial os ganhos obtidos ao longo da implementação dos planos Cruzado e Bresser. Como Nóbrega e Loyola (2006:72) observaram, esses planos de estabilização proporcionaram aos *policymakers* maior controle sobre o processo político, "permitindo-lhes introduzir mudanças institucionais de grande importância", como a extinção da *conta movimento*, em 1986 e do Dicri, em 1987. Se comparada a essas mudanças, a Constituição de 1988 propiciou poucas inovações institucionais: o grupo majoritário na Assembleia Constituinte (o "Centrão") concentrou-se amplamente na preservação do marco institucional, contra os desafios da facção desenvolvimentista da esquerda, que dominara as etapas iniciais do debate constitucional na Assembleia Constituinte. Na verdade, a Assembleia dedicou pouco tempo às propostas relativas ao BC, e a atenção pública dedicada ao tema foi inexpressiva: pesquisa de Praça (2008), por exemplo, mostra que das 679 menções políticas publicadas pela revista *Veja* durante a Assembleia, apenas uma referia-se ao BC. Mas, mesmo tendo sido apresentadas algumas propostas, como a de um subcomitê em defesa de um BC "independente e autônomo", estas não chegaram a integrar o texto final da Constituição.

Nenhuma das duas conjunturas críticas — 1974 e 1988 — levou a uma mudança institucional total e, na verdade, uma década depois, o Banco Central já era radicalmente diferente do que tinha sido concebido em quaisquer desses dois momentos. Muito mais importante para a identidade institucional do Banco Central foi o seu desenvolvimento em resposta aos imperativos políticos da época a uma série de relações políticas entre o BC e outras instituições políticas e econômicas. A próxima seção trata com maior clareza desse tema, ou seja, da relação entre as escolhas de políticas e o desenvolvimento institucional no período subsequente ao da Assembleia Constituinte.

Depois de 1988 — a autonomia do Banco Central

Nesta seção, examino a influência de mudanças de políticas sobre o desenvolvimento institucional do Banco Central — especificamente, sobre um critério institucional-chave para definir a autonomia dessa instituição — a partir de cinco iniciativas adotadas entre 1988 e 2006. Baseio-me no argumento de Sola, Garman e Marques (1998:129), para quem "a estabilização econômica teve menos a ver com criação prévia de instituições corretas (*getting the institutions right*) do que com um jogo de barganha dinâmico". Os processos de formação de políticas nesse jogo dinâmico não são apenas relevantes para os resultados dessas políticas, como a estabilização econômica, mas, também, podem ser constitutivos das instituições necessárias para chegar a esse resultado — ou seja, a estabilização.

A evolução institucional do Banco Central pode ser mais bem avaliada contrastando duas atitudes distintas em relação a essa instituição, em diferentes momentos: quando da redação da Constituição pela Assembleia Constituinte, e, duas décadas depois, por ocasião do governo Lula, do qual muitos esperavam uma virada à esquerda, contrária à autonomia institucional do BC. Em 1988, o Banco Central fora quase uma questão secundária nas deliberações constitucionais, sendo muitas das mudanças significativas da Constituição introduzidas na direção oposta daquela desejada pelos *policymakers* econômicos. Uma coalizão de centro aprovou uma Constituição amplamente estatizante em questões econômicas, o que, em consequência, propiciou poucas chances de ampliação da autonomia do BC. Duas décadas mais tarde, o artigo-chave da Constituição de 1988 sobre o Banco Central foi reescrito e o governo Lula, além de respeitar a autonomia do BC, nomeou um presidente pró-mercado. É notável que o governo Lula tenha anunciado publicamente a autonomia do presidente do BC, o qual, apesar de subordinado ao presidente, não estaria mais formalmente subordinado ao ministro da Fazenda.

Esse contraste entre as posições dos políticos quanto ao BC como instituição não foi resultado de um novo esquema institucional imposto pelos militares que deixavam o poder. Ao contrário, como já mencionado, essa mudança resultou de um ciclo evolutivo de relações políticas, pelo qual o êxito das políticas de combate à hiperinflação intensificou a confiança na autoridade monetária. Isso, por sua vez, enfraqueceu os agentes que, no passado, exercem influência substantiva sobre o processo de barganha em relação às escolhas de políticas. Houve, assim, um deslocamento dos *players* aos quais o BC respondia, bem como mudanças nos domínios e nos critérios pelos quais a autoridade monetária passou a ser julgada.

Durante os anos 1990, as principais mudanças no Banco Central foram estimuladas pela existência de um tênue consenso, entre os tecnocratas econômicos e os políticos mandatários (especialmente no Executivo federal), sobre os benefícios que adviriam da estabilidade monetária como objetivo de política pública. Mas, fundamentalmente, no esforço de levar a cabo a estabilização, não era possível simplesmente impor a autonomia do Banco Central e esperar que o resto se arranjasse: por questões de ordem estatutária e mesmo constitucional, o BC permanecia umbilicalmente ligado a instituições bancárias públicas e privadas, a governos estaduais e municipais, e a atores do sistema financeiro, domésticos e estrangeiros. Tais relações se alteraram apenas aos poucos, em resposta a cinco principais eventos transformadores dos rumos das políticas, os quais, por sua vez, abriram espaço para uma evolução institucional gradativa em direção a uma maior autonomia: 1) o Plano Collor; 2) o Plano Brady; 3) o Plano Real; 4) os escândalos financeiros entre meados e o final dos anos 1990; 5) a necessidade de abrandar os temores do mercado financeiro em relação ao governo Lula.

O Plano Collor

O Plano Collor de 1990 é representativo do processo de aprendizagem que resultaria dos sete planos de estabilização implementados no Brasil entre 1986 e 1994. Em última instância, todos fracassaram, mas também contribuíram, quer para a acumulação de um número crescente de experiências e lições, quer para mudanças marginais no marco institucional do Banco Central. À primeira vista, seria de esperar que o fracasso do Plano Collor levasse a restrições duradoras à autonomia do BC: esse foi o caso do congelamento draconiano, por 18 meses, das contas bancárias da população.

Paradoxalmente, embora o congelamento tivesse sido viabilizado pela falta de autonomia real do BC, a mudança institucional mais tangível e significativa que resultou do processo decisório relacionado ao Plano Collor foi a liberalização dos mercados monetário e cambial, que se libertaram da supervisão direta do Banco Central. Isso levou a uma mudança nas relações *principal-agent* mais importantes do BC, livrando-o das formas mais onerosas de pressão dos agentes de mercado, das federações industriais e comerciais, e de outros *lobbies* politicamente poderosos. Nesse processo, o BC libertou-se da interferência política sobre as políticas monetária e cambial. Esse desdobramento, por si só, foi responsável por um aumento maior da autonomia do banco do que qualquer outro conjunto de mudanças de políticas públicas anteriores ao Plano Real, embora, no processo, o BC tenha deliberadamente abdicado de controles diretos sobre os agentes de mercado.

O Plano Brady

O segundo desenvolvimento institucional mais importante resultou de uma política adotada em resposta à crise da dívida. A renegociação da enorme dívida externa do Brasil, que culminou no Plano Brady de 1993, "não só encerrou um episódio penoso mas também permitiu um avanço do Brasil no sentido de separar as funções do Banco Central e do Tesouro" (Nóbrega e Loyola, 2006:75). O BC foi liberado da tarefa de operar com a dívida externa, transferindo essa responsabilidade ao Tesouro. Isso foi importante em grande parte porque dispensou o BC de se relacionar com os credores externos, permitindo que se concentrasse em suas responsabilidades mais "tecnocráticas", e diminuindo a ameaça que os imperativos da dívida externa exercem sobre o controle da moeda. Uma vez mais, o Banco Central ganhava maior autonomia, livrando-se de operar em um terreno politicamente escorregadio. Ao mesmo tempo em que perdia responsabilidades na formulação de políticas, o BC ganhava alguma liberdade institucional em relação a interferências políticas.

O Plano Real

O Plano Real implementado em 1994 foi um divisor de águas em termos de políticas, e, como resultado, também de instituições. Esse plano de estabilização — que não foi ungido pelas instituições financeiras internacionais por causa de seu caráter heterodoxo — foi implementado no início daquele ano, e promoveu uma estabilização rápida e duradoura depois da introdução da nova moeda, o real, em 1º de julho.

Em termos de seus efeitos institucionais, a estratégia de fixar a taxa de câmbio — o núcleo do plano — transferiu poderes inéditos ao BC, gerando "a supremacia efetiva da política monetária" sobre os demais instrumentos de política econômica (Cardoso, 2000). O presidente Fernando Henrique Cardoso, juntamente com seu ministro da Fazenda, Pedro Malan, preferiu delegar autoridade sobre a política monetária, centralizando-a no BC. Tal preferência se traduziu na autonomia efetiva do BC (embora ainda altamente contingente) em muitas das frentes da formulação de políticas. Como observam Santos e Patrício (2002:13) "uma vez nomeados e aprovados o presidente e os diretores do BC, a tendência central da política monetária se tornou tarefa de três atores fundamentais: nada seria feito em termos de moeda, taxa de juros e de câmbio sem o acompanhamento de perto do presidente, do ministro da Fazenda e do presidente do BC". Desde que Cardoso e Malan participassem, a influência do BC na formulação das políticas e sua autonomia em relação a outros atores do sistema político poderiam crescer livremente. Como as preferências do BC em muito se assemelhavam às do Executivo, o BC podia atuar com autonomia e com pouca interferência do presidente ou de seus ministros.

Uma segunda mudança circunstancial resultou do efeito inédito do Plano Real sobre a política nacional. O sucesso notável do plano não só catapultou Cardoso para a presidência, como também, sobretudo no primeiro mandato, tornou possível a criação de uma coalizão parlamentar distinta de qualquer outra observada no período pós-militar. Embora essa coalizão tenha ocasionalmente deixado a desejar, foi capaz de promover uma agenda legislativa clara. Sua força derivou amplamente da popularidade do Plano Real, que gerou pressões significativas da opinião pública que encorajaram os congressistas a apoiar as medidas necessárias para a sustentação do plano (Cardoso, 2006:189). A estabilização econômica não era mais percebida como uma "pílula amarga" a ser tragada por um público relutante, mas como um bem público que precisava ser protegido contra políticas econômicas populistas (Sola e Kugelmas, 2002:95-102). Graças a essa mudança de percepção da opinião pública sobre a estabilização, o Plano Real contribuiu para estabelecer uma forma contingente de autonomia em relação ao Congresso. Ao mesmo tempo em que o governo FHC transferiu responsabilidades de supervisão ao Congresso, o BC beneficiou-se em grande parte da delegação de poder pelo Executivo sobre um bom número de questões cruciais de política econômica (Santos e Patrício, 2002:100). Em suma, o êxito do processo de formulação de políticas relacionado ao Plano Real contribuiu para a autonomia do BC mediante a ampliação do apoio popular à estabilidade da moeda e às políticas necessárias para preservá-la.

A terceira mudança importante associada ao Plano Real diz respeito ao padrão de relações entre o BC e os governos estaduais e municipais nas dimensões fiscal e monetária. Como Samuels (2003:547) nota: "o Plano Real propiciou ao governo Cardoso o impulso para restringir a capacidade dos atores subnacionais de afetar a economia brasileira". A preferência de Fernando Henrique Cardoso pela autonomia do BC surgiu em parte porque um banco central autônomo e mais poderoso de algum modo o insulava, protegendo a tomada de decisões quanto às questões mais espinhosas de políticas. Por essa ótica, talvez as mais importantes tenham sido as políticas dirigidas a restringir abusos fiscais: os bancos estaduais foram privatizados, o que eliminou seus efeitos expansionistas sobre a base monetária; a renegociação das dívidas estaduais e municipais obedeceu a regras disciplinadoras, e a nova Lei de Responsabilidade Fiscal, aprovada em 2000, instituiu uma severa constrição orçamentária aos governos subnacionais.[18]

Não obstante, a autonomia do Banco Central continuou contingente durante o primeiro mandato de FHC, dependendo de dois suportes: o apoio do presidente e o desempenho da política econômica. Sem um Executivo empenhado na autonomia do BC (percebida como essencial para o sucesso das políticas do governo e para seu êxito político), e sem o apoio da opinião pública aos resultados das políticas em curso (que, por sua vez, reforçavam o empenho do Executivo em manter a autonomia do BC), teria sido possível, inequivocamente, um retorno ao *status* de subordinação institucional do BC característico do período hiperinflacionário de início dos anos 1990.

Os escândalos financeiros de meados a final dos anos 1990

Por ironia, foi um escândalo e uma crise que ajudaram a aprofundar a autonomia ainda embrionária do BC e a obter apoios — em especial no Poder Executivo — para uma relação mais distante entre o Banco Central e a Presidência. O esforço para passar de uma autonomia baseada em um ditame presidencial altamente contingente para uma situação autônoma mais institucionalizada e permanente baseou-se, em boa parte, na necessidade de distanciar o presidente dos resultados politicamente mais onerosos do processo de formulação de políticas pelo Banco Central — independentemente de sua escala, fossem elas decisões mensais de política monetária, ou decisões de mais longo alcance, como a reestruturação dos bancos estaduais.

---

[18] Ver Martone (1993), Nóbrega (2005), Abrucio e Loureiro (2005).

As respostas duras e impopulares que se tornaram necessárias para enfrentar uma série de reações de pânico, de crises bancárias e um escândalo ligado à emissão de dívidas estaduais, bem como as investigações parlamentares sobre as decisões do BC, tudo isso contribuiu para uma relação cada vez mais distante entre o Poder Executivo e o Banco Central no final dos anos 1990 e início de 2000. Esse processo culminou no compromisso decisivo de Lula com a autonomia operacional do BC, antes de sua posse. Dado o objetivo de perpetuar a estabilidade da moeda, para o Executivo fazia cada vez mais sentido não só isolar o BC das pressões parlamentares, como, também, distanciar seus processos decisórios do próprio destino político do presidente.

Foi esse o caso das medidas políticas mais polêmicas da época tomadas pelo BC: o saneamento e a venda dos bancos estaduais; o fechamento de uma série de bancos privados de destaque e politicamente proeminentes, como o Banco Econômico, o Banco Nacional e o Bamerindus; a imposição de controles sobre a emissão de dívidas municipais e estaduais, na esteira do chamado "escândalo dos precatórios" (quando se descobriu que governos estaduais e municipais tinham realizado emissões de títulos fraudulentas); as políticas monetárias extraordinariamente restritivas para contra-arrestar o contágio de crises externas; e as regras mais transparentes ligadas à adoção do regime de metas inflacionárias, depois da desvalorização da moeda em 1999. Além disso, a flutuação da moeda pode ter contribuído para a autonomia do BC, ao reduzir a percepção da eficácia das pressões políticas exercidas sobre o Banco Central: nesse aspecto, a adoção do regime de câmbio flutuante, em 1999, pode ter contribuído mais do que qualquer outra opção de política dos anos 1990 para afastar o BC de contenciosos, e para fortalecê-lo diante de potenciais grupos de pressão.

Em cada um desses casos, os objetivos das políticas do Executivo coincidiram inteiramente com a resposta geral dada pelo BC aos problemas subjacentes, mas, ao fazer uso da condição tecnocrática do BC como guardião do processo de *policy-making*, o presidente pôde se livrar de pelo menos uma parcela das queixas geradas pelas penas infligidas pela implementação dessas políticas. O estabelecimento de regras claras para a operação discricionária do BC possibilitou a ampliação de sua autonomia a um risco baixo, ao mesmo tempo que o ônus político dessas políticas recaía crescentemente sobre o Banco Central. Nesse meio tempo, como notou Schwartsman (2004) referindo-se à adoção do sistema de metas inflacionárias, a crescente delegação de poderes ao BC teve a vantagem de lhe dar maior flexibilidade (ainda que dentro de certos limites preestabelecidos), ao mesmo tempo que melhorava seu desempenho. O Executivo, assim, incorreu em custos políticos menores nas decisões de política monetária e, *ceteris paribus*, obteve condições de desempenho melhores do que aquelas prevalentes em um sistema no qual as políticas do BC dependem de seu apoio e aprovação.

A necessidade de abrandar os temores do mercado financeiro em relação ao governo Lula

Finalmente, a eleição de Lula e seu primeiro mandato serviram para aumentar consideravelmente a autonomia *de facto* do Banco Central. Antes das eleições, diante da crise financeira, Lula comprometeu-se com políticas que garantiam a estabilidade monetária e a autonomia operacional do BC. Uma vez no cargo, a nomeação para o BC de um presidente pró-mercado e ligado ao setor bancário, assim como de diretores também saídos desse setor, tanto do privado quanto do público, ajudaram a consolidar a autonomia política da instituição. A concessão de *status* ministerial ao presidente do BC, em 2004 — um recurso adotado mais para contornar os efeitos de processos judiciais (posto que os ministros têm direito a foro privilegiado) do que um movimento calculado para aumentar a autonomia do BC —, não obstante, aumentou-a. Mais tarde, isso revelar-se-ia essencial para o argumento de Lula de que o BC estava mais sob seu comando do que sob o comando do ministro da Fazenda — afirmação crucial para preservar a confiança do mercado apesar da queda do ministro da Fazenda, em 2005, induzida por um escândalo e da nomeação de um substituto menos pró-mercado.[19]

Conclusão

Os fins muitas vezes definem a evolução dos meios. Essa é a lição a ser extraída das seis décadas de políticas públicas no Brasil, nas quais os objetivos cambiantes das políticas propiciaram as forças motoras do desenvolvimento cumulativo do BC e, ao longo do tempo, os esforços para aumentar sua autonomia. Desde as primeiras batalhas que caracterizaram a relação entre a Sumoc e o Banco do Brasil até a de-

---

[19] Antes desse momento, as ligações estreitas entre os membros da elite da burocracia econômica, no Ministério da Fazenda e no Banco Central (Loureiro, 1997), tinham servido para proteger a autonomia do BC, ou, pelo menos, para evitar conflitos entre as duas burocracias quanto às suas respectivas preferências.

claração triunfante do presidente do BC, Henrique Meirelles (embora sem ironia), de que "tive um encontro com o presidente Lula e ele reafirmou a autonomia do Banco Central", a trajetória foi lenta e tortuosa.

No entanto, a imposição de uma mudança institucional por atacado nunca foi uma possibilidade viável, e, como as conjunturas críticas de 1964 e de 1988 ilustram, raramente as tentativas de uma radical mudança institucional propiciaram as soluções institucionais duradouras que seus proponentes desejavam. Ao contrário, uma sucessão de desafios cambiantes — como lidar com a crise da dívida externa, enfrentar os excessos dos bancos estaduais, combater a hiperinflação e desvalorizar a moeda — foi depositando os sedimentos criados por ondas sucessivas de mudanças de menor escala, impulsionadas pelos imperativos do momento. Foi esse processo de formulação de políticas que, lenta e quase imperceptivelmente, remodelou a instituição em pauta. O marco institucional do BC daí resultante é vital para a determinação das alternativas de política que podem ser implementadas hoje, mas não chegou pronto e acabado, nem poderia ser assim.

Uma primeira conclusão, portanto, é que, ao se reconhecer esse processo lento e cumulativo de desenvolvimento institucional endógeno, que se deu na trilha aberta pelas políticas públicas, torna-se possível reintroduzir a importância da política e da escolha de políticas em um campo no qual as instituições assumiram a dominância como variável independente para explicar os resultados das políticas e, obviamente, do desenvolvimento econômico.

Uma segunda conclusão diz respeito aos bancos centrais. A independência de um banco central nunca é uma variável dicotômica (Eijffinger e Hoeberichts, 2002). Distintas esferas de formulação de políticas podem contribuir para graus variáveis de *accountability* dos diferentes formuladores de políticas, em um dado momento e, também, em diferentes espaços. Em consequência, o desenvolvimento institucional raramente se dá de uma só vez, e as mudanças nos imperativos das políticas públicas — e os diferentes processos de formulação de políticas que engendram — provavelmente levarão a inovações institucionais e a mudanças diferentes de qualquer plano prévio.

Como ampliar as lições deste capítulo? Um terreno óbvio são os outros bancos centrais. Por certo, poucos bancos centrais seguiram a trajetória do Federal Reserve dos Estados Unidos, cuja independência foi estabelecida formalmente quando de sua gênese. Mas mesmo o FED passou por uma evolução institucional na esteira do processo de *policymaking*: foi reformulado dramaticamente pela decisão de Nixon de desligar-se da taxa de câmbio relativamente fixa entre o dólar e o ouro. Da mesma forma, a decisão dos *policymakers* argentinos de acabar com a taxa de câmbio fixa em relação ao dólar, em 2002, levou a uma reestruturação do formato institucional do banco central, no sentido de reorientar seu foco para o controle da política monetária e dos preços.

Mas, aqui, o argumento mais abrangente sobre o desenvolvimento institucional por meio da formulação de políticas não se limita aos bancos centrais. Na verdade, exemplos desse tipo de desdobramento são frequentes. O poder crescente do Tesouro no Brasil nas duas últimas décadas, por exemplo, resultou em parte de um processo de *policymaking* que separou uma parcela da receita fiscal do governo federal para seu uso — receita antes constitucionalmente destinada aos governos estaduais –, como o Fundo Social de Emergência (FSE) de 2004. Esse maior poder também resultou de processos sem conexão aparente entre si, como a criação do Fundo de Manutenção e Desenvolvimento do Ensino Fundamental e de Valorização do Magistério (Fundef), que restringe as opções de política educacional disponíveis a estados e municípios, graças, em parte, à concentração do orçamento da educação no Tesouro (Arretche, 2007:60). Histórias similares de desenvolvimento institucional na esteira de políticas públicas ocorreram em outros contextos nacionais, como, por exemplo, os efeitos das políticas norte-americanas de habitação e de transportes depois da II Guerra Mundial, que criaram restrições aos *policymakers* em áreas tão distintas quanto política energética e dessegregação escolar. Na mesma linha, merecem destaque os efeitos de diferentes políticas adotadas em resposta à Grande Depressão na Suécia, no Reino Unido e nos Estados Unidos, no sentido de forjar distintas instituições governamentais, que, mais tarde, influenciaram a capacidade desses países de adotar políticas keynesianas.[20]

Em resumo, um desenvolvimento institucional endógeno e incremental, pelo processo de *policymaking*, é uma fonte poderosa de mudança em uma ampla gama de situações políticas. Em jovens democracias, especialmente, com marcos institucionais novos e pouco testados, e nas arenas em que "a aversão ao risco é alta porque os efeitos das decisões de políticas são incertos e as apostas demasiado altas" (Melo, 2004:326) — como é o caso das políticas tributária, previdenciária ou monetária –, mudanças graduais de políticas podem ser um caminho para o desenvolvimento institucional preferível a outro de mudança extensa, total, de resultados incertos e potencialmente desestabilizadores.

---

[20] Embora não discuta os efeitos do processo de *policymaking* sobre o desenvolvimento institucional *per se*, ambos os exemplos foram extraídos de Pierson (1993), que, por sua vez, se refere aos trabalhos de Jackson (1985), Danielson (1976) e Weir e Skocpol (1985).

Bibliografia

ABBOTT, Andrew. On the concept of turning point. *Comparative Social Research*, n. 16, p. 85-105, 1997.

ABRUCIO, Fernando Luiz; LOUREIRO, Maria Rita. Finanças públicas, democracia e *accountability*. In: BIDERMAN, Ciro; ARVATE, Paulo (Orgs.). *Economia do setor público no Brasil*. São Paulo: Elsevier, 2005.

ACEMOGLU, Daron; JOHNSON, Simon; ROBINSON, James A. Institutions as a fundamental cause of long-run growth. In: AGHION, Philippe; DURLAUF, Steven N. (Eds.). *Handbook of economic growth*. Amsterdam: Elsevier, 2005. p. 385-472.

AHRENS, Joaquim. *Governance and economic development*: a comparative institutional approach. Northampton, MA: Edward Elgar, 2002.

ARJOMAND, Said Amir. Constitutions and the struggle for political order: a study in the modernization of political traditions. *European Archives of Sociology*, v. 33, p. 39-82, 1992.

ARRETCHE, Marta. The veto power of sub-national governments in Brazil: political institutions and parliamentary behaviour in the post-1988 period. *Brazilian Political Science Review*, v. 1, n. 2, p. 40-73, 2007.

CARDOSO, Eliana. Brazil's currency crisis: the shift from an exchange rate anchor to a flexible regime. In: WISE, Carol; ROETT, Riordan (Eds.). *Exchange rate politics in Latin America*. Washington, DC: Brookings Institution, 2000.

CARDOSO, Fernando Henrique. *The accidental president of Brazil: a memoir*. New York: Public Affairs, 2006.

COLLIER, Ruth Berins; COLLIER, David. *Shaping the political arena:* critical junctures, the labor movement and regime dynamics in Latin America. Princeton: Princeton University Press, 1991.

DANIELSON, Michael N. *The politics of exclusion*. New York: Columbia University Press, 1976.

DIÁRIO DA ASSEMBLEIA NACIONAL CONSTITUINTE. Minutas de uma reunião conjunta da Comissão do Sistema Tributário, Orçamento e Finanças e da Subcomissão de Orçamento e Fiscalização Financeira da Assembleia Nacional Constituinte. Suplemento 18/6/1987, p. 138-150.

EIJFFINGER, Sylvester C. W.; HOEBERICHTS, Marco. Central Bank accountability and transparency: theory and some evidence. *International Finance*, v. 5, n. 1, p. 73-96, 2002.

ELLIS, Howard S. Corrective inflation in Brazil 1964-66. In: ELLIS, H. S. (Ed.). *The economy of Brazil*. Berkeley: University of California Press, 1969.

GEORGE, Alexander L.; BENNETT, Andrew. *Case studies and theory development in the social sciences*. Boston: MIT Press, 2005.

GOUVÊA, Gilda Figueiredo Portugal. *Burocracia e elites burocráticas no Brasil*. São Paulo: Pauliceia, 1994.

HAGGARD, Stephan; McCUBBINS, Mathew D. *Presidents, parliaments, and policy*. Cambridge: Cambridge University Press, 2001.

HAYDU, Jeffrey. Making use of the past: time periods as cases to compare and as sequences of problem-solving. *American Journal of Sociology*, n. 104, p. 339-371, 1998.

HELMKE, Gretchen; LEVITSKY, Steven. *Informal institutions and democracy:* lessons from Latin America. Baltimore: Johns Hopkins University Press, 2006.

JACKSON, Kenneth T. *Crabgrass frontier:* the suburbanization of the United States. Oxford: Oxford University Press, 1985.

KRASNER, Stephen. Approaches to the State: alternative conceptions and historical dynamics. *Comparative Politics*, p. 223-246, 1984. .

LIEBERMAN, Robert C. Ideas, institutions, and political order: explaining political order. *The American Political Science Review*, v. 96, n. 4, p. 697-712, 2002.

LIJPHART, Arend. *Patterns of democracy:* government forms and performance in thirty-six countries. New Haven, CT: Yale University Press, 1999.

LOHMANN, Susan. Federalism and Central Bank independence: the politics of German monetary policy, 1957-92. *World Politics*, n. 50, p. 401-446, 1998.

LOUREIRO, Maria Rita. *Os economistas no governo:* gestão econômica e democracia. Rio de Janeiro: FGV, 1997.

MAHONEY, James. Path dependence in historical sociology. *Theory and Society*, v. 29, p. 507-548, 2000.

MAINWARING, Scott. Brazil: weak parties, feckless democracy. In: MAINWARING, Scott; SCULLY, Timothy R. (Eds.). *Building democratic institutions:* party systems in Latin America. Stanford, Calif.: Stanford University Press, 1995.

MANESCHI, Andrea. The Brazilian public sector. In: ROETT, Riordan (Ed.). *Brazil in the sixties*. Nashville: Vanderbilt University Press, 1972.

MARTONE, Celso L. O conceito brasileiro de moeda. *Braudel Papers*, n. 4, 1993.

MAXFIELD, Sylvia. *Gatekeepers of growth:* the international political economy of central banking in developing countries. Princeton: Princeton University Press, 1997.

MAZZILLI, Hugo Nigro. *Regime jurídico do Ministério Público*. São Paulo: Saraiva, 1993.

MELO, Marcus André. Institutional choice and the diffusion of policy paradigms: Brazil and the second wave of pension reforms. *International Political Science Review*, v. 25, n. 3, p. 297-319, 2004.

MOE, Terry M. Power and political institutions. *Perspectives on Politics*, n. 3, p. 215-233, 2005.

NÓBREGA, Mailson da. *O Brasil em transformação*. São Paulo: Gente, 2000.

____. *O futuro chegou: instituições e desenvolvimento no Brasil*. São Paulo: Globo, 2005.

____; LOYOLA, Gustavo. The long and simultaneous construction of fiscal and monetary institutions. In: SOLA, Lourdes; WHITEHEAD, Laurence (Eds.). *Statecrafting monetary authority:* democracy and financial order in Brazil. Oxford: Center for Brazilian Studies, 2006. p. 57-84.

PIERSON, Paul. When effect becomes cause: policy feedback and political change. *World Politics*, v. 45, n. 4, p. 595-628, 1993.

____. Path dependence, increasing returns, and the study of politics. *American Political Science Review*, n. 94, p. 251-267, 2000.

____. *Politics in time:* history, institutions, and social analysis. Princeton: Princeton University Press, 2004.

PRAÇA, Sérgio. Corrupção e processo orçamentário no Brasil: 1986-1993. In: ENCONTRO DA ASSOCIAÇÃO BRASILEIRA DE CIÊNCIA POLÍTICA, 6, 2008, Campinas. Anais... Campinas: Unicamp, 2008.

RIBEIRO, Casemiro Antonio. Depoimento, 1989. In: Cpdoc/FGV. *A criação do Banco Central:* primeiros momentos. Rio de Janeiro: Cpdoc/FGV, 1990.

RODRIK, Dani. Getting institutions right. s.l.: s.n., 2004. Disponível em: <http://ksghome.harvard.edu/~drodrik/papers.html>.

SAMUELS, David. Fiscal straightjacket: the politics of macroeconomic reform in Brazil, 1995-2002. *Journal of Latin American Studies*, n. 35, p. 545-569, 2003.

SANTOS, Fabiano; PATRÍCIO, Inês. Moeda e Poder Legislativo no Brasil: prestação de contas de bancos centrais no presidencialismo de coalizão. *Revista Brasileira de Ciências Sociais*, v. 17, n. 49, p. 93-113, 2002.

SCHWARTSMAN, Alexandre. Metas para a inflação: imperfeitas para um mundo imperfeito. In: GIAMBIAGI, Fabio; REIS, José Guilherme; URANI, André (Orgs.). *Reformas no Brasil:* balanço e agenda. 2. ed. Rio de Janeiro: Nova Fronteira, 2004. p. 81-104.

SIMONSEN, Mario Henrique. Inflation and the money and capital markets of Brazil. In: ELLIS, Howard S. (Ed.). *The economy of Brazil*. Berkeley: University of California Press, 1969.

SKIDMORE, Thomas E. *The politics of military rule in Brazil, 1964-85*. New York: Oxford University Press, 1988.

SOLA, Lourdes; KUGELMAS, Eduardo. Estabilidade econômica e o Plano Real como construção política e democratização — *statecraft*, liberalização econômica.

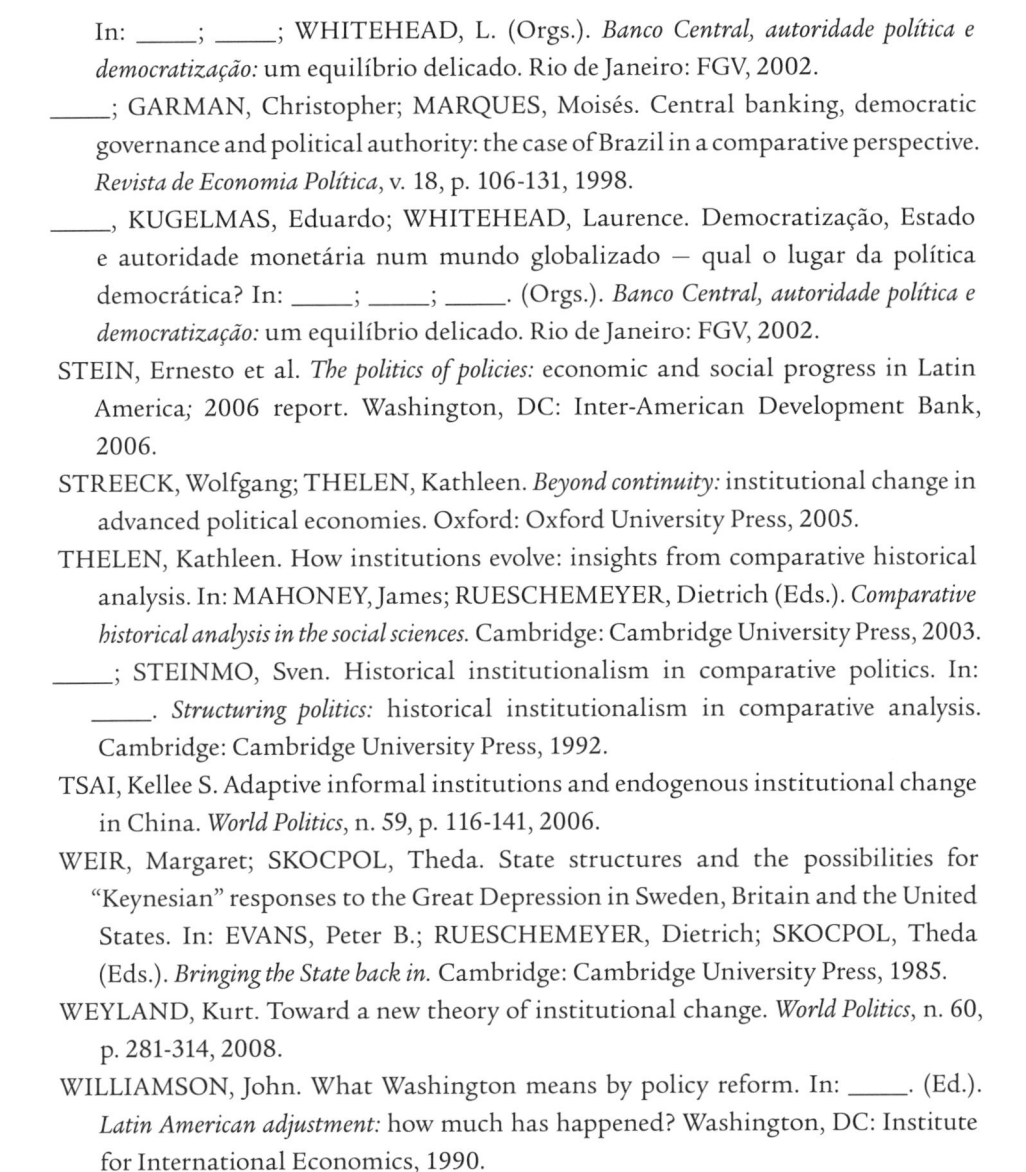

In: ____; ____; WHITEHEAD, L. (Orgs.). *Banco Central, autoridade política e democratização:* um equilíbrio delicado. Rio de Janeiro: FGV, 2002.

____; GARMAN, Christopher; MARQUES, Moisés. Central banking, democratic governance and political authority: the case of Brazil in a comparative perspective. *Revista de Economia Política*, v. 18, p. 106-131, 1998.

____, KUGELMAS, Eduardo; WHITEHEAD, Laurence. Democratização, Estado e autoridade monetária num mundo globalizado — qual o lugar da política democrática? In: ____; ____; ____. (Orgs.). *Banco Central, autoridade política e democratização:* um equilíbrio delicado. Rio de Janeiro: FGV, 2002.

STEIN, Ernesto et al. *The politics of policies:* economic and social progress in Latin America; 2006 report. Washington, DC: Inter-American Development Bank, 2006.

STREECK, Wolfgang; THELEN, Kathleen. *Beyond continuity:* institutional change in advanced political economies. Oxford: Oxford University Press, 2005.

THELEN, Kathleen. How institutions evolve: insights from comparative historical analysis. In: MAHONEY, James; RUESCHEMEYER, Dietrich (Eds.). *Comparative historical analysis in the social sciences.* Cambridge: Cambridge University Press, 2003.

____; STEINMO, Sven. Historical institutionalism in comparative politics. In: ____. *Structuring politics:* historical institutionalism in comparative analysis. Cambridge: Cambridge University Press, 1992.

TSAI, Kellee S. Adaptive informal institutions and endogenous institutional change in China. *World Politics*, n. 59, p. 116-141, 2006.

WEIR, Margaret; SKOCPOL, Theda. State structures and the possibilities for "Keynesian" responses to the Great Depression in Sweden, Britain and the United States. In: EVANS, Peter B.; RUESCHEMEYER, Dietrich; SKOCPOL, Theda (Eds.). *Bringing the State back in.* Cambridge: Cambridge University Press, 1985.

WEYLAND, Kurt. Toward a new theory of institutional change. *World Politics*, n. 60, p. 281-314, 2008.

WILLIAMSON, John. What Washington means by policy reform. In: ____. (Ed.). *Latin American adjustment:* how much has happened? Washington, DC: Institute for International Economics, 1990.

7

Construção institucional e regulação bancária em uma jovem democracia em processo de integração econômica

Moisés S. Marques

A crise financeira iniciada em 2007, a partir dos problemas do mercado imobiliário norte-americano, tem efeitos globais, entre os quais, a quebra de bancos e de empresas considerados tradicionais, bem como a alta volatilidade das bolsas de valores e de mercadorias, além da "estatização" de sistemas bancários privados, por ação concertada de governos, nos Estados Unidos e na Europa.

Se isso tivesse ocorrido há alguns anos, em plena vigência do Consenso de Washington na América Latina, provavelmente o Brasil estaria sofrendo fortemente os efeitos da crise e lutando para implementar as medidas "sugeridas" pelos representantes dos credores, ao mesmo tempo que procuraria dar conta do peso político de atores relevantes, como representantes regionais e banqueiros.

Na crise atual, porém, é consensual que o país esteja menos vulnerável do que em períodos anteriores. Os principais analistas, e mesmo os relatórios periódicos do Bank for International Settlements (BIS — Banco de Compensações Internacionais), apontam uma conjunção de fiscalização equivocada, com regras de supervisão frágeis, na maioria dos sistemas bancários dos países desenvolvidos, como uma das causas básicas da crise. Portanto, uma das saídas para evitar crises dessa espécie seria um reforço sem precedentes da regulação prudencial nos respectivos sistemas bancários nacionais, o que mitigaria as possibilidades de risco sistêmico, além de um incremento na supervisão e na fiscalização das instituições financeiras.

No "olho desse furacão", até o momento, o Brasil tem sido dos países que menos sente esses efeitos no sistema bancário, mesmo que as fusões e aquisições tenham retomado seu fôlego, apontando para uma maior concentração no sistema financeiro nacional. Apesar de o governo ter editado medidas que permitem a "estatização" de bancos e carteiras de crédito, como nos demais países, ainda assim, os efeitos da crise sobre os riscos de mercado, de crédito e operacionais podem ser considerados pequenos, e o Banco Central mantém sob controle o sistema bancário. Começam a surgir versões para explicar tal fenômeno, que passam pelo fato de o Brasil ter feito a "lição de casa" no período recente, razão pela qual estaria sofrendo menos com a atual conjuntura.

Minha constatação é que isso de fato acontece, ou seja, o Brasil tem um sistema financeiro muito mais blindado em termos de regulação e supervisão do que a maioria dos países emergentes e mesmo desenvolvidos. Mas isso não é casual e, sim, fruto de uma construção incremental de instituições no sistema financeiro nacional, muito em função da própria inserção internacional do país.

A pergunta central deste capítulo é a seguinte: como o Brasil teria passado da condição de devedor insolvente, proprietário de um sistema bancário "sócio da inflação" e imbuído da questão do *moral hazard*, há cerca de duas décadas, para um país com um sistema financeiro sólido e mais refratário às crises, inclusive se comparado às economias mais desenvolvidas e aos demais países da categoria Bric? A resposta parece residir na construção institucional gradual, que demandou muita negociação política, respeito e consideração pelo *timing* da democratização do país e reforço da autoridade do Banco Central, aproveitando-se, principalmente, das janelas de oportunidade proporcionadas pelas crises anteriores, nos planos internacional e doméstico, e pela adaptação criativa das diretrizes oriundas do BIS.

Portanto, no bojo dessa institucionalização de redes de proteção para o sistema bancário brasileiro, estão fatores internos, como a resolução de problemas políticos renitentes com governadores e representantes de estados da Federação, e fatores externos, como a ação conjunta com organizações internacionais, no caso, o BIS.

A aceleração da construção dessas redes de proteção no Brasil se deu pelo trabalho árduo e incremental de construção de instituições pelo Banco Central, no sentido de "atar as mãos" de atores políticos que se utilizavam de práticas arriscadas na certeza de que seriam socorridos se não lograssem êxito. Essa construção teve no "casamento" com os acordos internos ao BIS a sua estratégia preponderante, adaptando-se as diretrizes de regulação e supervisão bancária oriundas daquele organismo internacional ao jogo próprio da democracia de massas brasileira.

A partir da abordagem das trajetórias dessa construção institucional e das estratégias utilizadas pela autoridade monetária para sedimentar as novas diretrizes para o sistema financeiro, será possível perceber alguns dos porquês da situação atual dos bancos no Brasil, que, apesar da crise econômica, ainda se mantêm rentáveis e sólidos.

O resultado dessas estratégias é que o país conta atualmente com uma autoridade monetária forte, legitimada e "autônoma de fato", respeitada pelo sistema financeiro, e que nem de longe lembra a fragilidade e os riscos vividos na década de 1980. Entretanto, ao contrário do que se espera de estratégias de reforço de autoridades políticas relativamente insuladas, como os bancos centrais, essa construção institucional, por ter sido incremental e respeitar a dinâmica do processo democrático brasileiro, não ocorreu em detrimento deste. Várias regulações prudenciais e o reforço do papel do Banco Central vieram acompanhados de mecanismos de transparência, *disclosure* e governança corporativa, tanto da instituição quanto do governo federal, demonstrando que há espaço para o convívio de instituições fortes e responsabilização pública.

Como se pode depreender de outras análises (Sola, Kugelmas e Whitehead, 2002), os avanços e retrocessos no processo de redemocratização do país tiveram papel importante nessa construção institucional, por exemplo, pelo aproveitamento de janelas de oportunidade relativas ao enfraquecimento de atores políticos importantes. A relação entre a construção de instituições para o sistema financeiro no Brasil e a dinâmica da construção democrática, apesar de ser uma via de análise importante, não deve ser objeto prioritário de análise neste capítulo. Cabe ressaltar, porém, que, além de relevante, ela possibilitou a adoção de políticas de contrapartida ao endurecimento das regras, como mecanismos públicos de prestação de contas por parte do Executivo federal e da autoridade monetária.

Boa parte do esforço para a reconstrução do ambiente anterior, que se caracterizava pelo *moral hazard* no Brasil, já foi feito em outros textos e mesmo no capítulo 6 deste livro, de autoria de Taylor. Portanto, na seção inicial deste capítulo buscarei apenas sintetizar esse esforço de construção institucional correlato às sucessivas crises vividas pelo país, destacando a interação constante com o BIS e a adaptação, às vezes até mais radical, de suas "normatizações". Essa reconstrução terá como foco principal a década de 1990, momento em que o Brasil passou a adaptar o Acordo da Basileia I.[1]

---

[1] Ressalte-se que o movimento em direção à reconstrução de instituições pelo Banco Central, de modo a sedimentar a solidez do sistema financeiro nacional, começou muito antes, como já demonstrei em Marques (2000), por ocasião da constatação dos graves problemas dos bancos públicos estaduais, no início da década de 1980.

Cabe ressaltar que, além dos papéis das tradicionais organizações financeiras internacionais (Kugelmas, 2005), também o papel do BIS vem sendo discutido no âmbito da crise financeira atual, mas, por não ser uma instituição normatizadora no sentido da obrigação da adoção de suas "sugestões", essa interação com o BIS abriu espaço para uma adaptação de regras que ajudaram a "atar as mãos" dos atores políticos interessados no cenário de *moral hazard*, sem que ficasse prejudicado o processo de redemocratização política em curso no país. Essa flexibilidade tem sido vital para a inserção rápida e eficiente do país na nova etapa do acordo, denominado Basileia II.² Acredito que este tenha sido um dos fatores que manteve o sistema financeiro nacional relativamente imune aos efeitos da crise atual.

Na segunda parte do capítulo, veremos como se deu a acomodação das lógicas do Estado e do mercado, no Brasil, em relação à redemocratização, cujo *timing* e estágio tiveram de ser respeitados para a adaptação de algumas normatizações e limitações de atores estratégicos no sistema financeiro nacional. Ou seja, as diretrizes do BIS tiveram uma certa facilidade de adaptação ao cenário e aos ritmos brasileiros também pela própria dinâmica da democratização de massas. Apesar de não me aprofundar nessa análise, alguns aspectos serão pinçados, de modo a demonstrar que uma autoridade do tipo *rule giver* tem limites em sua democratização, mas pode se valer do próprio processo democrático para se impor.

Finalmente, à luz da crise econômico-financeira do final da primeira década do século XX, vou mostrar como o Brasil possui um mercado financeiro mais regulado e com um sistema de supervisão bastante atuante, muito em função de uma série de regulações prudenciais criadas incrementalmente no curso das duas últimas décadas, e como esse esforço não colocou em xeque mecanismos próprios da democracia, como o incremento da transparência nas decisões da autoridade monetária, o maior controle de suas operações, e a percepção de suas decisões por atores políticos em geral e pela sociedade. Descreverei alguns desses mecanismos de transparência e responsabilização pública, a fim de facilitar a percepção de como a construção incremental de instituições lida com a questão da maior democratização das decisões da autoridade monetária.

Este capítulo trata de questões importantes nesse momento em que o mundo discute novas alternativas de regulação e supervisão, principalmente no âmbito do G-20 Financeiro. Na Cúpula de Washington, em novembro de 2008, foram ajusta-

---

² Quando da conclusão deste capítulo, ainda não havia sido fechado o Acordo da Basileia III, entre os reguladores globais e os representantes de bancos centrais. Este acordo deverá forçar os bancos a aumentarem suas reservas de capital, como medida de proteção a eventuais crises.

das 47 medidas para ampliar a transparência do mercado financeiro e incrementar a regulação global, sendo discutida também a necessidade de reformar os organismos financeiros internacionais. Em abril de 2009, o agravamento da crise internacional levou a uma reformulação do G-20 Financeiro, que busca substituir o tradicional G-8 (G-7 e Rússia) na articulação de soluções globais para as crises econômicas, incluindo no processo decisório as chamadas "economias emergentes".

Os principais riscos identificados pelo G-20 dizem respeito a questões como excesso de alavancagem e falta de um sistema regulatório e de supervisão eficientes nos principais centros financeiros do mundo. Daí a importância do trabalho da autoridade monetária brasileira, que vem sendo visto como modelo para as reformas que devem ser levadas a cabo em outros países, desenvolvidos e emergentes.

A discussão desses aspectos, neste momento, deve ajudar a entender a relevância do Brasil e do caminho que trilhou para a construção institucional do seu sistema financeiro, justamente quando o país adquire importância sem precedente no redesenho do sistema financeiro internacional e passa por mudanças importantes em seu mercado bancário, que vêm sendo discutidas tanto pelas agências e organismos encarregados dessa regulação quanto pela mídia e pelo próprio Congresso.

Além disso, foi em 2008 que o Brasil recebeu das principais agências classificadoras de risco a condição de "grau de investimento" (*investment grade*), fato que deve acelerar a integração econômica internacional do país, que já ocupa posições de protagonista em organismos como a Organização Mundial do Comércio, e mesmo no atual remodelamento das organizações financeiras internacionais (OFIs).

Crises, inserção internacional e estratégias de construção institucional

As crises econômicas, em geral, traduzem-se em "quebras" no sistema bancário. Foi assim na conjuntura que se seguiu ao *crash* da bolsa de Nova York, em 1929, na crise da dívida mexicana, em 1982, e, mais recentemente, em setembro de 2008, com a falta de socorro do governo norte-americano ao tradicional banco Lehman Brothers.[3]

---

[3] Na *Folha de S.Paulo* de 15 de setembro de 2008, afirmava-se que: "sem ajuda financeira do governo dos EUA e do FED [o Banco Central dos EUA], os bancos teriam desistido do Lehman e partido para salvar o Merrill [Lynch], outro banco tradicional de Wall Street, apontado como o próximo arriscado de insolvência na crise iniciada com as hipotecas *subprime* (segunda linha) nos EUA". (Lehman Brothers anuncia que vai declarar concordata, 2008, n. p.).

Como se sabe, a crise mexicana dos anos 1980 deu início, na América Latina, à chamada "década perdida", período em que os indicadores econômicos e sociais dos países involuíram, e em que os investimentos rarearam. Esse período, no Brasil, coincidiu também com a farta utilização dos bancos públicos para finalidades políticas, estabelecendo um ciclo negativo de "criação de moeda" (Paes, 1996).

Foi nesse cenário de crise e fuga de investimentos internacionais que o Banco Central iniciou sua gradual construção institucional do sistema financeiro brasileiro, a partir de uma estratégia de aproveitamento das janelas de oportunidade oriundas das crises. Desde a adoção do Programa de Apoio Creditício (PAC), em 1983, o cenário já indicava uma nova relação da autoridade monetária com os bancos, principalmente os públicos, de construção de instituições que mitigassem o risco sistêmico no mercado financeiro. Mas foi a partir da adoção do Regime de Administração Especial Temporária (Raet), em 1987, que o BC passou a ter maior efetividade, ao intervir diretamente nas instituições. Para isso, teve de vencer a resistência de atores políticos relevantes, ainda mais em um período de retomada da democracia.

A atuação do Banco Central era necessária, pois, na década de 1980, a condição das finanças públicas no país era caótica, tanto em função de uma certa falta de responsabilidade fiscal, que partia dos governos subnacionais e perpassava o próprio âmbito federal, quanto em razão da existência de um sistema bancário pouco confiável. Esse cenário se deu inicialmente pela conjugação de má gestão com deficiências de fiscalização, mas, também, pela diluição da ordem monetária, oriunda de décadas de inflação galopante.

Em outros trabalhos (Marques, 2000 e 2005), já tratei detidamente desse assunto, descrevendo a conjuntura que caracterizava um ambiente propício ao risco moral (*moral hazard*), haja vista a contumaz relação de bancos — públicos ou privados —, que "quebravam" tecnicamente, mas eram socorridos pela autoridade monetária em função de critérios que consideravam a força política de seus controladores.[4]

A reconstrução da estabilidade na economia brasileira dependia não só do controle inflacionário, mas, também, do controle público por parte do Banco Central em relação a dois atores de peso: os banqueiros e os governadores de estado,

---

[4] Existe uma certa percepção no sistema financeiro internacional de que alguns bancos são muito grandes para falir (*too big to fail*). Na crise atual, essa lógica valeu para o Citibank, por exemplo, que foi socorrido pelo Tesouro norte-americano, mas não para o Lehman Brothers.

ambos com considerável força política. Ao mesmo tempo, o restabelecimento da ordem econômica, movimento que requeria uma certa recentralização de poder no âmbito do Executivo federal (Ministério da Fazenda e Banco Central), era uma demanda que ocorria no exato momento em que a descentralização era percebida como sinônimo de democratização, espírito que norteou boa parte do movimento que redundou na Constituição Federal de 1988.

Os movimentos para a construção de redes de proteção para o sistema financeiro brasileiro começaram ainda na década de 1980, com o próprio Banco Central capitaneando a adequação do sistema financeiro às novas regras de redução de risco, mas foi a partir da maior cooperação entre o BC e o BIS, na década de 1990, e da necessidade premente de um ataque definitivo à hiperinflação, que a autoridade monetária logrou êxito no aprofundamento dessas redes de proteção, e na construção de regulação prudencial capaz de tornar o sistema financeiro nacional mais confiável, em um universo em que a credibilidade é fator fundamental para a inserção internacional de economias emergentes como a brasileira.

As crises ocorridas na metade final da década de 1990 tinham uma característica ainda mais específica do que as anteriores: os ataques especulativos a moedas nacionais e a rapidez do alastramento. Partindo de uma análise das causas e efeitos das crises asiática e russa, na segunda metade da década, Paul Krugman (1998) constatou que, dadas a magnitude e a rapidez do contágio que essas crises demonstraram, alguns dos mais brilhantes economistas dos Estados Unidos uniram-se ao secretário do Tesouro, Lawrence Summers (1999-2001), para buscar soluções que pusessem um fim aos efeitos imediatos daquelas crises. Entretanto, teriam sucumbido ao canto da credibilidade permanentemente entoado pelos mercados e esquecido de adotar as soluções ortodoxas contidas nos mais singelos livros-texto. Isso é denominado jogo da credibilidade da era global. A rapidez com que se buscam soluções e a constante avaliação do mercado nem sempre apontam para os caminhos mais corretos.

Para Krugman (1998), nas crises dos anos 1990, o que imperou foi a rapidez das medidas e a aceitação do mercado, o que fez com que países com sistemas políticos diferentes, na Ásia e na América Latina, por exemplo, fossem avaliados da mesma forma e recebessem a mesma "lição de casa". É por isso que a inserção internacional de cada país, particularmente das novas democracias, conta no momento da construção das instituições para o sistema financeiro.

Parte-se, assim, do pressuposto de que a própria inserção de países como o Brasil, na economia internacionalizada, acaba funcionando como uma constrição habilitadora (*enabling constraint*) para a adoção de práticas institucionais saudáveis para o mercado financeiro, bem como para a própria utilização de mecanismos de transparência e *disclosure*, que funcionam como termômetros de medição da governança corporativa das instituições.[5]

É certo que, devido à adoção do Plano Real, em 1994, e ao peso efetivo que a democracia de massas teve na consumação da estabilidade monetária, tanto no Brasil quanto em vários países latino-americanos (Armijo, 2001), a interação entre o Banco Central do Brasil e o BIS chegou a um nível extremamente cooperativo, o que foi evidenciado pela adoção do Acordo da Basileia I, no Brasil, por meio da Resolução CMN nº 2.099, de fevereiro de 1994. A partir daí, não só a alavancagem dos bancos passou a ser limitada e monitorada, como passou-se a aplicar a lógica de que os riscos dos negócios bancários teriam de ser paulatinamente monitorados, assumidos e provisionados pelas próprias instituições bancárias. Há que se ressaltar aqui que o Brasil adotou um índice de Basileia de 11%, superior ao recomendado pelo próprio BIS (8%), demonstrando o compromisso do país com a credibilidade do sistema financeiro.[6]

Apesar da antiguidade do BIS como organização internacional, foi somente a partir da década de 1980, com o Acordo da Basileia I, que o banco passou a se apropriar do papel de regulador internacional da supervisão bancária. Como boa parte das crises econômico-financeiras brasileiras, a partir dos anos 1980, transformaram-se rapidamente em crises bancárias, a construção de instituições para mitigar riscos sistêmicos passou a ser tarefa da mais alta relevância para o país, tanto para obter credibilidade internacional quanto para garantir a estabilidade monetária. Atualmente, com a implementação do Acordo da Basileia II, obteve-se um salto de qualidade na diminuição dos riscos sistêmicos, em função de uma abordagem que privilegia a provisão antecipada para vários tipos de riscos nas instituições bancárias.

Com a implementação do Acordo da Basileia I, em 1994, o Brasil passou a ser um dos países em que os ativos bancários eram ponderados pelo risco incorrido, o que evitava que créditos podres fossem contabilizados como resultados efetivos. Logo a seguir, em 1996, o Banco Central do Brasil passou a fazer parte efetivamente

---

[5] Esses critérios são considerados fundamentais, por exemplo, para a adesão ao chamado Novo Mercado da Nova Bolsa.

[6] O índice adotado no Brasil é superior ao da maioria dos países, atuando, portanto, a favor da segurança e do cliente das instituições bancárias. Na prática, exige-se mais capital para fazer frente a riscos.

do BIS, obtendo assento em alguns de seus mais importantes comitês, e comprometendo-se com a adoção das melhores práticas de regulação e supervisão bancárias.

O estabelecimento de redes de proteção, a partir dos dois programas de ajuste do sistema financeiro brasileiro — o Programa de Estímulo à Reestruturação e ao Fortalecimento do Sistema Financeiro Nacional (Proer), em 1995, e o Programa de Incentivo à Redução do Setor Público Estatal na Atividade Bancária (Proes), em 1996 —, possibilitou o equacionamento das relações entre a autoridade monetária e os dois atores políticos relevantes que desde sempre fizeram frente a uma possível autonomia operacional do BC. A negociação da dívida dos estados, em 1997, que culminou na federalização do símbolo dos bancos estaduais — o Banespa —, contribuiu decisivamente para que o Banco Central recentralizasse sua autoridade política perante os governadores estaduais.

Deve-se ressaltar que Proer e Proes foram duramente criticados, à época, tanto pela oposição ao governo quanto pela imprensa. Entretanto, decorrida quase uma década e meia, verifica-se que foram corretos do ponto de vista da diminuição do risco sistêmico no país.

O custo fiscal do ajuste levado a cabo no sistema financeiro nacional, comparado ao de outros países, como mostra o quadro a seguir, foi relativamente baixo. Isso pode ser creditado à estratégia incremental que o BC vinha aplicando à institucionalização de regras para boas práticas bancárias, que depois ganharia o reforço dos novos princípios do Comitê da Basileia.

Quadro 1. Custo fiscal do ajustamento do sistema financeiro*

Anos	País	Custo fiscal/PIB (%)
1982	Argentina	13,0
1985	Chile	19,6
1985	Colômbia	6,0
1994	Venezuela	13,0
1991-1993	Finlândia	8,2
1988-1992	Noruega	4,5
1991-1993	Suécia	4,5
1991	Estados Unidos	5,1
1995-1997	Brasil	0,9

Fontes: Rojas-Suárez e Weisbrod (1995).
* Dados brasileiros estimados pelo Depec/BC, com metodologia semelhante à utilizada para os demais países.

A implementação da Central de Risco de Crédito, ainda em 1997, foi o coroamento dessa estratégia de ajustar paulatinamente o sistema financeiro nacional aos riscos do negócio, sendo o ponto fulcral dessa visão a adoção da Resolução nº 2.554/98, que estabeleceu definitivamente os princípios de supervisão bancária do BIS no Brasil.

Após o ajuste mais vigoroso do sistema financeiro, com os respectivos programas de reestruturação setoriais, a adoção das regulações prudenciais passou a ser o caminho a ser percorrido naturalmente pela autoridade monetária, porém, com uma inovação que permitiu um coeficiente maior de participação das partes interessadas na normatização do BC. Com a Resolução CMN nº 2.554/98, que implementou sistemas de controles internos e de *compliance* nas instituições, mudanças de grande magnitude passaram a ser discutidas em audiências públicas. Várias dessas audiências públicas tiveram a participação não só dos bancos e de seus representantes de classe, mas, também, de escritórios de advocacia, universidades, associações de empresários e sindicatos.[7]

Foram implementados mecanismos para mitigar a ocorrência de riscos de mercado, de crédito e operacionais, além de medidas de fôlego, como a adoção da Inspeção Global Consolidada (IGC), a obrigatoriedade da disponibilização de Informações Financeiras Trimestrais (IFT), pela Resolução CMN nº 2.959/01, e a implementação de comitês de auditoria, em 2003. Mais recentemente, o Banco Central passou a avaliar todos os bancos, de forma detalhada, inclusive sua comunicação com o público externo, de forma a propiciar a classificação (*rating*) de cada instituição, que, após consolidada, poderá ser levada a público.

Aliás, a fiscalização do BC foi remodelada, não só por meio da IGC, mas, também, pela melhor qualificação de seus profissionais e pela adoção de indicadores de performance para os bancos, o que permitiu o monitoramento a distância da saúde financeira das instituições.

Por outro lado, a liquidação de operações em tempo real, iniciada com a implementação em tempo recorde do Sistema de Pagamentos Brasileiro (SPB), em 2002, permitiu à autoridade monetária o monitoramento contínuo das reservas dos bancos, evitando a situação desagradável de só se saber da quebra de um banco após o fato consumado.

---

[7] Mais recentemente, a implantação obrigatória de ouvidorias nas instituições bancárias foi objeto de audiência pública e de discussões acaloradas, até que se chegou ao modelo adotado pelos bancos brasileiros em 2007.

A partir de 2004, começou de fato a implementação da segunda fase do Acordo da Basileia no Brasil, a chamada Basileia II. O Comunicado nº 12.746, de dezembro de 2004, divulgou o cronograma de implementação da nova etapa do acordo no Brasil. A primeira fase, que diz respeito às necessidades mínimas de capital regulatório em função dos riscos incorridos e potenciais, teve seu prazo de implementação estabelecido até o final de 2007. Daí passou-se à segunda fase, que exige do BC autoridade e fiscalização que assegurem processos internos sólidos de avaliação de capital, pelos bancos. Por fim, na terceira fase, a disciplina de mercado pela autoridade monetária deve garantir maior transparência às instituições, no sentido da divulgação de suas práticas e da participação das partes interessadas em sua gestão (governança corporativa). Percebe-se que as próprias diretrizes do BIS já ajustam o incremento da regulação prudencial ao aumento da transparência.

Com a Resolução CMN nº 3.380, de 29 de junho de 2006, começou a implementação da estrutura de gestão de risco operacional, por meio de três métodos crescentes em termos de complexidade, que devem ser adaptados à capacidade de mensuração de cada instituição.

Atualmente, a grande maioria dos bancos brasileiros provisiona contabilmente valores vultosos para perdas ainda não ocorridas em termos de posições de carteira, operações de crédito e financiamentos, além de falhas humanas, operacionais e riscos reputacionais. Assumiu-se a posição, em harmonia com as regulações do BIS, de reservar valores para perdas potenciais e, somente no caso de não ocorrerem, transformá-los em resultados tangíveis.

Como mostra a figura a seguir, os resultados de março de 2009 dos maiores bancos brasileiros indicam perfeita adequação ao índice de Basileia, que considera o patrimônio de referência exigido (PRE), ponderado pelos riscos de mercado, de crédito e operacional. Isso significa, na prática, que os bancos brasileiros estão bem mais capitalizados do que deveriam, e gerem o risco de forma mais segura do que seus pares estrangeiros.

Apesar de a estratégia de reforço da regulação e da supervisão bancárias ser uma prática que vem sendo disseminada na grande maioria das democracias emergentes de mercado, se não por outro motivo, pelo próprio jogo da credibilidade entre os países, percebe-se que, no Brasil, especificamente, alguns desses movimentos foram acelerados em razão da confluência de fatores internos e externos, como, por exemplo, o cenário de crise de 1999, a implementação da CPI dos Bancos, ou o calendário eleitoral de 2002, precificado negativamente pelo mercado.

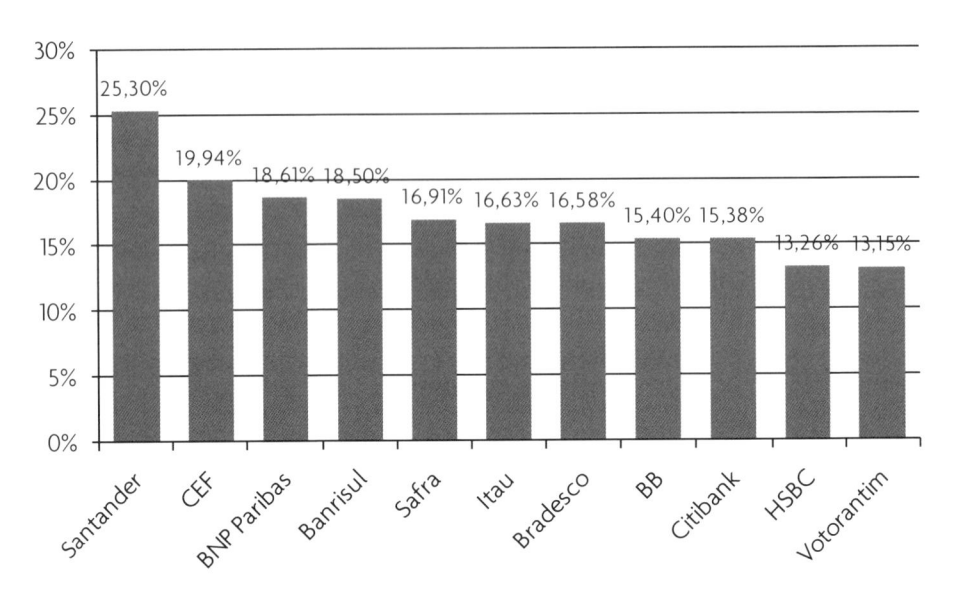

Figura 1. Índice de Basileia nos bancos (11 maiores bancos — ativos/total)

Santander	25,30%
CEF	19,94%
BNP Paribas	18,61%
Banrisul	18,50%
Safra	16,91%
Itau	16,63%
Bradesco	16,58%
BB	15,40%
Citibank	15,38%
HSBC	13,26%
Votorantim	13,15%

Fonte: Banco Central do Brasil.

É da dinâmica da internacionalização, amalgamada a alguns fatores domésticos da jovem democracia brasileira, que trataremos a seguir.

Como demonstra a crise atual, problemas como os ocorridos no Société Générale, no qual um único operador fez o banco perder € 4,9 bilhões, indicam que, apesar da melhora global do controle dos riscos do sistema bancário, ainda não há como ser imune a fraudes ou ao "mascaramento" de alavancagem.[8] A sofisticação do mercado de derivativos cria ainda mais dificuldades para o controle das operações e seus possíveis *hedges*.

No caso do Société Générale, deve-se atentar para o fato de que o presidente do Conselho do Banco, Daniel Bouton, foi o responsável pelas regras corporativas francesas de 2002, quando eram criticados os modelos de controle de riscos das empresas em geral, na esteira do escândalo da Enron. Entretanto, apesar dessa

---

[8] O operador do Société Générale, Jérôme Kerviel, chegou a investir € 50 bilhões, de acordo com matéria publicada na *Folha de S.Paulo*, de 6 fev. 2008, Caderno Dinheiro, p. B3. Relatório do Ministério das Finanças da França concluiu que os controles internos da instituição não funcionaram como deveriam.

postura de "guardião dos riscos", seu próprio banco não ficou incólume à imperícia e ao excesso de apetite de um único operador mal controlado.

Nos bancos norte-americanos que tiveram problemas recentes, ficou evidente a falta de uma fiscalização mais estrita, bem como a inobservância de algumas das mais notórias redes de proteção, como, por exemplo, conceder créditos compatíveis com o nível de endividamento dos tomadores. Esse aumento desmesurado do risco em uma situação de bonança financeira levou ao cenário explosivo atual. Apesar disso, o Brasil, em particular, e a maioria dos países latino-americanos parecem estar mais longe da crise bancária atual do que em épocas passadas.

Recentemente, o BIS criou um Conselho Consultivo das Américas (CCA), o que permitiu uma participação maior dos países da região no processo decisório da instituição.[9] Esse momento coincidiu com a assunção à Presidência do BIS de Guillermo Ortiz, então presidente do Banco do México. A América Latina dos anos 1980 e da "década perdida" passa a ter papel relevante no reordenamento financeiro internacional, fato corroborado pela recente presidência do Brasil no G-20 Financeiro.

Nos relatórios do BIS, principalmente nos mais recentes, relativos à crise econômico-financeira iniciada nos Estados Unidos, existem claras alusões ao caminho percorrido pela autoridade monetária brasileira como um dos mais eficazes para a construção de instituições que minimizem a possibilidade de riscos sistêmicos nos mercados financeiros nacionais. Portanto, a estratégia construída pelo BC aproveitou conjunturas políticas próprias da jovem democracia brasileira, combinadas à necessidade de "receber boas notas" do mercado e do próprio BIS. Alguns pontos dessa estratégia serão pormenorizados a seguir.

A acomodação institucional das lógicas do Estado e do mercado na jovem democracia brasileira

Nas democracias emergentes de mercado da América Latina, principalmente naquelas marcadas por períodos de altos índices inflacionários, para os governos que se seguiram à "década perdida", tirar boas notas no mercado ainda parecia ser um dos principais objetivos das políticas públicas.

---

[9] A presidência desse conselho será rotativa, em ordem alfabética de países. Assim, Martín Redrado, do BC argentino, deve assumir a presidência, seguido pelo representante do Brasil.

A partir de 1994, as eleições presidenciais ocorreram sempre à luz de uma relação especial entre Estado e mercado, no Brasil. Deve-se lembrar que, tanto na eleição do referido ano quanto na de 1998, a moeda desempenhou papel fundamental. Na primeira, Fernando Henrique Cardoso atrelou seu destino político ao sucesso da estabilidade monetária e foi bem-sucedido. No pleito de 1998, em meio à crise dos países asiáticos, o segundo turno entre Fernando Henrique e Lula opôs estratégias diferenciadas em relação ao tratamento da crise, e até no que concernia ao papel da estabilização. Novamente a população escolheu a opção que colocava como bem público prioritário a estabilidade monetária, em um ambiente internacional pouco amistoso.

Essa avaliação positiva da estabilidade pela democracia de massas só pode ser corretamente compreendida se atentarmos para o papel que a hiperinflação teve no Brasil até o Plano Real. Em países em que a transição para a democracia se deu em um cenário de alta inflacionária, houve a necessidade de reconstrução da ordem monetária como uma das reformas prioritárias do Estado. Como já analisaram os regulacionistas, a ruptura da estabilidade da moeda pode criar uma situação de desordem social e de violência, fator evidenciado pela ascensão do nazifascismo na Alemanha, após a crise hiperinflacionária da República de Weimar.

Os sucessivos aumentos dos patamares inflacionários brasileiros deixaram a sensação de que angariaria capital político importante quem desse cabo da inflação, situação que já havia ficado evidente com a imensa popularidade do presidente José Sarney, em 1986, logo após a implementação do Plano Cruzado. Portanto, a elevação da estabilidade monetária ao *status* de bem público, em 1994, foi mais uma prova incontestável de que um dos papéis do Estado requeridos pela população é a manutenção das propriedades da moeda.

Em situações como as do Plano Cruzado (1986) ou do Plano Real (1994), ficou evidente a necessidade de combinar as lógicas do mercado e do Estado, isto é, a credibilidade e o binômio autoridade/legitimidade. Além disso, percebeu-se que o fim dos altos patamares inflacionários tinha um grande apelo eleitoral, coincidindo com o aumento da vazão política propiciado pela democracia de massas. Como ressaltou Armijo (2001), no Brasil e em outros países latino-americanos a democracia acabou funcionando como uma espécie de "constrição habilitadora" para a estabilidade monetária.

Por outro lado, conforme mostrado na seção anterior, o BC vinha atuando para, pouco a pouco, diminuir o risco moral existente no mercado financeiro brasileiro. Como ressaltei, desde a década anterior, a autoridade monetária vinha aproveitando quaisquer janelas de oportunidade política para exercer maior controle sobre os atores que desde sempre se opuseram às suas diretrizes.

No início de 1999, porém, a estratégia de construção gradual de instituições para a supervisão bancária teve de ser acelerada. O mundo estava vivendo um novo cenário de crise econômico-financeira, desde o ataque especulativo à moeda tailandesa em 1997. À crise asiática somou-se a constatação das enormes fragilidades da economia russa, quando o ataque ao rublo fez com que o país reagisse elevando as taxas de juros a níveis estratosféricos, o que atingiu em cheio a credibilidade de todas as chamadas democracias emergentes de mercado. O Brasil, particularmente, foi um dos países mais atingidos pela crise, em meio à eleição presidencial de 1998, tendo de recorrer ao Fundo Monetário Internacional (FMI), com a contrapartida de um ajuste fiscal para a concessão de um empréstimo de US$ 41,5 bilhões.

A partir da conturbada cena do Banco Central sendo enfrentado pelo mercado financeiro, em janeiro de 1999, quando simplesmente ruiu o sistema de bandas cambiais implantado pela equipe responsável pelo sucesso do Plano Real, abriu-se uma janela de oportunidade única tanto para a construção institucional de redes de proteção quanto para melhorias na supervisão bancária por parte da autoridade monetária. Ao mesmo tempo, naquele exato momento, adotou-se a estratégia que até hoje parametriza a política econômica nacional: metas inflacionárias, câmbio flutuante e controle fiscal.

Na ocasião, em função da existência de uma Comissão Parlamentar de Inquérito (CPI) para investigar o papel do Banco Central em relação principalmente ao setor financeiro privado, o novo presidente do BC, Armínio Fraga, que havia sido bastante contestado por proceder da iniciativa privada, particularmente administrando fundos ligados ao megainvestidor George Soros, assim resumiu as necessidades da instituição diante da convergência das crises interna e externa:

> Nós repensamos uma série de procedimentos sobre como atuar no mercado. A CPI deixou muito clara a necessidade que o BC tem de fazer uma reavaliação dos riscos que corre. Estamos, por exemplo, reformando alguns procedimentos de maneira que problemas numa instituição sejam rapidamente identificados por todo o mercado. Estamos fazendo isso para reduzir os riscos do BC, para que as perdas não acabem indo para a viúva. É um projeto muito bom [*Veja*, 25 ago. 1999, p. 15].

Apenas para fazer um breve balanço do que significou essa construção institucional que se seguiu a esses cenários de crise, cabe destacar: a) a implementação do Acordo da Basileia I a partir de 1994; b) a criação de um Fundo Garantidor de Crédito; c) a existência de novas regras para provisões de risco de mercado e de crédito; d) a criação de legislação obrigando os bancos a ter controles internos adequados aos níveis de negócio; e) o Proer; f) o Proes; g) a implementação, em tempo recorde, do Sistema de Pagamentos Brasileiro (SBP), que passou a permitir o monitoramento da conta de reserva bancária em tempo real; h) a implementação da IGC, com o consequente reforço da área de fiscalização do Banco Central; i) a adoção de inspeções a distância, utilizando ferramentas cibernéticas de monitoramento; j) a obrigatoriedade de as instituições terem comitês de auditoria, formados por profissionais de notório saber; k) a corresponsabilização e o rodízio das empresas de auditoria, em relação aos relatórios e resultados dos bancos; l) criação de *rating* para a classificação dos bancos, segundo os níveis de capitalização e controle; m) implementação das etapas do Acordo de Basileia II; e n) obrigatoriedade de certificação de todos os profissionais que tratam diretamente do atendimento de investidores, além de um incremento sem precedentes da autorregulação das instituições.

Uma ocasião especial pode ser vista como um verdadeiro teste de estresse para as redes de proteção criadas no sistema financeiro nacional, notoriamente a partir da década de 1990: a eleição presidencial de 2002. Naquela ocasião, o mercado precificou negativamente a candidatura do vencedor, Luiz Inácio Lula da Silva, o que redundou no aumento do risco-país, que chegou a 2.400 pontos-base, na queda da bolsa de valores, no deságio sem precedentes nos títulos da dívida brasileira (*C-bonds*), e na desapreciação recorde do real em relação ao dólar.

Em uma ocasião como essa, em que claramente faltou ao país credibilidade perante investidores e credores quanto a uma mudança de governo madura, é normal que o setor bancário sofra sangria de recursos. Mas não foi isso que ocorreu. A despeito de um certo clima de desconfiança em relação aos fundamentos da economia que tomou conta do país, o sistema bancário continuou funcionando normalmente, configurando uma crise eleitoral que quase não se espraiou pelo sistema financeiro. A partir daí, começaram a aparecer teorias sobre o descolamento entre crises econômicas e políticas no Brasil.

Na eleição presidencial de 2002, ficou bastante clara essa relação entre Estado e mercado. Quatro dos candidatos presidenciais tiveram, durante os meses que antecederam o pleito, alguma chance real de chegar à Presidência da República. Tanto é que o Fundo Monetário Internacional fechou acordo com três deles (Lula, José Serra e Ciro Gomes) para, no caso de serem eleitos, honrarem as posições já assumidas pelo país e, em troca, contar com o aval do FMI para prosseguir com a política econômica. Apenas o candidato do PSB, Anthony Garotinho, recusou-se a protocolar qualquer "acordo de intenções" com a organização financeira internacional. Esse episódio ilustra não só uma relação diferenciada da instituição de Bretton Woods com os países emergentes, mas, também, demonstra que a questão da credibilidade é vital para governos que iniciem seus turnos nas democracias emergentes de mercado.

O contexto da eleição foi de precificação de candidaturas. Enquanto o candidato do PSDB, José Serra, era visto pelo mercado como o mais identificado com uma certa continuidade da política econômica vigente, o candidato mais bem avaliado nas pesquisas, Luiz Inácio Lula da Silva, era percebido com desconfiança, haja vista o histórico anterior de seu partido, o PT, pouco amistoso em relação à dívida externa e ao tratamento a ser dispensado a credores e bancos.

Essa crise de credibilidade combinada ao ciclo eleitoral fez com que o país alcançasse recordes de conjuntura negativa, como descrevi. Apesar da grande legitimidade conferida pelas urnas ao governo Lula, a credibilidade do país estava bastante abalada.

Sintomática foi a designação de Antonio Palocci para o Ministério da Fazenda —, fato que se revelou muito mais próximo da ortodoxia econômica do que se esperava — e, principalmente, a do ex-presidente do BankBoston nos Estados Unidos, Henrique Meirelles, filiado ao PSDB, para a presidência do Banco Central do Brasil. Alguns técnicos conhecidos por sua ortodoxia econômica foram mantidos ou deslocados para os ministérios da Fazenda e do Planejamento, demonstrando que a estratégia da credibilidade havia chegado aparentemente para ficar.

Se, em 1999, a nomeação de Armínio Fraga havia causado grande repercussão por conta de suas ligações anteriores com o "mercado", a de Meirelles deixou apenas algumas sequelas em setores mais à esquerda do PT, que posteriormente saíram do partido para criar o PSOL. A maioria dos congressistas, a imprensa e os "cristãos novos" do PT não criticaram, pelo menos publicamente, a indicação. Entre as propostas do Ministério da Fazenda, no final da 2003, para a institucionalização da autoridade monetária constava, inclusive, a concessão legal de autonomia ao Banco Central. Apesar de esta nunca ter de fato sido concretizada, não é de hoje que a autoridade monetária vem agindo como se fosse autônoma.

O governo deixou claro que não pouparia esforços para demonstrar credibilidade ao mercado, fato que ficou ainda mais evidente quando da aprovação da PEC nº 53 no Congresso, com o apoio de parte da oposição, incrementando o processo de reforma da previdência, ou com a desconstitucionalização do artigo 192, o que abriu caminho para a autonomia do Banco Central. Em seu início, o governo Lula parecia não medir esforços para demonstrar a credores e investidores que seria crível e respeitaria os contratos.

Em todas essas situações, parece-me que houve uma certa acomodação entre interesses de mercado e lógica de Estado, a qual não foi necessariamente deletéria para a sociedade. Ao contrário, muitos dos mecanismos implementados acabaram por dar mais transparência ao sistema financeiro nacional, propiciando também às partes intermediárias — associações, sindicatos, entidades de classe, órgãos de imprensa — maiores possibilidades de avaliar os efeitos das políticas econômicas.

A síntese dessas medidas permite concluir, inicialmente, que o Brasil se encontra em um patamar diferenciado em termos de solidez do mercado financeiro, e mesmo de equilíbrio entre as lógicas de Estado e de mercado, se comparado a outras democracias emergentes de mercado, inclusive no que diz respeito à grande dificuldade de avaliação dos setores bancários nos demais Brics. Talvez esse fator, combinado a outros de ordem sobretudo econômica, tenha contribuído muito para uma certa blindagem do setor bancário brasileiro em relação à crise econômica global que ora se manifesta.

Pelo lado da democratização das decisões tomadas pelas autoridades públicas, há que se reconhecer que a adoção de metas claras e comprometimentos públicos, seja com os níveis inflacionários, seja com os superávits comercial e primário, fomentou o debate público, contribuindo para tornar, aos poucos, mais claro o universo dessas decisões extremamente técnicas, que raramente são decodificáveis pela maioria da sociedade.

A seguir, vamos avaliar como essa regulação trouxe como complemento mecanismos de transparência que, ao contrário do que se poderia supor, ajudaram a democratizar — dentro dos limites do que se entende por democratização de bancos centrais — as decisões da autoridade monetária.

Percebe-se, em função dos argumentos explicitados, que soluções institucionais mais relevantes dependem de como o governo negocia com o mercado e mesmo com a sociedade, aproveitando janelas de oportunidade específicas. No caso, construiu-se uma agenda para a regulação prudencial dos bancos em situações de mudança. Há, por conseguinte, uma espécie de justaposição da retórica do mercado à lógica do Estado.

O atual sistema financeiro nacional: importância, regulação prudencial, transparência e concentração bancária

Não é possível negar a importância econômica do mercado financeiro para o governo brasileiro atual. Os bancos as e demais instituições financeiras são detentores de boa parte da dívida pública, por comprarem os títulos do governo para compor suas carteiras, obtendo como remuneração a taxa básica de juros da economia, a Selic. Enquanto a taxa de juros se mantiver relativamente alta em comparação com a de outros países, vale a pena para o sistema financeiro manter grande parte de seus ativos em títulos do governo, que são remunerados sem nenhum esforço e com risco praticamente inexistente.

Claro está também que a possibilidade oferecida pela autoridade monetária de que parte das reservas compulsórias a serem depositadas no Banco Central seja efetivada em letras do Tesouro Nacional (LTNs), por exemplo, facilita a movimentação da dívida pública pelas instituições financeiras. Cabe lembrar que, por enquanto, no Brasil, a absorção de títulos públicos por agentes privados e pela população em geral, apesar de permitida, ainda é pouco relevante.

Essa relação entre governo e setor financeiro não parece ser simples em qualquer lugar do mundo. Em um período em que a economia se internacionaliza cada vez mais, e no qual as democracias emergentes de mercado precisam prestar contas de suas políticas públicas tanto aos eleitores quanto aos financiadores, a chave para a governabilidade democrática parece estar na correta gestão do delicado equilíbrio entre autoridade, legitimidade e credibilidade.

Em momentos de crise externa, como a provável recessão vivida pelos Estados Unidos a partir de 2007, os bancos podem funcionar como alavancas governamentais para o aquecimento da demanda interna, numa espécie de "keynesianismo do setor privado". Dessa forma, são parceiros privilegiados das políticas governamentais, e assim devem ser considerados. Por isso, não interessa, a princípio, aos governos a extensão da crise econômica em crise bancária.

O aumento da parcela do crédito no PIB é um dos motores da economia, ao financiar empresas e a população em geral, alimentando o mercado de consumo, que, por sua vez, faz a indústria atingir sua capacidade limite de produção. Sabe-se, por exemplo, que essa relação, no Brasil, apesar de ainda baixa, dobrou desde 2002, e que os bancos públicos são os grandes responsáveis pelo aumento da oferta de crédito no país.

Como parte dos passivos dos bancos precisa ser direcionada necessariamente para a aplicação em certos tipos de ativos, há margem de manobra governamental para o "encaixe" desses recursos. Por exemplo, parte dos depósitos à vista é direcionada ao crédito rural, assim como parte dos depósitos de poupança deve ser canalizada para o crédito habitacional. Sabendo-se da importância do agronegócio, e da construção civil, tanto para a geração de superávits comerciais quanto para a ampliação do emprego, não é de estranhar que o governo seja parte interessada não só na "bancarização" de parte da sociedade, mas, também, no direcionamento desses recursos.

No governo Lula, também foi dada atenção especial ao direcionamento de ativos para o microcrédito e para os chamados créditos consignados, que passaram a proporcionar condições especiais inclusive aos aposentados, que se beneficiaram também dos aumentos do salário mínimo acima dos patamares inflacionários.

Ao mesmo tempo, desde que o Banco Central começou a divulgar o teor das discussões que precederam decisões relativas às taxas de juros, a questão passou a ser mais abordada pelos articulistas dos jornais e por apresentadores de TV, e o empresariado assumiu um posicionamento mais exigente em relação aos patamares de juros. Exemplos disso foram as constantes críticas do presidente da Fiesp, Paulo Skaf, à política de juros governamentais e, desde o início do período Lula, as do vice-presidente, José Alencar, empresário do ramo têxtil, ao que considerava conservadorismo na gestão da política monetária. As críticas dos setores sindicais são mais antigas e, às vezes, tratam o Banco Central como um órgão apartado do restante do governo.

Há, portanto, um debate público maior nos últimos tempos tanto sobre as taxas de juros quanto sobre a própria normatização do Banco Central. Esse debate possibilita ao público em geral um pouco mais de conhecimento sobre o papel de uma instituição que já foi descrita como uma espécie de "caixa-preta", e contribui para a democratização da informação sobre a tomada de decisões no campo da política monetária.

Como já mencionado, a estratégia da autoridade monetária nacional para enfrentar as crises econômicas e os problemas contumazes do sistema financeiro foi incrementar regulações que diminuíssem o risco das operações bancárias, fazendo com que os bancos passassem a se responsabilizar pelo próprio provisionamento de capitais para operações consideradas arriscadas. Esse tipo de regulação é tecnicamente conhecido como prudencial. Mas o BC não acelerou apenas a regulação prudencial, adotou também novos mecanismos de transparência e divulgação de suas ações, mecanismos estes que tiveram boa ressonância no mercado financeiro, que também passou a optar por uma espécie de autorregulação, por meio de suas entidades representativas.[10]

---

[10] A estratégia de autorregulação que vem sendo seguida pela Federação Brasileira de Bancos (Febraban) a partir de 2008 exige dos bancos associados uma prestação de contas constante sobre mecanismos adotados para que exista conformidade tanto com regras do BC quanto,

Criado em 1996, o Comitê de Política Monetária (Copom) do Banco Central passou a possibilitar a ampla discussão entre setores do governo, do empresariado, da chamada sociedade civil organizada (inclusive sindicatos) e da imprensa sobre a política de juros no país. Ainda que a divulgação das atas referentes às decisões aconteça *a posteriori*, e que o teor dos votos não seja de conhecimento público, há um inquestionável ganho em termos de transparência no que diz respeito a essas decisões.

É claro que ainda há muito a avançar, principalmente porque o mercado financeiro, com base nas informações contidas nas atas do Copom, passa a calibrar seus modelos de predição de taxa de juros, o que demonstra uma evidente pendência da transparência para os bancos, pois seus analistas estão em posição privilegiada para interpretar os sinais emitidos pela autoridade monetária. Aliás, no dia a dia, sempre que o BC age — por exemplo, comprando ou vendendo moeda estrangeira —, os operadores das mesas dos bancos estão preparados para avaliar os cenários do ponto de vista da estratégia adotada. Ou seja, pelas próprias características técnicas das decisões relativas ao sistema financeiro e à política monetária, há uma assimetria de informações entre os atores envolvidos diretamente na relação com a autoridade monetária e aqueles afetados no curto ou no longo prazo pelas decisões tomadas.

Falar, portanto, em democratização das decisões de um banco central requer uma certa dose de qualificação do argumento. Há limites para essa democratização da autoridade monetária que passam pela capacidade cognitiva e de decodificação seja da sociedade, seja de suas instâncias intermediárias. Assim, também há limites para a autonomização das decisões de um banco central em relação ao governo vigente, dado que essas decisões afetam diretamente o desempenho e os resultados das políticas públicas no curto prazo.

Para exemplificar sinteticamente esse movimento da autoridade monetária em relação à maior transparência, vale destacar: a) criação do Copom e divulgação de suas atas relativas às decisões de política monetária; b) institucionalização de mecanismos de audiência pública para as normatizações mais abrangentes do BC; c) divulgação trimestral de resultados e dados gerais sobre as instituições financeiras no endereço eletrônico do BC; d) divulgação dos balanços do Banco Central; e) divulgação dos índices de reclamações sobre os bancos, na internet, pelo BC; f) obrigatoriedade do estabelecimento de ouvidorias nos bancos; g) criação do Códi-

---

principalmente, com alguns compromissos de transparência e governança da instituição. Em outras organizações de classe, como a Associação Nacional de Bancos de Investimentos (Anbid) e a Associação Nacional das Instituições do Mercado Financeiro (Andima), o caminho é similar.

go de Defesa do Consumidor Bancário; h) criação e divulgação de códigos de ética setoriais; i) entrada de alguns bancos no novo mercado da Bovespa, com adoção de mecanismos de governança corporativa; j) maior tendência à autorregulação, por meio de organismos de classe (Febraban, Anbid etc.); k) adoção do custo efetivo total (CET) das operações e divulgação deste, bem como padronização das tarifas bancárias; l) instituição da "conta-salário" etc.

Até o Congresso Nacional, normalmente o responsável pela sabatina dos futuros diretores do BC, e também a instância à qual a organização precisa prestar contas — não só, por exemplo, em caso de suspeita de má conduta, mas, também, sobre suas decisões à Comissão de Finanças —, está muito pouco equipado para questionar o teor dessas decisões. Basta lembrar os episódios envolvendo técnicos da instituição que foram interrogados na CPI dos Bancos, em 1999, deixando clara a incompetência técnica do Congresso para avaliá-los.[11]

Os dados contidos na Pesquisa sobre Autoridade Monetária e Democratização, envolvendo o Congresso Nacional, conduzida em 2005 pela equipe que ora publica este livro, sob a coordenação de Lourdes Sola, evidenciaram que, primeiro, o conhecimento da política monetária depende pouco do corte ideológico. A grande maioria dos deputados (68%) respondeu ter conhecimento razoável sobre a questão. Mas quando a opinião sobre as atas do Copom foi utilizada como variável de controle, pôde-se perceber que praticamente 50% dos parlamentares ou as desconheciam ou acreditavam que as atas eram pouco reveladoras, isto é, enfrentavam problemas para decodificá-las. Foi mais ou menos esse cenário de desconforto com as questões monetárias que pautou a CPI dos Bancos, em 1999. Quando isso acontece, fica mais fácil criticar a instituição, mas não apresentar alternativas razoáveis para a melhoria dos controles democráticos sobre ela por simples desconhecimento da rotina de uma instituição tão técnica.

Como já ressaltei, os bancos interessam ao governo porque, por exemplo, foram responsáveis pelo *boom* do crédito no Brasil em 2008, fazendo com que este chegasse a 44% do PIB. Entre as carteiras que mais cresceram estavam as operações de financiamento de veículos, *leasing*, crédito imobiliário e crédito consignado. Esse desempenho no crédito explica resultados vultosos como os do Bradesco, Itaú, Santander e mesmo do Banco do Brasil.

---

[11] A esse respeito, é anedótica a tentativa de um congressista de provar que o BC mantinha contas na Suíça, obviamente referindo-se à conta obrigatória a ser mantida no BIS, por fazer parte da estrutura governativa deste último banco.

Tabela 1. Percepção do Legislativo sobre a política monetária — 2005

Conhecimento sobre questões de política monetária		Agregação ideológica dos partidos			
		Esquerda	Centro	Direita	Total
Pouco	Nº	4	9	4	17
	%	17,4	25	25	22,7
Razoável	Nº	18	23	10	51
	%	78,3	63,9	62,5	68
Pleno	Nº	1	4	2	7
	%	4,3	11,1	12,5	9,3
Total	Nº	23	36	16	75
	%	100	100	100	100

Conhecimento sobre questões de política monetária		Opinião sobre divulgação das atas do Copom				
		Desconhece	Transpa-rente	Poderia agregar outros elementos	Não é reveladora	Total
Pouco	Nº	10	5	2	0	17
	%	35,7	26,3	10,5	0	22,7
Razoável	Nº	18	9	16	8	51
	%	64,3	47,4	84,2	88,9	68
Pleno	Nº	0	5	1	1	7
	%	0	26,3	5,3	11,1	9,3
Total	Nº	28	19	19	9	75
	%	100	100	100	100	100

Fonte: Survey do projeto "Autoridade Monetária e Democratização", financiado pela Fapesp, 2005.

O fomento do mercado da construção civil, de veículos (montadoras e siderúrgicas), e o aumento do crédito consignado, principalmente para os aposentados e para a população de baixa renda, propiciaram o incremento do giro da economia e o aumento da demanda interna. Isso explica, em parte, por que fatores exógenos — por exemplo, o breve embargo da carne brasileira pela União Europeia, ou o aumento do preço do petróleo — têm tido pouca influência sobre a economia brasileira no curto prazo. Há um grande aquecimento da demanda interna. Vale lembrar que, na região Nordeste, por exemplo, os programas sociais (em especial o Bolsa Família) tiveram efeito similar nas pequenas economias da região. Muitos tomam crédito consignado em financeiras apresentando apenas o cartão do programa.

O fim da contribuição provisória sobre movimentação ou transmissão de valores e de créditos e direitos de natureza financeira (CPMF), em dezembro de 2007, estimulou a bancarização, além de incrementar consideravelmente o volume de depósitos nas instituições financeiras. Quando há aumento na ponta do passivo, ocorre um movimento similar na ponta ativa, isto é, a busca por mais operações de crédito. Por exemplo, parte dos depósitos à vista (que aumentaram com o fim da CPMF) deve ser obrigatoriamente direcionada para o crédito rural. Ou seja, como já observei, quando os bancos não compram títulos governamentais, tornando-se credores da dívida pública, "ajudam" o governo direcionando os depósitos para setores que aumentam a produção e fazem girar a economia do país.

O perigo é que ocorra algo parecido com o que aconteceu nos EUA, o que faz com que o BC esteja atento a essa "corrida pela concessão de crédito". No caso dos veículos, a garantia é o próprio bem. Por isso, se houver aumento de desemprego por questões conjunturais, a tendência é o aumento da inadimplência e o arresto do bem, o que cria um problema grave e uma espécie de minicrise. Portanto, ao mesmo tempo que o governo tem interesse no aumento da concessão de crédito por parte dos bancos, precisa disciplina-los constantemente para que só emprestem o que é possível emprestar, isto é, para que limitem a alavancagem ao permitido pela versão nacionalizada dos acordos da Basileia.

Para evitar problemas futuros, o Banco Central deve atuar fortemente em duas pontas da regulação: a) mudanças nos depósitos compulsórios, para diminuição do multiplicador bancário; e b) incremento da regulação, com especial atenção a mecanismos de transparência (por exemplo, o custo efetivo total de cada operação), e mitigação de riscos (redes de proteção). Enquanto isso, as reuniões pré-agendadas do Copom viram uma espécie de bolsa de apostas sobre o modelo utilizado pelo BC para decisões sobre taxas de juros.

Apesar de, até o momento, a crise iniciada no mercado norte-americano não ter atingido o sistema bancário brasileiro seriamente, pode produzir efeitos como: a) a diminuição do ritmo das exportações, pela possibilidade de estagflação da economia americana (os Estados Unidos respondem por 15% das nossas exportações); b) um favorecimento das importações, pelo fato de o câmbio estar relativamente apreciado, o que deve diminuir o resultado da balança comercial; c) a queda de preços das commodities agrícolas; d) a impossibilidade, no curto prazo, de grandes variações da taxa Selic; e e) a diminuição do ritmo do mercado de capitais, com o arrefecimento do ímpeto dos IPOs[12] e das fusões/aquisições.

---

[12] *Initial public offerings* (ofertas públicas iniciais) na Bolsa de Valores. O ano de 2007 foi ímpar

Com a crise, o crescimento, cujo ritmo vinha sendo pautado pelas exportações, passa a depender mais do aquecimento da demanda interna. A redução do superávit comercial não é causada necessariamente apenas pela queda nas exportações, mas pelo aumento das importações, devido a vários fatores. O primeiro, obviamente, é a apreciação cambial, mas contribuem para isso também a expansão lenta do nível do emprego e dos salários (houve aumento real do salário mínimo), a difusão e facilitação do crédito, e o próprio investimento estrangeiro direto.

A acumulação de reservas pelo BC permitiu que o Brasil passasse, no início de 2008, à condição de credor líquido. As reservas estrangeiras ultrapassaram o montante da dívida externa dos setores público e privado. Muitos analistas acreditam que o Brasil chegue à condição de país que receba dividendos do binômio demanda interna aquecida/investimentos externos.

O governo também lançou um Plano de Aceleração do Crescimento (PAC). Mesmo ainda tendo imensas dificuldades para passar da teoria à prática, com dispêndios muito inferiores aos valores provisionados, o PAC vem sendo utilizado como uma espécie de investimento governamental em infraestrutura para atender ao crescimento/expansão do setor privado. As empresas focadas em produção têm investido fortemente em novas plantas, instaladas em regiões diversas do país. Além disso, o setor do agronegócio voltou a crescer. Portanto, há indícios de que pode estar ocorrendo uma espécie de "keynesianismo do setor privado" no Brasil.

Por outro lado, um relatório anual do BIS (2008) constata que se deve discutir fortemente "o problema das dívidas podres e dos próprios serviços da dívida durante muitos anos nas maiores economias do planeta". Uma das maiores causas da atual crise, de acordo com o BIS, é provavelmente a falta de regulação prudencial adequada, e mesmo de fiscalização, nesses países. Nos Estados Unidos, fonte do grave problema do mercado imobiliário, há uma discussão candente sobre o papel das autoridades monetárias na fiscalização dos bancos, e sobre a necessidade de regras mais duras em relação ao risco de crédito. Ao mesmo tempo, pela primeira vez desde 1930, o FED empresta recursos diretamente a instituições financeiras que não são bancos comerciais, na esteira da crise que já vitimou instituições como o Bear Stearns, o Lehman Brothers e algumas outras.

A gravidade da situação nos Estados Unidos foi tal que o governo Obama apresentou, em julho de 2009, um dos mais amplos planos de reforma financeira para

em termos de aplicações nesse tipo de oferta, fazendo com que a Bovespa se aproximasse de uma parcela maior do público.

o país desde a crise de 1929, chegando a conceder novos poderes ao Federal Reserve, a fim de reforçar a regulação e a fiscalização sobre o sistema financeiro do país.

Em 2008, o então presidente do Banco Central do Brasil, diante da crise norte-americana, acenou com a possibilidade de acelerar a implementação do Acordo da Basileia II.[13] Henrique Meirelles afirmou, no Fórum Econômico Mundial de Davos, que o Brasil iria adotar medidas adicionais de regulação bancária para evitar situações de alto risco como a do mercado secundário norte-americano, e defendeu a revisão das regras internacionais para o mercado financeiro oriundas do BIS. Defendeu até que regras de alocação de capital fossem impostas ao risco de reputação das instituições, tão comum em épocas de crise.

Isso aceleraria o ritmo previsto inicialmente nas negociações entre a autoridade monetária e o BIS. Como o BIS não tem força para "obrigar" os países a tomar decisões, nem condições de ditar seu ritmo, cada um trilha seu próprio caminho, e a adoção das prescrições do banco depende da capacidade de controle dos bancos centrais nacionais sobre os atores dos respectivos sistemas financeiros. No caso brasileiro, o ritmo de construção institucional das redes de proteção para o sistema financeiro teve ápices — 1994, quando da estabilidade monetária, ou 2002, diante da crise de credibilidade — e períodos mais calmos, como 2006, por exemplo.

O BC vem procurando aumentar a regulação. Bons exemplos são a obrigatoriedade de ouvidorias (Resolução CMN nº 3.477/07, de 26 de julho de 2007) nas instituições e a adoção de uma padronização de divulgação de taxas, a partir do custo efetivo total (CET), o que facilita comparações pelo público. Além disso, passou a ser obrigatória a padronização de tarifas e taxas bancárias, com a designação de 20 tipos de serviços que podem ser cobrados, e que devem ser uniformes em todos os bancos. Facilitou-se, com essas medidas, a vida de boa parte da população, que disporá de mais elementos de comparação quando precisar, por exemplo, tomar crédito, além de ter instâncias a que recorrer em caso de problemas específicos com os bancos.[14]

---

[13] Como informou matéria assinada por Assis Moreira, no *Valor Econômico* de 28 de janeiro de 2008, as autoridades reunidas em Davos "sinalizaram que vão endurecer a regulação bancária". Entre os destaques estão as propostas do presidente do Banco Central do Brasil. Ele presidiu, em Davos, um encontro com representantes de bancos, ministérios econômicos e empresas, no sentido de discutir causas e efeitos da crise norte-americana.

[14] Vale lembrar, até pelo papel relevante das financeiras na alocação de crédito no país, que os tomadores de crédito no Brasil muitas vezes se preocupam mais com prazos de pagamento do que com taxas menores. Isso faz com que muitas instituições optem pelo alongamento do prazo das operações, oferecendo a possibilidade de parcelas com valor mais baixo.

Há a impressão de que, à medida que se incrementam as regras para diminuir a probabilidade de risco sistêmico, acena-se também com um incremento lento da transparência das operações bancárias para o público em geral. Existe, a meu ver, uma tentativa de responder também à mídia, que constantemente faz alusão aos resultados vultosos dos bancos. Em matéria escrita para a *Folha de S.Paulo*, em 17 de fevereiro de 2008, Clóvis Rossi comparou o resultado de quatro bancos em 2007 — Itaú, Bradesco, Unibanco e Santander — e constatou que seus lucros eram maiores do que os gastos do governo com programas sociais. Ironicamente, concluiu: "para os 11 milhões de famílias beneficiárias do Bolsa Família, R$ 21 bilhões; para as 'quatro' famílias financeiras, um pouco mais (R$ 21,777 bilhões)".

Há uma espécie de preocupação tanto do regulador, em diminuir o risco das operações, quanto dos próprios bancos, em explicar seus altos lucros. Portanto, abre-se espaço para a ação do BC no sentido de aumentar a regulação bancária, e para a ação dos próprios bancos e de suas entidades de classe no sentido da autorregulação, e também do marketing com relação às suas ações de responsabilidade socioambiental e de autorregulação.

Resumindo, como forma de acelerar a regulação, o BC sinaliza com duas possibilidades: a) mudar os patamares de alavancagem dos bancos, diminuindo a capacidade de emprestar várias vezes o seu capital (cabe lembrar que, no Brasil, esse patamar já é mais rígido do que em outros países); b) adiantar parte do pilar do Acordo da Basileia II, isto é, melhorar os mecanismos de supervisão bancária num prazo ainda menor. O caminho percorrido pelo Brasil na regulação bancária obedece, portanto, a uma lógica própria, determinada inclusive por decisões passadas, como demonstram a rapidez com que se adotou o SPB ou o maior nível de capitalização dos bancos em relação ao sugerido pelo Acordo da Basileia.

Assim como se deu em 1999, quando da crise brasileira e da CPI dos Bancos, novamente em 2008 o BC aproveitou um provável cenário de crise para aumentar a regulação prudencial. Se acelerado o pilar II, ao mesmo tempo também deve ser acelerado o pilar III. Uma vez acelerado o pilar II, foi acelerado em seguida o pilar III, que diz respeito ao aumento de transparência, *disclosure* e governança corporativa. Nesse sentido, a crise pode ser vista como uma oportunidade ou uma ameaça, dependendo do ângulo da análise. Do ponto de vista da democratização das decisões da autoridade monetária, a aceleração de mecanismos de prestação de contas (*accountability*) e transparência são sempre bem-vindos.

Está ocorrendo, entre os próprios bancos, um movimento na direção da autorregulação, a fim de explicar também para a sociedade parte de seus grandes lucros. Já existe um tratamento conjunto e a divulgação de temas como reclamações, responsabilidade social, acessibilidade, diversidade etc. Mesmo em questões como juros e taxas, já faz algum tempo que os bancos brasileiros vêm se organizando no sentido de informar um pouco melhor o público, inclusive com cartilhas sobre a utilização consciente do crédito, de forma a minimizar a imagem de sócios privilegiados dos ganhos financeiros possíveis no Brasil.

Um tema de grande relevância, mas ainda não totalmente resolvido no Brasil, é a estratégia a ser seguida pela autoridade monetária com relação aos bancos públicos. Os resultados menos proeminentes em relação aos bancos privados nos exercícios recentes, a utilização de créditos tributários para fazer resultados, bem como a absorção, ou especulação de compra, pelo Banco do Brasil, de bancos públicos estaduais (Besc, BRB, BEP, Banrisul e Nossa Caixa), e toda a discussão em torno dos BPEs remanescentes fazem com que o tema volte ao debate. Deveria o Estado ser ainda detentor de instituições financeiras? Essas fusões e aquisições podem ocorrer sem um leilão do qual possa participar também o setor privado?

O ministro da Fazenda, Guido Mantega, tem concedido diversas entrevistas e palestras defendendo o papel dos bancos públicos numa conjuntura de crise como a vivida atualmente.[15]

Esse debate foi o objeto central de livro organizado por Pinheiro e Oliveira Filho (2007). As opiniões divergem quanto ao papel dos bancos públicos após a estabilização da economia. O único ponto em que parece haver alguma convergência é que tais bancos não devem simplesmente competir na mesma "raia" dos bancos privados, pois perderiam a razão para existir. Mesmo no caso dos que abriram seus capitais, absorvendo sócios privados, espera-se "que a entrada de novos investidores aumente o grau de transparência, melhore as práticas bancárias e reduza o uso político desses bancos, ainda que a mudança de sua propriedade estatal não esteja em pauta" (Pinheiro e Oliveira Filho, 2007:21).

Uma constatação comum entre os autores dos textos que compõem a obra citada é o desvio do foco inicial desses bancos, que deveriam atuar nas áreas em que a iniciativa privada tinha pouco interesse, geralmente atividades ligadas a questões sociais ou de desenvolvimento. Mas, na medida em que sofreram capturas políticas e serviram, inclusive, a operações escusas nas décadas de 1970 e 1980, acabaram por perder também esse lado "nobre" de suas atividades.

---

[15] Em seminário promovido pelo jornal *Valor Econômico*, em junho de 2009, o ministro defendeu os bancos públicos, baseando-se no aumento da oferta de crédito justamente nesses bancos durante o recrudescimento da crise.

Não se deve esquecer que parte dos "escândalos" políticos ocorridos durante o governo Lula no plano federal, e mesmo durante o segundo mandato de Geraldo Alckmin, em São Paulo, passou pelos bancos públicos. Nesses casos, áreas de comunicação foram supostamente usadas para fins não convencionais, assim como ocorreu com a utilização de cadastros de clientes como armas políticas, como no caso do "caseiro", que apeou do governo o ministro da Fazenda, Antonio Palocci.

Portanto, não se pode considerar que a reforma do sistema financeiro brasileiro esteja completa, nem mesmo talvez caiba falar em completude, pois trata-se de uma tarefa em aberto. Em um mercado altamente dinâmico e seletivo, o papel da autoridade monetária é estar o tempo todo atenta às atividades dos bancos, atuando como reguladora sempre que o cenário assim exigir.

Se atentarmos para o ritmo da regulação prudencial após a "virada" da política monetária em 1999, pode-se tirar algumas conclusões parciais sobre a relação desta com os riscos incorridos.

A partir de 1999, em função da própria crise que havia atingido o Brasil e da CPI dos Bancos, começou-se a acelerar o ritmo das regulações prudenciais. De 2000 até 2002, as regras referentes a provisionamento para riscos de mercado, de crédito e operacional foram sendo divulgadas, coincidindo o ápice da regulação, em 2002, com a crise de caráter eleitoral. Isso demonstra a preocupação do BC em aproveitar janelas de oportunidade para incrementar as redes de proteção do sistema financeiro. Quando o período de bonança recomeçou, em 2003, caiu o ritmo da regulação prudencial, chegando a 13,99% em 2007.

Tabela 2. Ritmo da regulação bancária prudencial

Ano	Rotinas, pequenas alterações, funcionamento (%)	Política monetária, compulsórios, exigibilidade (%)	Regulações prudenciais, redes de proteção (%)
1999	73,23	14,96	11,81
2000	71,13	13,75	15,12
2001	68,81	11,38	19,81
2002	60,11	17,14	22,75
2003	69,20	16,07	14,73
2004	71,49	15,66	12,85
2005	60,83	23,75	15,42
2006	70,36	19,54	10,10
2007	75,13	10,88	13,99

Fonte: Banco Central do Brasil, arquivos do autor.

Já ficou evidente também que, dada a inserção internacional do país e seu papel na estratégia de crescimento, há espaço, em momentos de turbulência, para que a construção institucional da supervisão bancária oriunda do BC sirva para atar ainda mais as mãos daqueles que preferem um pouco mais de inflação para ter um pouco mais de emprego.

Comparando-se o atual sistema bancário brasileiro com o do início da década de 1980, são inquestionáveis tanto o ganho de autoridade do Banco Central quanto o saneamento do sistema e um movimento em relação à regulação prudencial e ao aumento de transparência. Seria essa uma tarefa finda e uma estratégia isenta de riscos? Veremos, a título de conclusão, o que se pode inferir desse breve estudo de caso.

Considerações finais: os riscos de uma estratégia ainda em aberto

Dada a conjuntura descrita neste capítulo, que discute a lógica da interação entre o mercado financeiro e o Estado no Brasil contemporâneo, na qual a convergência parece apontar para vantagens no que diz respeito tanto à credibilidade do país quanto à legitimidade das medidas, quais seriam os grandes problemas a serem ainda enfrentados?

O primeiro, a meu ver, é que, apesar de a sociedade estar diretamente envolvida na questão, pois sofre os efeitos das decisões sobre juros ou crédito, por exemplo, está muito pouco preparada para analisar todas as informações que estão ou estarão disponíveis. Portanto, o aumento da transparência ainda beneficia poucos. Há uma espécie de diferença de nível de compreensão (*level of understanding*) entre os tomadores de decisões, os envolvidos em primeira instância (bancos e mercado financeiro em geral) e a sociedade. Isso leva a um hiato informacional que atua, logicamente, em detrimento do processo democrático que deveria pautar as políticas públicas em geral. Dada a especificidade de uma instituição como o BC, isso poderia ser diferente?

Segundo, a relação entre governo e bancos centrais não é isenta de problemas em lugar nenhum do mundo. O FED, por exemplo, apesar de sua autonomia, deve zelar pela estabilidade monetária, mas, também, pelo emprego. Em épocas de crise, não devem ser incomuns pressões para a diminuição dos juros, o que afeta diretamente o nível de emprego. Portanto, há limites políticos para a autonomia técnica de um banco central (e assim deve ser).

No caso brasileiro, vários setores cobram a diminuição dos juros básicos, mas a estrutura das decisões do Banco Central não parece considerar apenas a vontade do mercado. Vale lembrar que o governo depende dos bancos, seja para a rolagem da dívida interna (mercado de títulos públicos), seja para a concessão de crédito para o fomento da demanda agregada. A resposta do BC parece indicar que, visto que a política monetária continuará rígida, pelo menos a transparência e a fiscalização devem aumentar em relação aos bancos. Porém, mesmo nesse caso, os limites do possível parecem ainda não estar definidos.

Há, portanto, limites para a democratização de uma instituição como um banco central. Mas, dada a inserção internacional do país, seu jogo político doméstico e o peso dos atores envolvidos, a construção institucional se faz de uma forma bastante específica, e indica que o caminho continua sendo o do incremento das redes de proteção (em ritmo acelerado quando se avizinham cenários de crise), com algumas concessões no campo da transparência e da prestação de contas, ainda não "decodificadas" pela maioria da sociedade. Como isso deve ficar, na medida em que a bancarização tende a aumentar e o crédito a crescer para fomentar a demanda interna?

Passados mais de 15 anos desde a adoção da unidade real de valor (URV), que nos legou a estabilidade monetária, ainda não é possível fazer predições sobre o papel do BC no futuro, nem sobre onde chegará a economia brasileira. Entretanto, é fato que as turbulências têm sido menores, e que o sistema financeiro brasileiro tem se mostrado mais sólido, após décadas de construção institucional das chamadas redes de proteção.

As dificuldades do Banco Central têm a ver com a necessidade constante de atender às demandas do Estado, como agente público regulador e fomentador do desenvolvimento econômico, e às demandas do mercado, principalmente no contexto de maior inserção internacional vivido pelo país.

As ingerências políticas, seja quanto às decisões do BC, seja no que tange ao papel dos bancos públicos, ainda não estão totalmente equacionadas, apesar de apresentarem sensíveis melhoras em relação à década do "quebrei o banco do estado, mas elegi meu sucessor".

O debate sobre essas questões importantíssimas vem aos poucos transcendendo os meios técnicos e acadêmicos e chegando aos jornais, associações de classe, sindicatos e organizações da sociedade civil. Claro que ainda não é um debate muito amplo, mas vem crescendo à medida que a sociedade se dá conta dos efeitos das políticas da autoridade monetária. Mecanismos como audiências públicas para normatizações, debates sobre as atas do Copom, processos contra ex-controladores de bancos e, até discussões sobre o lucro dos bancos e o futuro das instituições públicas funcionam como ferramentas pedagógicas para levar informações relevantes ao que denominamos partes intermediárias. Somando-se a isso as medidas recentes que obrigam os bancos a terem ouvidorias e a padronizarem seus portfólios de tarifas, taxas e custos, caminha-se para um ambiente mais regulado e que, em breve, propiciará à população em geral a possibilidade de avaliar a classificação dos bancos, efetuada pela autoridade monetária a partir de critérios técnicos e conhecidos. O futuro parece promissor, mas ainda há um longo caminho a percorrer para que as decisões dos bancos centrais sejam assunto de discussão cotidiana entre a sociedade e entre seus representantes.

O que tentei mostrar neste capítulo é que o caminho à brasileira para atingir os objetivos do Banco Central, no que diz respeito à regulação e à supervisão bancárias, tem possibilitado uma maior eficiência e eficácia do sistema, ao mesmo tempo em que propicia algumas janelas de oportunidade de controle e de transparência, que podem ser mais bem aproveitadas pelo menos por aqueles que têm a função de traduzir para a sociedade em geral o escopo das decisões técnicas.

A inserção internacional de um país e a necessidade de "receber boas notas" do mercado não constroem necessariamente um sistema de vasos comunicantes com a legitimidade própria da democracia. A forma de conseguir esse equilíbrio depende do correto aproveitamento das conjunturas pelas autoridades públicas.

Estaria, portanto, o Brasil "surfando" uma nova onda e deixando para trás águas passadas? Essa é a questão relevante. Não há dúvida de que o país se encontra em outro patamar econômico, e de que o próprio estágio atual da democratização brasileira impediria um uso desmesurado dos bancos, como o ocorrido há pouco mais de duas décadas. Porém, no que concerne tanto à relação entre o BC e o sistema financeiro local quanto à própria inserção internacional do país, ainda existem muitas dúvidas. Ainda é intenso o debate político sobre o papel do Banco Central, e as "lutas palacianas" entre os "conservadores" e os "desenvolvimentistas" parecem intermináveis.

Para concluir, há claramente uma relação simbiótica entre a construção institucional, a inserção internacional e a supervisão bancária na democracia brasileira. Mais diretamente, ganham o governo, o mercado financeiro, a autoridade monetária, a credibilidade internacional do país e, em um plano menos direto, mas extremamente relevante, a própria agenda democrática, na medida em que se instalam novos padrões de transparência, *accountability*, e mesmo discussão pública de medidas governamentais. Porém, acreditar que chegamos a um ponto em que não há mais volta é ignorar os riscos de uma estratégia ainda em aberto.

Bibliografia

AGLIETTA, Michel; ORLEANS, Andre. *A violência da moeda*. São Paulo: Brasiliense, 1990.

ANDRADE, Eduardo C. Bacen e BCs selecionados: uma análise comparativa do nível de transparência. *Revista de Economia Política*, São Paulo, Editora 34, v. 24, n. 3, 2004.

ARMIJO, Leslie E. Mass democracy — the real reason Brazil ended inflation. In: ENCONTRO ANUAL DA APSA. *Anais*... São Francisco, set. 2001.

BIS (Bank for International Settlements). *78th annual report*. June 2008. Disponível em: <http://www.bis.org/publ/arpdf/ar2008e.htm>.

KRUGMAN, Paul. The confidence game — how Washington worsened Asia's crash. *The New Republic*, 5 Oct. 1998. Disponível em: <http://www.geocities.com/Eureka/Concourse/versib/krug 1005.htm>.

KUGELMAS, Eduardo. Recent modifications of the international financial system. In: SOLA, L. e WHITEHEAD, L. (Eds.). *Statecrafting monetary authority*: democracy and financial order in Brazil. Oxford: Center for Brazilian Studies, 2005. p. 37-56.

LEHMAN Brothes anuncia que vai declarar concordata. *Folha Online*, 13 set. 2008. Disponível em: <http://www1.folha.uol.com.br/folha/dinheiro/ult91u444893.shtml>. Acesso em: 26 set. 2011.

MARQUES, Moisés S. *Do voo rumo à autonomia à autonomia de voo — a relação entre o internacional e o doméstico na reconstrução da autoridade do Banco Central*. 2000. Dissertação (Mestrado) — FFLCH/USP, São Paulo. 2000.

_____. *Reformas financeiras liberalizantes em democracias emergentes de mercado — o caso do Brasil*: a construção política de redes de proteção para o sistema financeiro, a partir da interação entre o Bacen e o BIS, em conjunturas críticas. 2005. Tese (Doutorado) — FFLCH/USP, São Paulo, 2005.

PAES, Julieda Puig Pereira. *Bancos estaduais, "criação" de moeda e ciclo político*. 1996. Dissertação (Mestrado) — FGV, São Paulo, 1996.

PIERSON, Paul. Increasing returns, path dependence and the study of politics. *American Political Science Review*, v. 94, n. 2, p. 257, June 2000.

PINHEIRO, Armando C.; OLIVEIRA FILHO, Luiz C. (Orgs.). *Mercado de capitais e bancos públicos:* análise e experiências comparadas. Rio de Janeiro: ContraCapa, 2007.

ROJAS-SUÁREZ, Liliana; WEISBROD, Steven R. *Banking crisis in Latin America:* experience and issues. Washington, DC: IDB, 1995.

SALVIANO JR., Cleofas. *Bancos estaduais:* dos problemas crônicos ao Proes. Brasília: Banco Central do Brasil, 2004.

SOLA, L.; KUGELMAS, E.; WHITEHEAD, L. (Orgs.). *Banco Central, autoridade política e democratização:* um equilíbrio delicado. Rio de Janeiro: FGV, 2002.

PARTE III A democracia brasileira em perspectiva: desafios

8

Uma nova agenda social na América Latina? Pontos de partida para a análise comparada dos sistemas de proteção social e suas mudanças recentes

Sônia M. Draibe

Este capítulo tem objetivos principalmente metodológicos. Em termos gerais, visa a definir pautas de pesquisa e pressupostos que julgo importantes para o estudo comparado da emergente agenda social latino-americana.

Os estudos comparados de processos históricos complexos e diferenciados, além de sólidos conceitos e boas estratégias de comparação, devem atender ainda a dois requisitos incontornáveis: a fixação de pontos de partida históricos, adequados ao objeto e aos objetivos, e a elaboração de constructos analíticos capazes de reduzir significativamente a diversidade e a heterogeneidade do objeto de estudo, permitindo assim a comparação pretendida. Tais requisitos metodológicos gerais ganham especial importância, por várias razões, em casos de estudos como o que motiva este capítulo: as configurações atuais dos sistemas de proteção social e a nova agenda social na América Latina.

São conhecidas a complexidade e a heterogeneidade socioeconômica da região, refletidas nos sistemas de bem-estar social construídos, o que já faz do seu conhecimento um desafio intelectual de monta. Mas o quadro é ainda mais complexo quando estão em jogo, como é o caso, processos simultâneos e cruzados de mudanças: a consolidação das instituições democráticas, movimento não linear ainda em curso em muitos países latino-americanos; as reformas e mudanças recentes dos Estados de bem-estar social, levadas a cabo sob a égide do paradigma liberal; o declínio deste último e a gestação de padrões alternativos de desenvolvimento econômico-social e de inserção internacional.

Ou seja, para além dos desafios clássicos, os estudos latino-americanos a que me refiro neste capítulo enfrentam as dificuldades próprias do conhecimento comparado de processos de mudança cujos desfechos e resultados não se deram ainda por conhecer. Estudos dessa natureza serão tanto mais confiáveis quanto bem apoiados em boas escolhas teóricas, pertinentes parâmetros de comparação, e, ainda, adequados cortes temporais.

A formação da nova agenda social é parte e expressão desses processos maiores de transformação social e política. Em consequência, as questões iniciais que orientariam seu estudo — os pontos de partida a que me referi com certa licença — dizem naturalmente respeito a esses processos mais abrangentes.

São já vários os processos e fatos que apontam para a emergência de uma nova agenda social na América Latina. Considerem-se, por exemplo, eventos como os seguintes:

- a crescente importância dos direitos sociais como base da proteção social. Mais do que sua expansão formal, trata-se, sobretudo, do papel que cumprem na legitimação e garantia das demandas e resultados;
- ainda no plano dos valores e princípios de justiça social, a embrionária mas perceptível mudança de eixo desde os entendimentos estreitos e limitados da pobreza e da inclusão social, em direção a conceitos mais amplos e socialmente abrangentes de solidariedade e coesão social;
- a reafirmação da importância e da insubstituibilidade da provisão pública dos sistemas sociais básicos, mesmo quando convivendo com provedores privados;
- em relação aos programas sociais em geral, a ênfase na qualidade dos serviços e dos resultados;
- novas estratégias de reforma da previdência social, uma espécie de "reforma da reforma", visando a corrigir ou eliminar lacunas ou os aspectos mais radicais das reformas implementadas sob o paradigma liberal;
- em relação às estratégias de enfrentamento da pobreza, o peso crescente dos programas de transferências monetárias diretas e condicionadas às famílias pobres (PTCs), concebidos agora menos como apoio emergencial e substitutivo de programas sociais universais, e mais como mecanismos complementares a esse apoio, especialmente os de educação e saúde, com o objetivo de garantir o acesso, a maior cobertura e o melhor desempenho dos beneficiados;
- quanto à descentralização dos programas sociais básicos de educação, saúde e

assistência social, se não uma reversão dos processos mais radicais, pelo menos uma revisão crítica destes, com o paralelo reforço da autoridade estatal central, por um lado, e da participação de associações e grupos de interesses nos processos de decisão e gestão, por outro;

- o fortalecimento do protagonismo, da autonomia e da capacidade institucional das cidades e dos governos locais nas estratégias de combate à pobreza, impulsionados pela descentralização e ainda estimulados pelas formas de cooperação internacional descentralizada.

A listagem longe está de ser exaustiva. Nem todos os termos e componentes da emergente agenda social estão plenamente definidos e, em consequência, falta nitidez ao seu contorno. Ainda assim, cabe examiná-la desde já, não só dentro de seus próprios limites, mas, sobretudo, na sua relação com os processos maiores que lhe conferem pleno sentido.

Já o declínio do paradigma neoliberal, acelerado pela crise recente, ao sinalizar um reordenamento das relações Estado/mercado, tende a retirar credibilidade e legitimidade ao radicalismo com que se defendeu, sob aquela inspiração, a provisão preferencialmente mercantil dos bens sociais e a substituição dos serviços sociais públicos universais por solventes provedores privados.

Outro eixo de mudança que seguramente impulsiona a emergente agenda social é definido pelos processos de consolidação e aprofundamento da democracia nos diferentes países da região. Além de naturalmente facultar a ampliação da expressão das demandas, a nova onda democrática manifesta-se no alargamento dos direitos sociais, em geral, e das "minorias", em particular. Mas também vem sendo acompanhada de inovações importantes em termos de formas e práticas de democracia participativa e deliberativa, fundadas no empoderamento, na participação e nas acentuadas capacidades de intervenção, decisão e controle por parte dos cidadãos (sob a forma, por exemplo, da iniciativa popular, da consulta cidadã, dos comitês locais ou de usuários, do ouvidor público, do direito ao aceso à informação, dos orçamentos participativos, entre outros). Pressionados a responder com alguma efetividade às novas e acrescidas pressões daí derivadas, os sistemas de proteção social têm recebido, por essa via, importantes e interessantes insumos, agora presentes no seu redesenho.

Mudanças nos próprios sistemas de proteção social estão entre os fatores que fundamentam uma nova agenda. Como mostram os estudos comparados, os sistemas latino-americanos de proteção social emergiram com novos perfis e enfrentam novos desafios, após o ciclo de reformas do período 1980-2000. Desde logo, foram e ainda são prisioneiros do mal-estar social contemporâneo: de um lado, a pobreza, a desigualdade, o desemprego, a exclusão social nas suas diversas formas; de outro, as aparentemente limitadas capacidades institucionais para a sua superação, diante dos poderosos movimentos das economias domésticas e da globalização, reiteradores daqueles desafios.

Entretanto, não se pode deixar de reconhecer que, ademais de exibirem graus mais elevados de eficiência e efetividade, esses sistemas apresentam inovações institucionais importantes, exemplificadas por programas crescentemente descentralizados, apoiados em formas participativas de decisão e gestão, supervisionados por modalidades novas de regulação e controles sociais, bastante distintos, portanto, dos seus antecedentes modelos burocráticos e tradicionais.

Mesmo no plano específico dos programas sociais, a "nova agenda" vem sinalizando para mudanças ou para uma possível reversão de modelos implantados pelas reformas dos anos 1980-2000, pelo menos em alguns países e em relação aos programas sociais mais fortemente marcados pelo que se convencionou chamar de radicalismo neoliberal. É o caso das reformas recentes dos sistemas previdenciários na Argentina e no Chile, e do sistema educacional neste último país, processos que sugerem a emergência de uma nova onda reformista, segundo uma pauta do tipo "reforma das reformas".

Mas é também o caso dos chamados "programas de terceira geração", que, desde o final dos anos 1990, parecem apontar para uma possível convergência da região em direção a modelos de proteção social assentados sobre novos arranjos e equilíbrios entre direito social e ajustes aos novos ambientes econômicos (interno e global); entre princípios de justiça distributiva e regras de eficácia e efetividade; entre programas universais e *means tested benefits*; entre provisão por serviços e transferências monetárias aos grupos carentes; entre formas burocráticas e participativas de gestão etc.

De nenhum modo se trata aqui tão somente de um somatório de triviais e pontuais mudanças de desenho e operacionalização de políticas e programas. Antes, esses novos modos de organização e gestão traduzem uma nova institucionalidade das políticas sociais que, de certa maneira, respondem a valores e a novas matrizes cognitivas, assentadas em bases sociais e interesses distintos dos que prevaleceram no passado.

Como interpretar essas mudanças recentes dos sistemas latino-americanos de bem-estar social? A literatura acadêmica é bastante controversa a respeito do tema da proteção social nos países latino-americanos. Existe ou teria existido na América Latina algo que pudéssemos definir como Estado de bem-estar social ou como sistemas de proteção social? No caso afirmativo, de que tipo ou regime de bem-estar se trataria? Em que tipo de contrato social se fundaria? E, ainda, como tratar as marcadas diferenças entre os países em relação a essas questões?

Um passo necessário para o avanço da reflexão é identificar, ainda no ponto de partida, as características e potencialidades dos sistemas de proteção social, o que remete tanto ao estudo de suas evoluções históricas diferenciais quanto a seus traços atuais, na etapa pós-reformas. Em outros termos, trata-se de examinar os sistemas latino-americanos de proteção social no quadro mais amplo dos complexos processos históricos e dos modos como se articularam e evoluíram as relações entre crescimento econômico, desenvolvimento social e sistema político.

Por sua vez, essas questões polares dos primeiros estudos na região encontram-se atualmente sobredeterminadas por outros dois conjuntos de desafios intelectuais: as reformas recentes por que passaram os sistemas de políticas sociais da região, e as indagações sobre alternativas futuras.

Ora, examinar alternativas de crescimento econômico e progresso social, e, mais ainda, especular sobre as possibilidades de expansão da cidadania social, esse clássico exercício de prospeção histórica, sabidamente, ou se enraíza no conhecimento circunstanciado do pasado, ou se reduzirá a uma elaboração idealista de modelos abstratos e normativos. A perspectiva histórica e de longa duração é indispensável, tanto por permitir fixar o ponto de partida, o momento *ex-ante*, base real das alternativas do futuro, quanto por possibilitar, no seu decurso, a identificação mais clara do comum e do diverso, do geral e do específico, entre nossos tão heterogêneos países. Em outros termos, é a perspectiva histórica que torna a análise sensível não só às chamadas diferenças regionais, mas às diferentes histórias propriamente ditas, melhor dizendo, às diferenças de trajetórias e às dependências delas derivadas. Indispensável também é a perspectiva de tratamento integrado da economia e da política social, própria, aliás, da análise histórica que aqui se reclama.

Pois é nessa longa história que se inscrevem e ganham sentido os sistemas de proteção social e suas dinâmicas de emergência, desenvolvimento e transformações recentes. Em coerência com as características das nossas sociedades, fundadas em economias de mercado e transformadas, ao longo do século XX, segundo as chaves da modernização, da industrialização e da urbanização, foi sob o conceito de Estado de bem-estar social que se tratou de apreender e analisar os modernos sistemas latino-americanos de proteção social, erigidos sob a liderança do Estado desenvolvimentista e modificados, posteriormente, sob a chave liberal, em meio a crises, reformas e forte transformação da estrutura social.

São esses os eixos analíticos em que se apoia este ensaio, apresentados neste capítulo como pontos de partida para pesquisas futuras: a análise integrada da economia e da política social, a análise histórica comparada, e os padrões entrecruzados de modernização, os padrões e tipos de Estados de bem-estar social latino-americanos, suas transformações recentes e as perspectivas de futuro que esboçam.

Conceitos e quadros analíticos da literatura contemporânea

Passemos, de modo resumido, aos conceitos e quadros analíticos extraídos da literatura contemporânea e que, a meu ver, possibilitam um tratamento interessante e promissor dos sistemas latino-americanos de proteção social.

A análise integrada da economia e da política social[1]

É longa a tradição da análise integrada da economia e da política social, que constituiu o eixo analítico das grandes vertentes da moderna sociologia histórica e dos estudos do desenvolvimento econômico, de Marx a Weber, a Durkheim e a Polanyi. No campo da teoria econômica, pode ser identificada nos postulados do pensamento neoclássico, que relaciona a política social a seus efeitos redistributivos e de inversão em capital humano. Provavelmente, sua formulação mais sofisticada encontre-se no pensamento keynesiano que captou com precisão o círculo virtuoso com que o econômico e o social se inscrevem na dinâmica de crescimento econômico e desenvolvimento social, visível no capitalismo regulado do pós-guerra. Por distintas que sejam, correntes intelectuais como as referidas, além de apontarem para a questão da equidade, não perderam de vista a relação entre as modernas instituições da política social e o processo de desenvolvimento e modernização capitalistas.

Pelo contrário: durante as últimas décadas, assistimos ao predomínio do tratamento dissociado da economia e da política social, com claro prejuízo de uma e outra, mais ainda quando orientado, como o foi, pelas correntes formalistas e abstratas, de forte viés quantitativo.[2] Ora, o ressurgimento dos estudos sobre de-

---

[1] Versões aproximadas desta seção e da seguinte foram publicadas em Draibe (2007).
[2] Entre os fatores que podem explicar tal evolução, além desse predomínio, tem sido também forte a fragmentação e a especialização das disciplinas. No caso da política social, verifica-se a predominância das análises administrativas e organizacionais de programas sociais individuais,

senvolvimento econômico abriu um novo e valioso curso de investigações, no qual a política social é pensada no quadro mais amplo da relação Estado-desenvolvimento econômico-sistemas de proteção social. Mais ainda, pensa-se a dinâmica a partir dos efeitos dos sistemas de políticas sociais sobre o crescimento econômico, e não somente o contrário, como tradicionalmente se postulou (Mkandawire, 2001). Mais do que as bases materiais do progresso social, enfatiza-se a capacidade dos sistemas de política social de promover e facilitar o crescimento econômico, simultaneamente ao desenvolvimento social. Aqui também, como seria de esperar, são muitas as vertentes e perspectivas analíticas. Para os objetivos deste capítulo, mais do que realizar exegeses de conceitos e autores, é interessante registrar sua evolução recente, resgatando certos conceitos e relações que se incorporaram ao debate e à linguagem das políticas sociais.

Coube ao sistema das Nações Unidas e a suas agências o crédito maior de retomar, reconceituar e disseminar ativamente o enfoque integrado, sob a conhecida tese de que a política social constitui condição do desenvolvimento econômico. Formulada há mais de 40 anos sob o conceito de desenvolvimento social, ganhou amplitude e complexidade, impregnada mais recentemente pelos princípios dos direitos sociais e dos direitos humanos, fertilizada também pelos novos conceitos de desenvolvimento humano, inversão nas pessoas, inclusão social e, de modo mais amplo, coesão social.[3]

No plano conceitual, o enfoque integrado ganhou centralidade em outras matrizes analíticas: o produtivismo ou a inserção produtiva como alternativa ótima de desenho dos programas sociais e, por outro lado, o desenvolvimentismo como atributo de certos tipos de Estado de bem-estar. Para um pressuposto comum — as relações mutuamente dinâmicas entre políticas sociais e econômicas —, confluem concepções bem distintas, desde as que pensam a política social como subordina-

---

mais do que dos sistemas de políticas sociais, e quase sempre pelo prisma unilateral da eficácia econômica e da avaliação de resultados.

[3] Foi Gunnar Myrdall quem explicitou originariamente tal conceito de desenvolvimento social quando coordenou, em 1966, no Conselho Econômico e Social das Nações Unidas, o grupo de especialistas encarregado de elaborar o estudo sobre a estratégia unificada de desenvolvimento social e econômico (Kwon, 2003). Desde então, tal perspectiva evoluiu com êxito, transformando-se em referência estratégica para outras agências multilaterais, como demonstra a sucessão de eventos internacionais tais como: a Declaração Mundial sobre a Proteção das Crianças (1990), a Reunião de Cúpula sobre Desesenvolvimento Social de Copenhague (1995), as metas do milênio, a Carta de Lisboa da União Europeia, a Carta Social de Islamabad (2004). Ver Midgley (2003) e Draibe (2004).

da à política econômica até as comprometidas com o desenvolvimento efetivo e centrado nas pessoas, desde posturas que valorizam políticas macroeconômicas promotoras do emprego e da renda até as que preferem programas sociais que promovam a incorporação econômica das pessoas e, ao mesmo tempo, gerem positivas taxas de retorno para a economia.[4]

Tal como outras correntes, essa concepção valoriza o tipo de política social que contribuiu para ampliar a participação econômica e o crescimento. Entretanto, as várias versões do *workfare State* têm sido fortemente criticadas por reduzirem a política social a pouco mais do que algumas regras morais e normas de conduta, com forte desprezo por questões de justiça social, universalidade e igualdade, com o que, em última instância, encobriria, sob roupagens da pós-modernidade, um real ataque ao Estado de bem-estar (Sabel e Zeitlin, 2003). É de se notar que, mesmo não tendo alcançado objetivos tão ambiciosos, a perspectiva disseminou-se amplamente, orientando reformas ou inovações de programas sociais em todo o mundo, sob governos de orientações muito distintas.[5]

No plano conceitual, é de ampla difusão, e não menor influência, a contribuição de Amartya Sen. Concebido também no campo da teoria do capital humano, mas em clara divergência com concepções pouco críticas do crescimento e de seus efeitos sociais e ambientais, o enfoque integrado, em Sen, concebe a política social como investimento em capital humano, em capital social, ou nas capacidades humanas, mediante programas sociais orientados a ampliar as capacidades das pessoas para que participem com liberdade do processo produtivo.[6] Nesse plano, aproxima-se da perspectiva dos direitos humanos, e até a fundamenta.

---

[4] Ver Midgley (2003) e Midgley y Sherraden (2000). A concepção do bem-estar mediante a inserção produtiva apresenta-se sob as mais diferentes versões, evidentes, por exemplo, em expressões como "bem-estar produtivo" ou "bem-estar pelo trabalho", ou, ainda, "novo bem-estar social" (*productivist welfare*, *workfare* ou *welfare to work*, *new welfarism*) (Taylor-Gooby, 1998 e 2001), "bem-estar social positivo" (*positive welfare*) (Giddens, 1998), ou "bem-estar social ativo" (*active welfare*) (Vandenbroucke, 2005). Ela tem sido frequentemente associada aos partidos social-democratas europeus dos anos 1990, em especial à "terceira via" e a suas propostas de um Estado de bem-estar ativo (*Active Welfare State*), entendido como aquele que enfatiza a redução dos riscos sociais mediante a educação e a capacitação, com o objetivo de transformar os cidadãos de meros receptores passivos de benefícios sociais em pessoas independentes, ativas, coprodutoras de sua própria proteção social.

[5] A experiência latino-americana recente registra incontáveis exemplos de orientações desse tipo em programas educacionais, de capacitação, ou, ainda, de favorecimento do emprego produtivo e do autoemprego, como os voltados para as microempresas ou o microcrédito.

[6] Ver Sen (1999), Taylor-Gooby (1998 e 2001), Holliday (2000) e Giddens (1998).

A análise integrada, em suas recentes e variadas versões, avançou e amadureceu ao longo de um amplo debate sobre as relações entre a economia e a política social, especialmente sobre os aspectos cambiantes e desafiantes do crescimento econômico nas condições atuais da globalização, confrontados com as potencialidades e os limites da política social (Esping-Andersen, 2002). Além das incontestáveis virtudes da articulação e da integração propriamente ditas, essa perspectiva recolocou, e com legitimidade, o tema do desenvolvimento econômico no próprio domínio da política social. Por outro lado, revalorizou a dimensão sistêmica da política social, ou seja, são os sistemas de políticas sociais, ou, mais especificamente, o Estado de bem-estar que constitui o foco da análise, sempre e quando se trata de pensar articuladamente o desenvolvimento econômico e a política social. Isto porque, muito mais do que a fragmentada visão de um ou outro programa social, é a perspectiva do sistema de proteção social como um todo que permite examinar, no tempo, os efeitos dinâmicos da política social, inclusive sobre a economia.

Por tudo isso, e quiçá com maior importância, o enfoque integrado envolve um ineludível chamado à perspectiva histórica de longo prazo. Ao se relacionar sistemas de política social e desenvolvimento econômico, imediatamente se impõem questões a respeito do crescimento econômico, de suas fases, de suas qualidades, de seus requisitos e efeitos no emprego e no bem-estar das pessoas, de seus êxitos passados, de suas perspectivas futuras etc. Um tal chamado à visão histórica de longo prazo se revela com clareza na perspectiva desenvolvimentista com que recentemente têm sido analisados certos tipos de Estados bem-estar.

A análise histórica comparada dos tipos e regimes de bem-estar social

Por outro ângulo, o desenvolvimentismo como atributo de certos tipos de Estado de bem-estar remete ao plano da análise histórica e dos regimes de bem-estar. Como se sabe, o Estado de bem-estar, por muito tempo e em bom número de estudos, foi postulado como uma instituição exclusiva dos países desenvolvidos, talvez apenas de alguns países europeus ou, de modo ainda mais restrito, como uma criatura própria da social-democracia europeia. Tal não é a compreensão que se pode derivar do desenvolvimento recente das teorias e conceitos sobre o *Welfare State*, em perspectiva comparada. Já a análise histórica e integrada abre espaço para a compreensão dos processos de emergência e configuração de distintos Estados de bem-estar em países e regiões que se modernizaram tardiamente. Mas são os recentes estudos sobre "regimes de bem-estar" e as categorias teóricas de nível intermediário em que se baseiam (*middle-range categories*) que permitem examinar, sob novos conceitos, as experiências tardias de transição à modernidade urbano-industrial, sob instituições também modernas como o são as da proteção social.

CATEGORIAS INTERMEDIÁRIAS: O ENFOQUE DOS REGIMES DE BEM-ESTAR

Os estudos comparados de Estados de bem-estar desenvolveram-se notavelmente nos últimos 15 anos aproximadamente, em geral, pela perspectiva do assim chamado enfoque dos regimes de bem-estar, ou, mais amplamente, enfoque comparativo de nível intermediário (Esping-Andersen, 1990; Gough, 1999; Pierson, 2003). Além de introduzir certa ruptura com tradições antes dominantes, essa vertente de estudos ampliou consideravelmente as possibilidades de exame, sob novas categorias, das experiências de países em desenvolvimento que transitaram mais tardiamente para a modernidade.

Não é novo o reconhecimento de que o Estado de bem-estar se manifestou de distintas formas nos países desenvolvidos, mas foi reconhecidamente o trabalho de Esping-Andersen, no início dos anos 1990, que deu partida à nova geração de estudos comparados internacionais sobre o *Welfare State*, apoiados direta ou indiretamente em sua tipologia dos três regimes de bem-estar, sob os quais teria se manifestado o Estado de bem-estar nos países desenvolvidos: o regime liberal,[7] o regime conservador-corporativo[8] e o regime social-democrata.[9] Tributário da longa tradição da sociologia histórica comparada em política social,[10] o enfoque dos regimes de bem-estar estabeleceu inquestionavelmente os termos contempo-

---

[7] Cujos atributos principais são: o mercado como *locus* de uma solidariedade de base individual, e a predominância do mercado na provisão social, da qual participam com menos peso a família e o Estado. Nesse regime, se enquadrariam países tais como os Estados Unidos, o Canadá, a Austrália, a Nova Zelândia, a Irlanda e o Reino Unido.

[8] Baseado em uma solidariedade de base familiar, caracteriza-se por uma provisão social na qual a família desempenha papel central, ante o caráter marginal do mercado e a ação subsidiária do Estado, tendo, ainda, por referências, o *status*, o mérito e a sanção de atores coletivos e corporativos diferenciados. Países como Alemanha, Itália, França e outros da Europa continental exemplificariam esse regime.

[9] Fundado em uma solidariedade de base universal, sendo o Estado seu *locus* principal, e caracterizado por uma composição da provisão social na qual o Estado desempenha papel central, ante as posições marginais da família e do mercado. Nesse caso, se encontram tipicamente os países nórdicos, como Suécia, Dinamarca, Noruega e Finlândia (Esping-Andersen, 1990 e 1999).

[10] Iniciada com o pioneiro trabalho de Titmuss (1958) e ampliada por estudos como os de Marshall (1964), Briggs (1961), Rimlinger (1971), Heclo (1974), Wilenski (1975) e, já na segunda onda de pesquisas dos anos 1980, pelos trabalhos, entre outros, de Flora (1986), Flora e Heidenheimer (1986), Alber (1986), Ferrera (1984) e Ascoli (1984).

râneos da pesquisa comparada nesse campo (Orloff, 2003; Amenta, 2003; Skocpol, 2003). Mediante intensos debate e desenvolvimento intelectuais (Abrahamson, 1999; Powell e Barrientos, 2002), abriu fecunda senda de estudos sobre os modernos sistemas de proteção social em países e regiões que se modernizaram mais tardiamente, como o Japão e outros países do Leste asiático e, em menor medida, também os países latino-americanos (Draibe, 1989; Barrientos, 2001; Filgueira, 2005). Para além dos resultados substantivos, foram importantes os avanços teóricos e metodológicos, brevemente referidos a seguir.

Como se sabe, foram três os critérios utilizados por Esping-Andersen para distinguir os regimes: a relação público/privada na provisão social, o grau de desmercantilização[11] (*de-commodification*) dos bens e serviços sociais, e seus efeitos na estratificação social. Mais tarde, ele agregou outro critério: o grau de desfamiliarização (*de-familiarisation*).[12] Elaborações posteriores de Esping-Andersen (1999) e de outros ampliaram tais critérios, introduzindo um conjunto mais amplo e complexo de dimensões e ampliando, desse modo, a abrangência da tipologia original, uma prova a mais da vitalidade do enfoque dos regimes. Porém, tal enfoque não esteve, nem está, isento das necessárias limitações próprias de toda tipologia.[13]

Já as teóricas feministas criticam a inadequada ou ausente consideração do papel estruturante da família, da dimensão de gênero e da divisão sexual do trabalho na configuração dos regimes.[14] Por outro lado, é bastante generalizada a crítica à

---

[11] *De-commodification* foi aqui traduzido por *desmercartilização*. Outra face do direito social da cidadania, o termo designa o grau em que o Estado de bem-estar debilita o vínculo monetário, garantindo o direito social independentemente da participação no mercado. Os bens e serviços sociais, em tal mecanismo, perderiam em parte ou totalmente seu caráter de mercadoria (Esping-Andersen, 1999:43).

[12] Também traduzido com certa liberdade como *desfamiliarização*, o conceito expressa o grau de redução da dependência do indivíduo em relação à família ou, inversamente, o aumento da capacidade de comando do indivíduo sobre recursos econômicos, independentemente das reciprocidades familiares ou conjugais (Esping-Andersen, 1999:45).

[13] Ver Powell e Barrientos (2004), Gough (2000), Orloff (2003). Do ponto de vista da metodologia comparativa, os argumentos críticos frequentemente apontam o formalismo das definições, que dificultaria classificar os casos "difíceis" ou "mistos" (Théret, 1998 e 2002), e o fato de se tratar de uma metodologia estática de comparação, pouco sensível a movimentos, mutações, mudanças de modelo e de seus atributos (Esping-Andersen, 1999; Gough, 1999; Pierson, 2003; Orloff, Clemens e Adams, 2003).

[14] Ver Orloff (1993 e 2003), Skocpol (1992), Lewis (1997), O'Connor, Orloff e Shaver (1999) e Esping-Andersen (1999). Sensível à crítica, Esping-Andersen reformulou parcialmente sua ma-

"inaplicabilidade" desses conceitos, justificada por razões distintas: as peculiaridades ou o "excepcionalismo" do caso considerado;[15] o insuficiente grau de desenvolvimento socioeconômico do caso a considerar; as insuficiências ou limites dos próprios conceitos de regimes; as excessivas ou insuficientes considerações das peculiaridades históricas.[16]

Com a exceção da crítica feminista, todos os argumentos se referem, em última instância, às possibilidades e aos limites do uso das categorias de Esping-Andersen com respeito a países ou regiões distintas da originariamente considerada pelo autor, o que remete o problema ao estatuto teórico e à abrangência das categorias de regimes. Afinal, são esses três regimes uma mera construção ideal, de valor heurístico, e com auxílio deles poderiam ser apreendidas e estudadas as mais distintas realidades? Ou cada um deles se referiria a configurações históricas concretas, cujas características comuns foram captadas e generalizadas para um determinado nível?

Muito frequentemente, os tipos elaborados por Esping-Andersen são tomados como conceitos típico-ideais, meros instrumentos destinados à comparação, operando como referentes ou descritores de configurações possíveis do Estado de bem-estar (Ebbinghaus e Manow, 2001; Sainsbury, 1999). Como tal, foram utilizados em incontáveis estudos sobre países distintos dos da Europa, inclusive da América Latina (Draibe, 1989).

Entretanto, construções teóricas como a de Esping-Andersen e outros autores (Castles, 1993; Therborn, 2002, 2004a e 2004b; Gough, 1999 e 2000) admitem uma compreensão mais complexa e sofisticada, de maior poder explicativo. Elaboradas em nível teórico intermediário de abstração (*middle range theory*), tais categorias não se confundem nem com categorias gerais e mais abstratas (por exemplo, a de Estado de bem-estar em geral), nem com conceitos particulares, referidos a casos ou situações concretas (por exemplo, o Estado de bem-estar francês). Pelo contrário. Construídos no espaço da tensa relação entre teoria e história, entre categorias gerais (abstratas) e o nível empírico, conceitos intermediários como os

---

triz analítica, atribuindo maior peso ao corte de gênero e à economia doméstica/familiar como esfera da reprodução social, juntamente com as outras instituições da política social.
[15] Ver Skocpol (1992), Orloff (2003), Esping-Andersen (1997), Miyamoto (2003).
[16] A crítica, curiosamente, aponta excessos, mas, também, carências de "historicidade", isto é, tanto um suposto "eurocentrismo" na caracterização dos regimes quanto, ao contrário, a ausência de variáveis históricas, tais como traços culturais ou tradições familiares, que distinguiriam países e grupos de países ainda na região europeia.

de regime, ao mesmo tempo em que retêm os atributos gerais de um fenômeno dado, captam e retêm, por generalização, atributos próprios de um conjunto dado de casos particulares. Se esse é seu estatuto teórico, pode-se concluir que os tipos ou modelos elaborados com tal instrumental não constituem modelos tipo-ideais, disponíveis a uma aplicação generalizada.[17]

Precisamente por tais razões o enfoque de regimes de bem-estar social contribuiu decisivamente para que fossem evitados os dois riscos mais comuns em matéria de comparação histórica: a generalização indevida e o historicismo. Como podem ser utilizados em situações distintas daquelas sobre as quais foram construídas as tipologias?

NOVOS DESDOBRAMENTOS DO ENFOQUE DOS REGIMES: O ESTADO DE BEM-ESTAR MEDITERRÂNEO E O ESTADO DESENVOLVIMENTISTA DE BEM-ESTAR DO LESTE ASIÁTICO

A complexidade e a diversidade dos critérios e dimensões sugerem que o conceito de regime de bem-estar, em Esping-Andersen e outros autores, abrange os peculiares fundamentos sociopolíticos e as estruturas de valores de uma dada sociedade. De nenhum modo a diferenciação de regimes se reduziria a uma mera combinação de tipos de políticas sociais que pudessem ser medidos com o metro do "mais ou menos", por meio de algumas poucas variáveis quantitativas. Por outro lado, o regime é uma construção histórica, que traz consigo, em suas instituições e formas, a história passada de embates entre classes, grupos sociais, coalizões políticas, movidos cada qual por seus sistemas de interesses e valores, atuando segundo suas distintas capacidades de apropriação de porções do bem-estar gerado e institucionalizado, em uma dada sociedade (Davis, 2001).

Dois são os argumentos mais frequentemente utilizados quando se postula a impossibilidade de "aplicar" ou usar os paradigmas de bem-estar social (*welfare paradigm*) em situações distintas daquelas em que foram construídos: a especificidade e o insuficiente grau de desenvolvimento socioeconômico. O argumento da especificidade ou do "excepcionalismo" (Skocpol, 1992; Orloff, 2003),

---

[17] Os critérios e o processo de elaboração de Esping-Andersen não dão margem a dúvidas, já que envolvem componentes históricos, como valores e determinações de trajetórias (*path-dependent*). São, nesse sentido, conceitos carregados de "historicidade" e, portanto, não podem e não devem ser estendidos a outras experiências, pelo menos até que seu estudo e confrontação com as originais o autorizem. Não por acaso, o autor foi sempre cauteloso ao classificar, por exemplo, o Japão em qualquer dos três regimes, optando por identificá-lo como tipo "misto".

ou, ainda, do "caso único" (Esping-Andersen, 1997; Miyamoto, 2003), aponta para duas dimensões: por um lado, as supostamente irredutíveis particularidades das situações históricas em relação às quais se objeta e, por isso mesmo, a aplicação dos conceitos; por outro, as particularidades (que não se repetem) do ponto de partida, nas quais estariam baseados os conceitos e as tipologias de Esping-Andersen, ou seja, as democracias industriais ocidentais.[18] Não é raro que "casos difíceis", isto é, que não se adequam muito bem aos regimes ou tipos, tenham sido classificados então como "casos mistos". Também não é raro que sejam invocadas categorias descritivas, quase sempre de muito pouco poder analítico, entre as quais podem ser citadas as categorias de "dualidade" (Skocpol, 1992), de "hibridismo" (Esping-Andersen, 1997), ou, ainda, a "via média" (Moreno e Sarasa, 1992; Moreno, 2000a e 2000b), destinadas a caracterizar países ou grupos de países que, se supõe, apresentam simultaneamente características de duas ou mais classes originais.[19]

Por sua vez, o argumento do grau de desenvolvimento postula a inaplicabilidade dos tipos ou paradigmas devido, em última instância, ao nível insuficiente de desenvolvimento da sociedade, da economia ou do próprio sistema de proteção social, em comparação com o "desenvolvimento ótimo" alcançado pelos regimes originais. São recorrentes as referências que dão corpo ao argumento: "desenvolvimento embrionário", "incompleto", "baixa extensão do assalariamento", "altos graus de exclusão social", "baixa cobertura dos programas sociais" etc. Isso mesmo quando as evidências empíricas e as comparações históricas demonstram não haver correlação estreita entre graus de modernização (graus de industrialização, urbanização etc.) e a emergência e a extensão do Estado de bem-estar social, indicando, ademais, a importância dos pré-requisitos internos, dos fatores políticos e

---

[18] O argumento da especificidade ou do "excepcionalismo" pode abarcar poucos ou muitos dos fatores e dimensões indicados nos critérios de elaboração dos regimes. Os Estados Unidos, os países mediterrâneos, os países do Leste asiático, os países latino-americanos foram, todos eles, em algum momento, apontados como "excepcionais".

[19] É clássica a caracterização que fez Theda Skocpol (1992) da dualidade do sistema de proteção social dos Estados Unidos (*the two-track system*), por apresentar simultaneamente características de um Estado de bem-estar do tipo patriarcal, que protege o homem provedor, e do tipo matriarcal, que protege a mulher na condição de mãe. Esping-Andersen (1997) chamou a atenção para a singularidade do caso japonês, qualificando-o como "híbrido" por combinar características dos regimes liberal e conservador. Luis Moreno (2000a e 2000b) denomina "via média" o Estado de bem-estar espanhol, que incorporaria elementos tanto das tradições bismarckianas quanto da tradição beveridgiana.

do impacto dos mecanismos internacionais de difusão na "antecipação" do surgimento desse Estado.[20]

Resistindo aos dois tipos de argumentos, vários autores trataram de explorar a possibilidade de construção de novas categorias de regimes e/ou de tipos de Estados de bem-estar, mais sensíveis às peculiaridades históricas de países e regiões não muito bem ajustadas às classificações estabelecidas, como os países do Sul da Europa e do Leste da Ásia.

Tratando dos casos dos países mediterrâneos, Castles (1993) desenvolveu a noção de família de países, buscando enquadrar os países sul-europeus, dotados de características que os distinguiriam de outras "famílias", em particular, por seus peculiares condicionantes histórico-culturais, referidos especialmente a seus sistemas de valores, a suas tradições familiares e religiosas, além das pertinentes às políticas e às instituições. Foi a partir de tal perspectiva ampla que os sistemas de proteção social de países como Portugal, Espanha, Itália e Grécia passaram a ser qualificados e classificados como um tipo ou regime particular, referido por meio de conceitos como modelo de bem-estar social do sul (Ferrera, 1996, 1997 e 2000), Estado ou regime de bem-estar mediterrâneo (Ferrera, 1996 e 1997; Moreno, 2000a), "via média" de desenvolvimento do bem-estar (Moreno e Sarasa, 1992; Moreno, 2000b).

Há aqui um claro esforço para ir além do entendimento desses casos tão somente como subtipos dos regimes previamente definidos, ou como formas ainda não desenvolvidas, atrasadas ou incipientes destes (Rhodes, 1997; Flaquer, 2000). Ao contrário, o regime de bem-estar do sul da Europa constituiria, para os autores citados, uma configuração histórica própria, legitimamente identificada por características históricas e culturais comuns, que seriam, portanto, os fundamentos de um quarto tipo ou regime, que se agregaria aos anteriormente elaborados por Esping-Andersen.

Mais do que agregar dimensões e critérios de Esping-Andersen, a marca metodológica dos autores foi identificar nos quatro países as características principais

---

[20] Além da não correlação entre nível/duração da industrialização e extensão do Estado de bem-estar, as evidências indicam maior relação com a urbanização do que com a industrialização, assinalando, por exemplo, que, na Europa, a emergência se deu antes na Alemanha de Bismarck, menos industrializada na época do que a Inglaterra e os Estados Unidos. Na América Latina, surge já nos primeiros momentos da industrialização, antes, portanto, das fases em que apareceu nos países europeus ou nos Estados Unidos. Emerge mais tardiamente no Japão do que em outros países menos industrializados do Leste asiático (Pierson, 2003; Kuhnle e Hort, 2003). A antecipação de demandas e respostas a déficits de legitimação são os argumentos comumente utilizados por autores que enfatizam a intervenção de fatores políticos na precoce emergência dos modernos sistemas de políticas sociais.

e predominantes que redefiniam o conjunto dos componentes e processos de seus sistemas de bem-estar, diferenciando-os dos outros regimes: a dualidade da sociedade em relação à proteção social,[21] o decisivo papel da família na provisão social (familismo), a peculiar estrutura da provisão social,[22] e a significativa presença de mecanismos políticos discricionais na distribuição dos benefícios sociais.[23]

As elaborações são ainda embrionárias, requerendo amplas e profundas investigações históricas. Entretanto, a tradição dos estudos "mediterrâneos" sobre o Estado de bem-estar parece não só ter se afirmado, como suas contribuições metodológicas já se mostram bastante úteis.

Por seu lado, os países do Leste e do Sul da Ásia — cujos estudos foram postergados por muito tempo, em razão de diferirem bastante dos países ocidentais — constituem hoje outro estimulante laboratório, no qual vêm sendo testadas a força e as debilidades dos conceitos de regimes de bem-estar social, como instrumental para a análise comparativa. Os estudos sobre seus sistemas de bem-estar multiplicaram-se notavelmente na última década,[24] o que ampliou significativa-

---

[21] Dada a grande extensão da economia informal e, mais recentemente, do desemprego, os sistemas de proteção social sul-europeus tendem a cobrir apenas uma parte da população, segmentada, então, entre protegidos e não protegidos.

[22] Uma referência à composição específica da provisão social, que combina benefícios ocupacionais com um programa universal de saúde (além da educação básica) e a ausência de programas de assistência social e apoio familiar, sempre em estruturas organizacionais marcadas por forte fragmentação.

[23] Ferrera (1996, 1997 e 2000) e Rhodes (1997) especificam os seguintes traços distintivos do modelo mediterrâneo: alta fragmentação corporativa do sistema de seguridade social, internamente polarizado e bastante generoso com grupos privilegiados (funcionários públicos, por exemplo); reduzida presença do Estado e conflitante ação de atores e instituições; forte influência da Igreja católica; persistência do clientelismo e de "máquinas de clientelismo" na distribuição seletiva das transferências monetárias; sistema universalista (não corporativista) de saúde; gestão burocrática pouco eficiente, burocratizada e politizada.
Ver Castles (1993), Ferrera (1996 e 1997) e Flaquer (2000). Como se pode supor, há dissenso entre os autores sobre vários aspectos, como a inclusão ou não da Grécia; a diferenciação interna entre os países, os ibéricos de um lado, a Itália e a Grécia de outro; a homogeneidade de critérios etc. (Ferrera, 2005; Ebbinghaus e Manow, 2001). Para Maurizio Ferrera (2005), o Sul da Europa não conforma uma região homogênea, e dificilmente os quatro países podem ser classificados em uma mesma família de nações, dadas suas diferenças. Ainda assim, haveria suficientes evidências de similaridades e experiências compartilhadas entre eles que justificariam sua aproximação, nas análises comparadas, especialmente sobre os Estados de bem-estar.

[24] Segundo os analistas, os estudos foram motivados sobretudo pelas seguintes características: o extraordinário crescimento econômico do Japão e dos NICs (*newly industrialized countries*) do pós-guerra em diante; a particular combinação de dinamismo econômico e coesão social; resul-

mente o conhecimento sobre cada país, região e subregiões. Além de abordar particularidades culturais, tais estudos destacaram, naquelas experiências, a peculiar relação entre desenvolvimento econômico e política social, relação retratada por muitos como a dimensão desenvolvimentista dos Estados de bem-estar ali construídos.[25]

Com pequenas diferenças, os autores tendem a concordar que são os seguintes seus atributos básicos: a predominância dos objetivos do crescimento econômico sobre os sociais, retratada nos modestos níveis do gasto social (Kwon, 2003; Peng e Wong, 2002); o papel relativamente reduzido do Estado na provisão social, sendo maior a participação da família, das empresas e das organizações filantrópicas (Kwon, 1999, 2002 e 2003); os reduzidos direitos sociais universais e a canalização da proteção social para os trabalhadores assalariados dos setores público e privado; e, finalmente, a posição central da família como valor e referência, como apoio à independência familiar e individual ante o Estado.[26] Entre tais características, destaca-se a especificidade da articulação entre política econômica e política social, mais precisamente a incorporação da política social à estratégia estatal de desenvolvimento econômico, tendente a canalizar recursos da seguridade social para investimentos em infraestrutura (Goodman e White, 1998; Kwon, 2003). Dadas as peculiaridades de tais características e a base comum que representam para aquele conjunto de países, grande parte dos autores considera o sistema de proteção social do Leste asiático um quarto ou quinto tipo ou regime de bem-estar, qualificando-o, por exemplo, como Estado

---

tados sociais importantes (em especial em educação, saúde, além dos baixos níveis de criminalidade), e baixo nível do gasto social (Goodman, White e Kwon, 1998).

[25] Ver Esping-Andersen (1997), Goodman, White e Kwon (1998), Gough (1999 e 2000), Kuhnle (2002), Holliday (2000), Kwon (1997, 1999, 2002 e 2003), Aspalter (2001), Chang (2002), Peng e Wong (2002), Uzuhashi (2003), Miyamoto (2003), Kim (2005) e Davis (2001). Como se pode deduzir, o conceito de desenvolvimentismo aqui, de modo algum, se limita às versões que o entendem e reduzem tão somente ao protecionismo, ao estatismo e, quase sempre, à irresponsabilidade fiscal.

[26] Os primeiros estudos desenvolveram-se sob uma visão positiva do orientalismo, enfatizando as tradicionais virtudes do "sistema confuciano de bem-estar" (Jones, 1993) — relativas ao papel da família e da filantropia privada, sempre com o objetivo de evitar a dependência do Estado — e, no plano dos valores, os princípios de solidariedade não igualitária, da subsidiariedade, da hierarquia e da ordem. Na segunda metade dos anos 1990, uma nova onda de estudos, em diálogo mais próximo com o enfoque dos regimes e em perspectiva mais crítica quanto às "vantagens" do confucionismo, orientou-se por análises mais integradas das variáveis culturais, econômicas, sociais, políticas e institucionais.

produtivista de bem-estar (Holliday, 2000), ou Estado desenvolvimentista de bem-estar (*Developmental Welfare State*).[27]

Além dos positivos avanços do conhecimento, os dois grupos de estudos aqui comentados vêm desenvolvendo metodologias e conceitos especialmente interessantes para investigações similares em outros países e regiões, especialmente para o estudo do Estado de bem-estar na América Latina.[28]

Raízes históricas dos Estados de bem-estar social

Certamente, a dimensão histórica e temporal não se esgota no enfoque dos regimes, claramente limitado quando se trata de captar características da dinâmica do Estado de bem-estar social na sua relação com a estrutura social.

A análise histórica e de longa duração, já presente no enfoque integrado e na retomada da temática do desenvolvimento, vem ganhando espaço na análise da historicidade e das funções do Estado de bem-estar social. Trata-se de compreender a construção das instituições da política social em seu vínculo com a constituição mais ampla das modernas sociedades urbanas, fundadas no trabalho assalariado, o que conduz à compreensão do processo de emergência e desenvolvimento dos Estados de bem-estar e das diferentes situações históricas em que ocorre, sem que se caia nos conhecidos desvios e generalizações mecanicistas da clássica teoria da modernização.

A questão não é nova, e foi já referida anteriormente a respeito do estatuto teórico de categorias intermediárias, elaboradas precisamente para capturar situações históricas como essas.[29]

A temática do desenvolvimento e da construção da modernidade registra importantes desdobramentos para o campo dos estudos comparados sobre o Estado

---

[27] Ver Gough (1999 e 2000), Kuhnle (2002), Chang (2002) e Kwon (2002).

[28] Em outros trabalhos, busquei demonstrar a fertilidade analítica do conceito de Estado desenvolvimentista de bem-estar social, retomando o debate latino-americano sobre o tema e propondo o conceito de Estado latino-americano desenvolvimentista de bem-estar social como o conceito-chave para captar, ao longo do século XX, as especificidades dos sistemas de proteção social da região, obviamente com a devida atenção para as diferenças que guardam entre si. Ver Draibe e Riesco, 2006 e 2007.

[29] Vale a pena apontar um dos aspectos dominantes nesse debate, referente ao poder explicativo das variáveis culturais nos distintos processos de emergência, desenvolvimento e transformações do Estado de bem-estar. Como se sabe, estruturas de valores, visões do mundo, regras e princípios religiosos, concepções predominantes sobre a família e o papel da mulher são todas dimensões fundamentais do Estado de bem-estar.

de bem-estar. Parece promissora a linha de investigação que busca identificar, desde suas origens, as variadas e típicas rotas seguidas por grupos de países em sua transição para a modernidade. Assim é que Göran Therborn (1995 e 2004b) postula que se examinem as origens das características regionais contemporâneas em termos de quatro diferentes rotas para a modernidade, observadas nas distintas regiões do mundo, segundo as condições e as temporalidades com que se incorporaram ao processo geral de modernização capitalista.[30]

A consideração desses distintos pontos de partida e diferentes caminhos para a modernidade amplia a "historicidade" das categorias de regimes de bem-estar, ao identificar as raízes sociais históricas das modernas estruturas e políticas da política social.

Tudo o que até aqui enunciei constitui um conjunto estimulante de temas e sugestões metodológicas de inegável utilidade para análises futuras dos Estados de bem-estar social, inclusive para a América Latina. Partindo das potencialidades do enfoque de regimes, pode-se verificar os importantes passos de avanço teórico dados pelos estudos regionais comparados, referentes aos países europeus mediterrâneos e aos países do Leste asiático. Também as rotas de modernização constituem um sugestivo instrumental analítico, podendo contribuir para a ampliação da "historicidade" das categorias de regimes de bem-estar, ao identificar as raízes das modernas estruturas da política social.

O Estado de bem-estar na transição para a modernidade da América Latina

Esta parte resume ensaios mais extensos (Draibe e Riesco, 2007 e 2008) e indica, em rápidos passos, o movimento de emergência, auge e crise do Estado de bem-estar social latino-americano, ressaltando suas peculiaridades e, sobretudo, as formas ou tipos com que se manifestou, em variações que expressaram, a seu modo, a forte heterogeneidade socioeconômica da região, os diversos estágios da transição para a modernidade em que se encontram os países, assim como as trajetórias de modernização que percorreram.

---

[30] São as seguintes as rotas concebidas por Therborn (1995 e 2004b): a rota europeia endógena, as sociedades de colonos no Novo Mundo, a zona colonial da África e da maior parte da Ásia, e a rota de modernização reativa.

Os objetivos, mais uma vez, são nitidamente metodológicos. Ou seja, mais do que desenvolver cada argumento, sugiro apenas os passos intelectuais e as categorias que penso serem adequadas à caracterização dos sistemas latino-americanos de proteção social e suas variantes, ante os desafios da globalizão e da integração regional.

O Estado latino-americano desenvolvimentista de bem-estar: um conceito nuclear

Tal como aqui é entendido, o Estado de bem-estar é um fenômeno histórico moderno — corresponde às modernas instituições da política social que acompanharam o processo de desenvolvimento e modernização capitalistas. Sabidamente, as ondas de migração de grandes massas humanas do campo para a cidade tendem a introduzir ou a ser acompanhadas por fortes desequilíbrios sociais, envolvendo muitas vezes a destruição das comunidades locais, de seus sistemas culturais e familiares. Mas trazem consigo também formas institucionais novas, que, no longo prazo, evitam ou reduzem a anomia nas sociedades que se modernizam. Típicas da segunda metade do século XX, as instituições do moderno sistema de proteção social constituem, em países de desenvolvimento tardio, juntamente com o assalariamento, um dos principais "instrumentos" de compensação ou reequilíbrio. Isso porque, mediante seus sistemas de seguridade social, educação e outros serviços sociais, viabilizam o trânsito e a incorporação social das massas rurais à vida urbana e à condição salarial. O processo, por parcial que tenha sido, não foi distinto, em substância, na América Latina.

A América Latina logrou construir uma das mais típicas e notáveis estruturas de proteção social — o Estado desenvolvimentista, destacado pelo inédito ativismo com que presidiu as primeiras e decisivas etapas da transição para a modernidade em seus países. Por outro lado, paralelamente a esse processo e não por acaso, gerou-se também na região um original corpo conceitual explicativo do processo de industrialização, expresso de forma exemplar na produção da Cepal e de destacados autores como Prebish (1949), Furtado (1964 e 1965), Cardoso e Falleto (1973), entre outros.

Os papéis econômicos do Estado desenvolvimentista foram, desde então, bem enfatizados (Prebisch, 1949; Mello, 1982). Do mesmo modo, chamou-se a atenção para seu protagonismo no enfrentamento da questão social do desenvolvimento (Draibe, 1985), ao cumprir funções decisivas na transformação da estrutura social e na construção das modernas instituições da política social (Riesco, 2007; Draibe e Riesco, 2007).

Que tipo de Estado de bem-estar foi o Estado desenvolvimentista latino-americano? As tipologias de regimes de bem-estar, especialmente a de Esping-Andersen (1990), permitiram as primeiras abordagens classificatórias dos sistemas de proteção social de países da América Latina (Draibe, 1985:20, 1989 e 1995), mas foram sobretudo os estudos comparados, sobre os países mediterrâneos e do Leste asiático, que mais recentemente estimularam a investigação sobre as peculiaridades históricas dos sistemas latino-americanos de proteção social e suas variações nacionais (Draibe e Riesco, 2007).

Produto do diálogo com tal literatura, o conceito nuclear aqui apresentado é o de Estado latino-americano desenvolvimentista de bem-estar (ELADBES), um tipo peculiar de Estado de bem-estar desenvolvimentista que moldou, em bom número de países da região, a emergência dos seus modernos sistemas nacionais de proteção social no período 1930-1980. Ao longo dos processos de modernização e industrialização das economias latino-americanas, os ELADBES constituíram a estrutura político-institucional decisiva que viabilizou a incorporação das massas camponesas e de trabalhadores rurais às modernas estruturas e dinâmicas das economias urbanas de mercado, ao tempo mesmo que viabilizaram a emergência e a expansão dos novos atores sociais, em especial o empresariado urbano-industrial, os trabalhadores assalariados e as modernas classes médias urbanas (Draibe e Riesco, 2007).

Entre os anos 1930 e 1980, o Estado desenvolvimentista apresentou-se sob distintas versões na região, mas com um conteúdo bastante similar: a preponderância do progresso econômico. Mas a questão social não esteve ausente da sua agenda. Ao contrário, foi parte integrante da estratégia desenvolvimentista, voltada também para a construção das instituições dos modernos sistemas de proteção social, ou, se se quiser, dos fundamentos do Estado de bem-estar social.

A partir dos anos 1980, os ELADBES entraram em declínio e foram sucedidos por outra estratégia de desenvolvimento econômico e social. Os movimentos e processos da globalização e das reformas pró-mercado suscitaram profundas transformações socioeconômicas na região, promovendo a formação de um novo padrão de desenvolvimento e mudanças decisivas nos perfis e escopos dos sistemas nacionais de proteção social.

Uma questão sempre presente no debate latino-americano diz respeito à heterogeneidade econômica, social e institucional da região, e à impossibilidade de apreendê-la por meio de categorias gerais e únicas. Em relação aos ELADBES, como captar tais diferenças, ou, mais precisamente, como reduzir e simplificar a riqueza e a diversidade da região, capturando os denominadores comuns, identificando as similiaridades e as diferenças que separam e aproximam os países e os grupos de países?

TIPOS DISTINTOS DE ELADBES, DIFERENTES *PATHS* DE MODERNIZAÇÃO

Os ELADBES não foram homogêneos, muito menos se organizaram segundo um modelo ou tipo único. Ao contrário. Construídos sobre terrenos sociais diversos e em sociedades que avançaram por caminhos distintos em direção à modernidade capitalista, os Estados latino-americanos desenvolvimentistas de bem-estar guardaram, na sua institucionalidade, as marcas das trajetórias de modernização em que se originaram.

A análise histórica comparada, assim como os desenvolvimentos recentes dos estudos comparados sobre os *Welfare States*, especialmente do Sul europeu e do Leste asiático, constituíram estimulantes veios analíticos para as elaborações que, a título de sugestão, faço a seguir.

Assim, é possível distinguir, na história social da região, pelo menos quatro padrões de desenvolvimento social ou de rotas para a modernidade, diferenças que, suponho, estão na base da diferenciação dos tipos de Estados de bem-estar que emergiram posteriormente na região, já da metade do século XX em diante.

Os futuros Estados de bem-estar social da América Latina encontrarão nesses distintos padrões históricos de transição o terreno social diferenciado de suas origens. Ao largo do processo de transição, outros fatores decisivos certamente atuarão na diferenciação desses Estados. Contudo, estes guardarão, como "marcas de nascimento", a forte relação com as distintas estruturas sociais em que se originaram, sobre as quais também incidirão seus efeitos. Tome-se, por exemplo, o caso dos países de modernidade precoce, como Argentina e Uruguai. Com base em uma forte imigração europeia, que se instalou em território já "depurado" das populações indígenas autóctones, ali se construíram avançados sistemas de proteção social, apoiados em uma distribuição da renda aceitável ou mesmo bastante igualitária, no caso do Uruguai.[31]

---

[31] É interessante ressaltar os efeitos diferenciadores que sobre tais sistemas e regras familiares foram introduzidos pela moderna imigração do final do século XIX e primeira metade do século XX, europeia, primeiro, mas também da Ásia (árabes, chineses, japoneses). Em países de modernização precoce, como Uruguai e Argentina, os imigrantes europeus ocuparam territórios vazios, passando a definir de maneira quase exclusiva, sem a "concorrência" de antigos colonos, menos ainda de sociedades indígenas, já dizimadas, as estruturas, normas e *modus vivendi* das famílias urbanas das novas grandes cidades de Buenos Aires e Montevidéu. E, obviamente, fizeram-no segundo as "normas" europeias ou asiáticas contemporâneas, das quais eram portadores. Em regiões do Sudeste e do Sul do Brasil, e em cidades como Rio de Janeiro e São Paulo, verifica-se processo similar, pela significativa onda de imigração europeia (italianos, principalmente) e asiática.

Quadro 1. Padrões de modernização de países da América Latina e do Caribe

Padrões de modernização	Países e regiões*
Padrão I. Colonial clássico sobre os antigos impérios • regiões secularmente de alta produtividade agrícola; • populações indígenas numerosas; • grandes senhorios em todas as épocas pré-modernas (pré-hispânicas, coloniais e oligárquica pós-independência); • culturas e sociedades de grande riqueza e complexidade em todos os períodos históricos pré-modernos; • baixa incidência de imigração tardia (fins do século XIX, princípio do século XX); • níveis muito distintos de avanço no processo de transição para a modernidade entre países e regiões interiores.	México, Peru, alguns países da América Central
Padrão II. Modernidade precoce com base na imigração tardia • regiões de baixa produtividade agrícola pré-moderna; • populações indígenas pouco significativas, exterminadas em fins do século XIX; • escasso ou inexistente desenvolvimento senhorial pré-moderno; • manifestação relativamente débil de culturas e sociedades pré-modernas; • predomínio de imigrantes tardios (fins do século XIX, princípios do século XX), especialmente europeus; • urbanização precoce (fins do século XIX, princípios do século XX); • desenvolvimento capitalista precoce (fins do século XIX, princípios do século XX); • desenvolvimento republicano precoce.	Argentina, Uruguai, regiões como São Paulo, Patagônia chilena
Padrão III. Colonos pobres à margem dos antigos impérios • regiões de baixa produtividade agrícola de exploração pré-moderna; • populações indígenas medianamente significativas; • presença de campesinato independente mais ou menos significativa em todas as épocas; • predomínio da pequena propriedade senhorial pré-moderna; • manifestação relativamente débil de culturas e sociedades pré-modernas; • baixa incidência de imigração tardia; • desenvolvimento republicano precoce.	Costa Rica, Chile, regiões dos países maiores
Padrão IV. Sociedades escravistas e de plantation • regiões de baixa produtividade agrícola de exploração pré-moderna; • presença relativamente escassa ou extermínio precoce de populações indígenas; • manifestação relativamente débil de culturas pré-hispânicas; • grande indústria de exportação colonial (açúcar, café, tabaco, borracha, minérios etc.); • importação maciça de escravos africanos para a exploração das riquezas referidas; • presença da grande propriedade senhorial colonial e pós-colonial; • forte incidência de imigração tardia; • emergência tardia de repúblicas modernas.	Brasil, Cuba e outros países do Caribe

Fonte: Draibe e Riesco (2007).
* Vale lembrar que o enquadramento dos países enfrenta as dificuldades próprias das tipologias, e que um mesmo país pode abrigar distintos padrões, especialmente países grandes e heterogêneos como o México e o Brasil.

Entre tantos outros fatores atuantes, esses regimes de bem-estar diferenciaram-se também segundo as caraterísticas dos distintos sistemas familiares presentes no ponto de partida dos processos de transição, como mostram os estudos de Göran Therborn (2002, 2004a e 2004b). Segundo o autor, tais sistemas foram gerados pelo encontro desigual e profunda interpenetração da classe dominante europeia — ou seja, o patriarcado europeu cristão dos colonizadores europeus — e das duas classes não europeias, dominadas mas igualmente relevantes — a dos indígenas e a dos escravos negros. A sociedade *criolla* resultante foi estruturada por sistemas duais ou triangulares, o estrito patriarcado branco e os dois "sistemas de famílias crioulas", o indo-crioulo[32] e o afro-crioulo.[33]

Nas palavras de Therborn (2004b:8), "junto ao patriarcado estrito, a cultura superior vigente gerou um modelo familiar informal machista e matrilinear (*macho-cum-matrifocal family pattern*) negro, branco, mestiço e indígena (desenraizado)". A duplicidade de regras (ou regimes) matrimoniais e, nos polos indo e afro-crioulo, a grande proporção de nascimentos fora do matrimônio constituíram a norma na região,[34] dando lugar ao que o autor chamou de "o primeiro modelo maciço duradouro de constituição de casais informais". Embora muita coisa tenha mudado desde a configuração original do caráter crioulo, persiste ainda a dualidade entre códigos e normas familiares fortemente conservadoras, em um extremo, e práticas populares generalizadas de informalidade, no outro". Não parece necessário ressaltar a importância de tais caraterísticas nos futuros Estados de bem-estar e, mais especificamente, os efeitos diferenciados de suas políticas sociais sobre esses mesmos sistemas e estruturas familiares.

ASCENSÃO E AUGE DO ESTADO LATINO-AMERICANO DESENVOLVIMENTISTA DE BEM-ESTAR

Ao longo do século XX, os Estados latino-americanos avançaram em seu processo de transição econômica, mediante duas sucessivas estratégias de desenvolvimento: a desenvolvimentista e a liberal. Embora conflitantes, tais estratégias fazem

---

[32] Resultante da interpenetração com os povos indígenas nativos, presente desde o México, passando por toda a América Central, até o sul dos Andes.

[33] Resultante da interpenetração com os sistemas familiares dos escravos africanos, presente desde o sul dos Estados Unidos, passando por todo o Caribe, até o Nordeste do Brasil.

[34] Segundo Therborn (2004b:8): "Em meados do século XX, um momento de estabilização matrimonial máxima no continente americano, entre 40% e 45% de todos os nascimentos no Paraguai tiveram lugar fora do matrimônio, cifra que chegava a 70% na Jamaica".

parte de um mesmo processo, tendo como pano de fundo a rápida transformação socioeconômica da região.

A partir dos anos 1920, mas, especialmente, depois da Grande Depressão de 1929, numerosos Estados assumiram explicitamente o duplo desafio de levar o desenvolvimento econômico e o progresso social a sociedades até então predominantemente agrárias.

Desde logo, não se tratava — nem poderia se tratar — de replicar os processos ocorridos nos países já desenvolvidos, até porque estavam ausentes do cenário latino-americano os atores líderes daqueles processos originários: as massas de trabalhadores assalariados e o empresariado. Na América Latina, coube ao Estado substituir aqueles atores, ao mesmo tempo que os "criava" e nutria.

O Estado desenvolvimentista latino-americano cumpriu, na região, os mesmos papéis e funções que a literatura mais recente atribui aos Estados desenvolvimentistas do Leste asiático, em especial o Japão, a Tailândia e a Coreia do Sul.[35] Sob o desenvolvimentismo, o ativismo e a regulação estatal foram notáveis, indicando a importância e o forte grau de atuação do Estado na constituição do capitalismo em muitos países da região (Draibe, 1985:20).

O desenvolvimentismo registrou resultados significativos tanto no plano econômico quanto no plano social. Por volta de 1980, muitos países, sob a liderança estatal, já tinham construído instituições básicas da regulação capitalista, infraestrutura e as bases da acumulação industrial, deixando para trás o passado exclusivamente exportador de suas economias. Mais importante ainda, os Estados desenvolvimentistas foram especialmente ativos na transformação das estruturas socioeconômicas da região. Sob sua égide, o empresariado e os trabalhadores assalariados urbanos, juntamente com as novas classes médias, emergiram e passaram a ocupar lugar proeminente na nova etapa de desenvolvimento. Massas camponesas foram conduzidas às cidades, tornaram-se letradas e experimentaram melhoras de saúde.

O fato de as políticas sociais terem cumprido papel essencial nesses processos costuma ser ignorado; o contrário é reforçado sob o conceito de desenvolvimentismo de bem-estar que aqui utilizo (Kwon, 2005; Draibe e Riesco, 2007). Mas é

---

[35] É clássica a definição de Estado desenvolvimentista com que Chalmers Johnson (1982) qualifica os Estados do Leste e Sudeste asiáticos, especialmente o Japão. Desenvolvimentista é o Estado no qual predominam mais as funções de orientação do desenvolvimento do que as de regulação, no tocante às atividades privadas. Em economias de desenvolvimento tardio, o Estado conduz ele próprio o processo de industrialização. Chang (1999) chama a atenção para as características de autonomia, capacidade institucional, organização e planejamento desses Estados.

certo também que o sistema de políticas sociais erigido sob a liderança desenvolvimentista trouxe consigo o viés "industrialista" do seu objetivo primeiro: a proteção principalmente dos trabalhadores assalariados que ingressavam na nascente indústria e nos setores comerciais correlatos. Como avancei em outro trabalho (Draibe, 1995), o regime de bem-estar aqui erigido enquadra-se no tipo meritocrático ou conservador, ou ainda bismarkiano, na classificação de Esping-Andersen. Ou seja, foi desde o início referido ao homem provedor, legitimado por sua inserção no mercado de trabalho, e à mulher cuidadora, esta última característica reforçada mais ainda pelo viés "familista" que imperou desde as origens.

Foram estabelecidos sistemas públicos de educação e, em menor grau, de saúde, ainda que com coberturas limitadas até há bem pouco. A educação básica, diga-se de passagem, ocupou quase sempre lugar central nas ex-colônias espanholas e, em quase todos os países, a universidade precedeu até mesmo a expansão da educação básica. Contrariamente, em países de tradição e legado escravistas como o Brasil, a educação fundamental e média foi sistematicamente posta à margem da política social, em geral restrita ao atendimento da elite e de setores de classe média.

Mas os graus de exclusão social mantiveram-se altos. De fato, embora com variações, pode-se dizer que, em geral, a população rural, os pobres urbanos e a massa de integrantes do crescente mercado informal de trabalho permaneceram à margem dos modernos sistemas de proteção social, e mesmo dos programas básicos universais de educação e saúde. Ao final do ciclo desenvolvimentista, a "dívida social" acumulada na região apresentava dimensões significativas, constituindo o seu resgate um dos temas centrais da agenda social regional dos anos 1980.

Uma vez mais, é importante levar em conta a heterogeneidade da região. O desenvolvimentismo manifestou-se de diversas formas e ocorreu em tempos diversos. Em alguns casos, a estratégia não foi implementada senão a partir dos anos 1960. Em muitos países, teve início com golpes militares, enquanto, em outros, foi conduzida por governos democráticos ou quase democráticos. Algumas atingiram o apogeu sob regimes militares, como no caso do Brasil, ou sob governos de esquerda, como o Chile de Allende, ou mesmo revolucionários, como Cuba. Mas, em geral, o bloco no poder tendeu a ser conduzido pelas novas burocracias, de extração média, com o apoio das emergentes camadas burguesas e de trabalhadores, dos pobres urbanos e, ainda, em muitos casos, do campesinato (Cardoso e Falleto, 1973; Draibe e Riesco, 2009; Draibe, 1985).

Seguramente, nenhum fator, isoladamente, consegue explicar as diferenças nos avanços e nos resultados do período desenvolvimentista. No quadro 1, alinhavei as características diferenciadoras dos quatro padrões históricos ou rotas de modernização dos países latino-americanos. Ali foram considerados fatores econômicos, sociais e políticos que estariam na origem remota daquelas trajetórias. Mais próximos da crise dos anos 1930, é possível indicar ainda fatores e condições que, com muita probabilidade, influenciaram o desempenho da estratégia desenvolvimentista nos vários países da região: o tipo de economia exportadora e o grau de avanço mercantil com que o país evoluiu até a crise de 1929;[36] o grau de diferenciação social alcançado, em especial a presença de setores médios urbanos com capacidade de mobilização e expressão de demandas; o destino e a posição das antigas elites dominantes na nova configuração de poder pós-1930 etc.

Hegemonia liberal e crise dos Estados latino-americanos desenvolvimentistas de bem-estar

Ampla e disseminada literatura já registrou suficientemente os resultados socialmente adversos da globalização e da forte experimentação neoliberal que, desde os anos 1980, vêm alterando a fisionomia socioeconômica e institucional da região. Apontando para as significativas mudanças da estrutura produtiva[37] e para as baixas taxas de crescimento, os estudos chamam a atenção, sistematicamente, para o crescente "mal-estar social" instaurado na região, em especial para o aumento dos níveis de pobreza e o crescimento da desigualdade, juntamente com o aumento do desemprego e do trabalho informal.[38]

Os sistemas latino-americanos de políticas sociais também passaram por mudanças profundas na maioria dos países da região. Seguindo as tendências ge-

---

[36] O seminal ensaio de Cardoso e Falleto (1973) já indica diferenças no ponto de partida: as naturezas diversas das economias exportadoras dos tipos *enclave*, *plantation* e *hacienda*, as diferentes estruturas sociais que geraram, e suas distintas relações com o exterior. Mello (1982) chamou a atenção para o desenvolvimento de economias mercantis exportadoras, como a economia cafeeira brasileira, que apresentavam, já às vésperas da crise, potencialidade virtual para a reordenação do padrão de acumulação capitalista.

[37] Além das mudanças demográficas e da aceleração da urbanização, a literatura refere-se especialmente aos movimentos de desindustrialização, ao crescimento dos serviços e do setor primário de exportação (mineração e agroindústria).

[38] Embora reconhecendo que, em situações internacionais favoráveis, como a que preponderou entre 2000 e 2008, as taxas de crescimento, desemprego, pobreza e desigualdade apresentam comportamentos mais positivos, os estudos não deixam também de assinalar a incapacidade da região não só de retomar seus padrões históricos de crescimento (com a exceção, talvez, do Chile), como de extirpar a pobreza e reduzir substantivamente a desigualdade e o desemprego.

rais e, em boa medida, a agenda das instituições internacionais, especialmente as de Bretton Woods, dois eixos haveriam de reestruturar esses sistemas: a provisão mercantil dos bens e serviços sociais, e o reforço e a expansão de programas sociais focalizados em grupos pobres, *vis-à-vis* os programas sociais universais. Na agenda social latino-americana propugnada pela regulação liberal, ganharam centralidade o tema da pobreza, as redes sociais de proteção mínima, e os programas de transferência monetária apoiados em testes de renda. Do mesmo modo, as ONGs e o setor privado ocuparam espaços crescentes na provisão social.

Qual o sentido dessas mudanças? Teriam sido os Estados latino-americanos desenvolvimentistas de bem-estar totalmente eliminados e substituídos por outro padrão ou regime de bem-estar? Em outras palavras, o novo paradigma teria trazido consigo e implementado, na América Latina, um outro tipo de Estado de bem-estar, mais coerente com os princípios e valores do radicalismo neoliberal?

Na perspectiva da metodologia de análise comparativa que interessa a este capítulo, é importante observar que as (intermináveis) reformas dos programas sociais implementadas sob o neoliberalismo não obedeceram a um padrão único na América Latina, nem afetaram de modo homogêneo os países. E nem poderiam, dadas as características originais distintas desses sistemas, e as distintas orientações políticas nas quais foram implementadas.

Por outro lado, convém também entender que as reformas foram implementadas em duas ondas de significados diferentes, uma primeira nos anos 1980 (encabeçada pela reforma radical do Chile), e uma segunda nos anos 1990, após as fases mais agudas dos ajustamentos fiscais e com gastos sociais crescentes, sob regimes democráticos e a expansão dos direitos políticos e sociais (Draibe, 2002). Entre a primeira e a segunda, além de mudanças de ênfases e modelos, também se estabeleceram relações de *path dependency*, variando segundo os países e os sistemas de proteção social. O quadro se mostra mais complexo quando se considera também, na segunda onda de reformas, certas mudanças de orientações por parte das agências multilaterais, além do aumento e explicitação de suas estratégias conflitantes em relação às reformas dos programas sociais na região.

Outro passo intelectual indispensável é entender a crise dos ELADBES, após seus quase 50 anos de expansão e desenvolvimento, no período 1930-1980. Muitos e conhecidos têm sido os argumentos mobilizados na literatura dedicada à analise da crise do desenvolvimentismo e dos sistemas de proteção social erigidos sob sua égide: a estagnação econômica, o protecionismo, o "populismo", o corporativismo, o clientelismo, a patronagem e a corrupção, entre outros. Não se trata aqui de discutir e/ou negar cada um deles, até porque algum grão de verdade sempre pode ser encontrado no vasto material histórico e empírico mobilizado nessas argumentações.

Interessa antes sugerir, ainda com objetivos metodológicos, que a explicação da crise dos ELADBES deve ser buscada (também?) no seu próprio sucesso. Em outras palavras, talvez se possa pensar que foi o êxito do paradigma desenvolvimentista em transformar a estrutura social latino-americana o que, finalmente, provocou sua obsolescência. Afinal, sob seus estímulos foram criadas as bases sociais e econômicas que posteriormente passaram a sustentar o paradigma neoliberal de crescimento. A rápida urbanização e a massificação da educação básica, desde logo, ampliaram a consciência popular e a opinião pública acerca das limitações do crescimento, estimulando a crítica e novas demandas por menos pobreza, mais igualdade etc.

Mas também a industrialização, a expansão dos serviços e a modernização agrícola soldaram as bases para a emergência de novos atores. De um lado, um moderno empresariado, cada vez mais assertivo e disposto a "concorrer" com o Estado, assumindo áreas de atividades produtivas antes distantes de suas possibilidades de investimento.[39] De outro, as novas classes médias assalariadas, afluentes, cada vez mais demandantes de produtos e serviços diferenciados e de qualidade — bem além do que dispunham sob a política de substituição de importações e serviços públicos universais.[40]

Não é difícil entender estarem aí criadas as bases sociais que apoiariam as novas estratégias de desenvolvimento implementadas sob o signo do Consenso de Washington, da metade dos anos 1980 em diante. Aqui nos interessa identificar, em seus grandes traços, as novas características dos sistemas de proteção social da região sob aquele novo paradigma.

OS ELADBES E O LEGADO DA REGULAÇÃO LIBERAL

Que resultados podem ser imputados à condução liberal das políticas sociais? A resposta não é simples, e a literatura é ainda pouco conclusiva a respeito. Não se pode negar a importância das mudanças ocorridas, as tendências de fragilização dos programas sociais e de *retrenchment* do Estado de bem-estar, e, ainda, o fato de

---

[39] As campanhas pela desestatização e privatização das grandes empresas estatais começaram, em alguns países, bem antes da implementação do paradigma neoliberal, como ocorreu no Brasil.

[40] Em muitos países, como o Brasil, por exemplo, a produção privada de serviços sociais de qualidade, especialmente em educação e saúde, começou durante os governos militares, ainda no período desenvolvimentista, e foi bastante estimulada por seu modelo de desenvolvimento.

que, aparentemente, sob a orientação liberal, romperam-se as relações virtuosas entre crescimento econômico e política social (Draibe, 1995). Ainda assim, é difícil afirmar que as estruturas prévias dos sistemas latino-americanos de proteção social tenham sido eliminadas ou mudadas em sua substância.

Mas tais resultados, além de controversos, não esgotam o conjunto dos processos de transformação experimentados pelos países latino-americanos, muito menos seus significados estruturais e históricos. Para os objetivos deste capítulo, convém registrar, ainda que brevemente, alguns dos principais vetores de mudanças e seus possíveis significados. Pode-se, assim, entender que:

- o novo paradigma promoveu o declínio do Estado desenvolvimentista e do tipo de desenvolvimento socioeconômico por ele liderado, assim como implementou alterações substanciais nas estruturas das economias e dos Estados. Mas, em boa medida, reforçou tendências de modernização já em curso no padrão desenvolvimentista anterior;
- ou seja, sob a direção neoliberal, a transformação da estrutura social não só prosseguiu como, em muitos países, se acelerou. Manifestações desse movimento podem ser encontradas na aceleração da urbanização e da transição demográfica; na consolidação de elites empresariais modernas e no desenvolvimento e transformação maciços dos assalariados urbanos;[41] na elevação do patamar de escolaridade da população e na melhora dos indicadores de saúde.
- sob o Consenso de Washington, gerou-se, na região, um ambiente fortemente favorável às empresas e especialmente aos investidores estrangeiros, mas, ao mesmo tempo, introduziu-se uma espécie de instabilidade intrínseca nas economias, relacionada aos altos índices de endividamento, à maior dependência de fluxos financeiros externos e aos sistematicamente modestos níveis de crescimento;
- padrões de vida modernos foram introduzidos e/ou expandidos na região, incluindo serviços sociais diferenciados, voltados, porém, para o consumo quase exclusivo dos setores de renda alta e médios afluentes;
- no plano dos valores, as mudanças são significativas, assinalando a emergência de novos mapas cognitivos e valorativos referentes ao Estado, à economia, à liberdade, à justiça social, aos papéis e às relações desejáveis entre o Esta-

---

[41] Mediante processos como a entrada maciça das mulheres na força de trabalho, a redução de postos de trabalho industriais e nas empresas estatais, o crescimento dos serviços, da subcontratação e do *outsourcing*, e o aumento da precarização e da informalidade do trabalho.

do, a economia e os indivíduos. São também significativas as mudanças de mentalidade das massas populares latino-americanas, cada vez mais afastadas dos modos de ver e pensar conservadores, próprios do comunitarismo de base agrária, e mais próximas de valores liberais, cosmopolitas, mas, sobretudo, individualistas e competitivos. Ainda assim, novas formas de solidariedade vêm se desenvolvendo na região;

• ainda nesse plano, espraiaram-se entre as elites e as classes médias valores antiestatistas relativamente fortes, contaminando a legitimidade de instituições públicas decisivas para a manutenção e a expansão da coesão social.

É em relação ao conjunto dessas transformações e, em parte, reagindo a elas, que se vem definindo a nova agenda social regional.

Agenda social: presente, passado, futuro

A propósito da emergente agenda social latino-americana, duas são as proposições principais a serem extraídas das sugestões metodológicas aqui expostas. Primeiro, o fato de que tal agenda não se forma em vazios sociais e intelectuais, antes se define sob o duplo legado do desenvolvimentismo e do neoliberalismo. Segundo, a compreensão de que seu processamento tampouco se faz de modo absolutamente inédito, antes se apoia e se amolda aos sistemas de proteção social existentes, expressando, portanto, a mesma diversidade demonstrada por eles.

Desde logo, a relação com o passado está longe de ser regressista; isto é, tal como vem se delineando hoje, a nova agenda não parece ser nem um mero retorno aos termos da política social do desenvolvimentismo, nem a simples reinvocação dos princípios e orientações que pautaram a estratégia neoliberal em matéria de política social. Provavelmente, como aliás costuma ser, desenvolve-se na trajetória aberta por essa dupla experiência histórica, provavelmente eliminando os extremismos, radicalismos ou lacunas de uma e outra. Sempre, é claro, segundo as características e tradições dos sistemas de proteção social existentes e, principalmente, segundo os estágios de desenvolvimento socioeconômico dos respectivos países.

Mas os temas e perfis da nova agenda social remetem também ao presente e ao futuro das sociedades latino-americanas, e é aí que radicam suas características mais inovadoras. De modo resumido, poder-se-ia dizer que, pela primeira vez na história da região, a emergência de uma nova agenda social coincide — e é mesmo parte integrante — com a emergência de um novo padrão de desenvolvimento em condições de estabilização e aprofundamento da democracia.

O declínio do paradigma liberal, acentuado pela crise de fins de 2008, vem abrindo espaço para a definição de um novo padrão de desenvolvimento. Suas orientações e escopo ainda estão longe de estarem definidos, mas a recuperação do papel mais ativo do Estado, em matéria econômica e social, seguramente vem se constituindo em aspecto central do novo paradigma. Como recentemente afirmaram Cardoso e Foxley (2009:5):

> A crise atual reforça a importância de um Estado competente não só na execução das políticas sociais, como também na necessidade de proteger a sociedade dos excessos e problemas gerados pelo mercado. O Estado se transformou no credor e avalista de última instância; inclusive, em certos casos, é o investidor de última instância. Os excessos da expansão sem regulação adequada do setor financeiro deixam clara a necessidade de que o Estado adote um papel regulador que coíba tais excessos, mas não entrave a alocação do crédito do mercado financeiro.

No que tange às políticas sociais, ingredientes já conhecidos do novo padrão de desenvolvimento que ganha corpo apontam para a maior centralidade das políticas de educação e saúde como provedoras e indutoras do conhecimento, da comunicação e da inovação que estão na base do novo paradigma. Aqui, poder-se-ia dizer que as políticas sociais não são complementares e, sim, enraízam-se no próprio tecido social e econômico em que se trama o novo modo de desenvolvimento e de integração internacional; o que, sem dúvida, tende a reforçar o caráter ativo e a maior participação do Estado na oferta de bens e serviços sociais de qualidade.

A nova fase da democratização da região, avançando agora em direção à consolidação das instituições, responde, por sua vez, ao conjunto maior de conteúdos e escopo da nova agenda social. A expansão das demandas sociais, dos direitos sociais e do engajamento da sociedade civil nas políticas públicas tende a se constituir no fundamento sobre o qual se apoia a nova arquitetura das políticas sociais. São muitas as decorrências desse processo, entre elas o avanço das coberturas de programas básicos onde ainda se faça necessário; a melhor articulação da proteção social em uma rede básica acessível a toda a cidania; a melhor proteção dos setores médios, relativamente afastados no período anterior etc.

Estaria emergindo na região um novo círculo virtuoso entre crescimento econômico, *Welfare State* e democracia, uma nova onda de política desenvolvimentista progressista, enfim, um neodesenvolvimentismo presidido por um Estado neodesenvolvimentista de bem-estar?

Não cabem aqui especulações estéreis sobre fenômenos incompletos e conhecidos apenas parcialmente. Entretanto, o conjunto das sinalizações a que me referi permite supor que, mais do que uma agenda social típica, formuladora de prioridades, o que parece estar em jogo na região é a fundação de um novo contrato social mais generoso, mais universalista do que aquele que até agora caracterizou nossos sistemas de bem-estar social.

Bibliografia

ABRAHAMSON, Peter. The welfare modelling business. *Social Policy and Administration*, v. 33, n. 4, p. 394-415, Dec. 1999.

ALBER, Jens. *Dalla carita allo stato sociale*. Bologna: Il Mulino, 1986.

AMENTA, Edwin. What we know about the development of social policies. In: MAHONEY, James; RUESCHEMEYER, Dietrich (Eds.). *Comparative historical analysis in the social sciences*. New York: Cambridge University Press, 2003.

ASCOLI, Ugo. Il sistema italiano de *Welfare State*. In: ASCOLI, U. (Dir.). Welfare State *all'italiana*. Bari: Laterza, 1984.

ASPALTER, Christian. *Identifying variations of conservative social policy in North East Asia:* Japan, South Korea, and mainland China. Canberra: Australia National University, 2001. (Discussion Paper, 81.)

BARRIENTOS, A. *Welfare regimes in Latin America*. Hertfordshire: University of Hertfordshire, 2001.

BRIGGS, Asa. The Welfare State in historical perspective. *Archives Européennes de Sociologie*, n. 2, p. 228, 1961.

CARDOSO, F. Henrique; FALLETO, Enzo. *Dependency and development in Latin America*. Berkeley: University of California Press, 1973.

_____; FOXLEY, Alejandro. *América Latina:* desafios da democracia e do desenvolvimento. São Paulo: Elsevier, 2009.

CASTLES, Francis (Ed.). *Families of nations:* patterns of public policy in Western democracies. Aldershot: Dartmouth, 1993.

_____. Welfare State development in Southern Europe. *West European Politics*, v. 18, n. 2, p. 291-313, 1995.

CHANG, Ha-Joon. The economic theory of the development State. In: WOO-CUMMINGS, Meredith (Ed.). *The development State*. Ithaca, NY: Cornell University Press, 1999. p. 182-199.

_____. The role of social policy in economic development: some theorethical reflections and lessons from East Asia. Geneva: Unrisd, 2002. (Background paper for the Unrisd Proyect Social Policy in a Development Context.)

DAVIS, Peter R. Rethinking the welfare regime approach: the case of Bangladesh. *Global Social Policy*, v. 1, n. 1, p. 79-107, 2001.

DRAIBE, Sônia M. *Rumos e metamorfoses*. Rio de Janeiro: Paz e Terra, 1985.

_____. An overview of social development in Brazil. *Cepal Review*, Santiago, Chile, n. 39, p. 47-56, 1989.

_____. *América Latina:* o sistema de proteção social na década da crise e das reformas. Campinas: Nepp/Unicamp, 1995. (Cadernos de Pesquisa, 30.)

_____. *Brasil, 1980-2000: proteção e insegurança sociais em tempos difíceis.* Campinas: Nepp/Unicamp, 2002. (Cadernos de Pesquisa, 65.)

_____. Virtudes y límites de la cooperación descentralizada en pro de la cohesión social y del combate a la pobreza: reflexiones y recomendaciones. In: ZUÑIGA, V. M. G.; ROMERO, M. H. *Tejiendo lazos entre territorios*: la cooperación descentralizada local – Unión Europea-América Latina. Barcelona: s.n., 2004.

_____. Estado de bem-estar, desenvolvimento econômico e cidadania: algumas lições da literatura contemporânea. In: HOCHMAN, Gilberto; ARRETCHE, Marta; MARQUES, Eduardo. *Políticas públicas no Brasil*. Rio de Janeiro: Fiocruz, 2007.

_____; RIESCO, Manuel. *Estado de bienestar, desarrollo económico y ciudadanía:* algunas lecciones de la literatura contemporánea. Cidade do México: Cepal, 2006. (Serie Estudios y Perspectiva, 55.)

_____; _____. Introduction. In: RIESCO, Manuel (Ed.). *Latin America: a new developmental Welfare State model in the making?* London: Palgrave MacMillan, 2007.

_____; _____. Latin America: a new social agenda in the making? *Italian Journal of Social Policy*, n. 1, gen./mar. 2008.

_____; _____. Social policy and development in Latin America: the long view. *Social Policy & Administration*, v. 43, n. 4, p. 328-346, Aug. 2009.

EBBINGHAUS, Bernhard; MANOW, Philip. *Comparing welfare capitalism, social policy and political economy in Europe, Japan and USA*. London: Routledge, 2001.

ESPING-ANDERSEN, Gosta. *Three worlds of welfare capitalism*. Cambridge: Polity Press, 1990.

_____. Hybrid or unique? The distinctiveness of the Japanese welfare State. *Journal of European Social Policy*, v. 7, n. 3, 1997.

_____. *Social foundations of postindustrial economies*. New York: Oxford, 1999.

_____. *Why we need a new Welfare State*. Oxford: Oxford University Press, 2002.

FERRERA, Maurizio. *Il* Welfare State *in Italia:* sviluppo e crisi in prospettiva comparata. Bologna: Il Mulino, 1984.

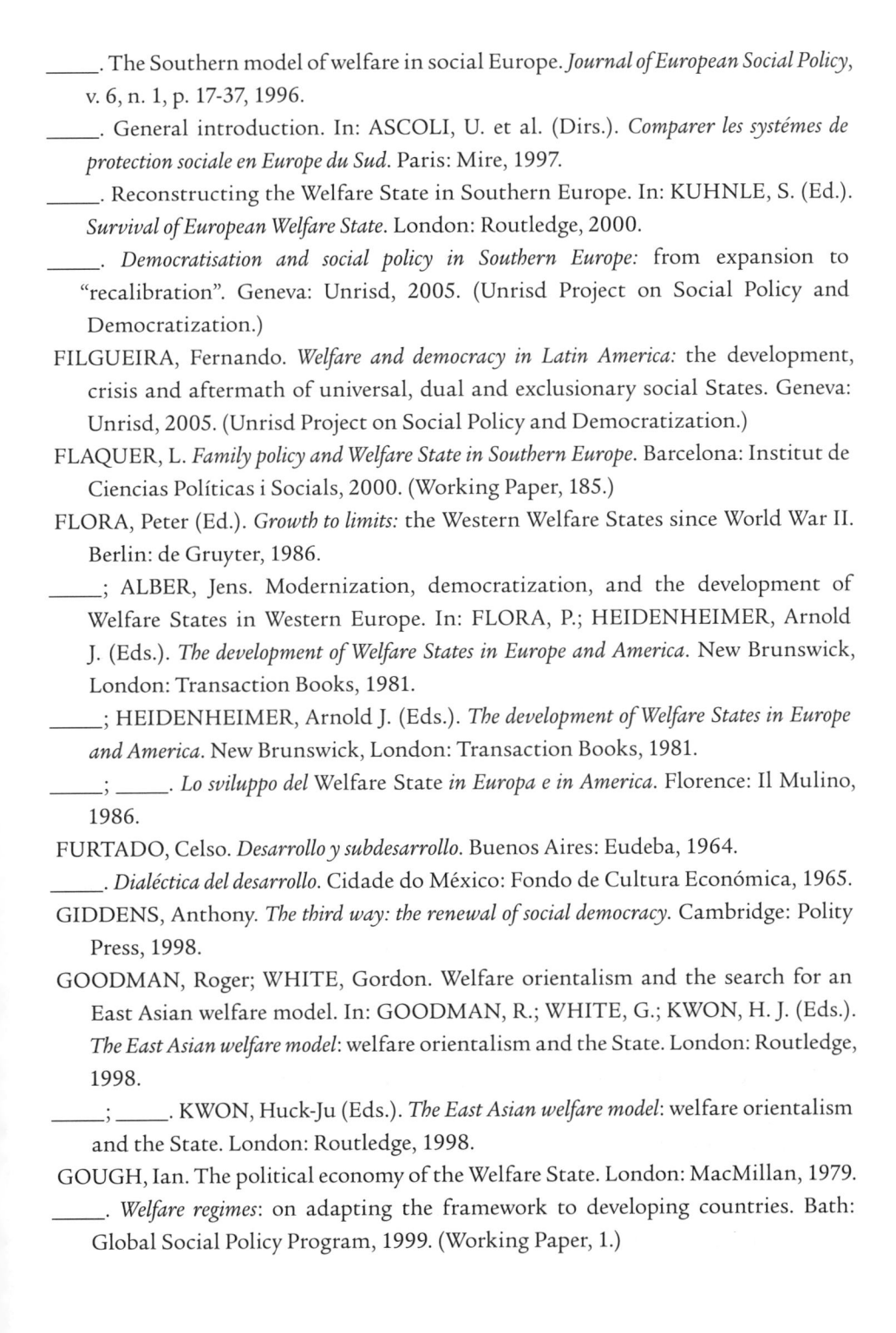

_____. The Southern model of welfare in social Europe. *Journal of European Social Policy*, v. 6, n. 1, p. 17-37, 1996.

_____. General introduction. In: ASCOLI, U. et al. (Dirs.). *Comparer les systémes de protection sociale en Europe du Sud*. Paris: Mire, 1997.

_____. Reconstructing the Welfare State in Southern Europe. In: KUHNLE, S. (Ed.). *Survival of European Welfare State*. London: Routledge, 2000.

_____. *Democratisation and social policy in Southern Europe:* from expansion to "recalibration". Geneva: Unrisd, 2005. (Unrisd Project on Social Policy and Democratization.)

FILGUEIRA, Fernando. *Welfare and democracy in Latin America:* the development, crisis and aftermath of universal, dual and exclusionary social States. Geneva: Unrisd, 2005. (Unrisd Project on Social Policy and Democratization.)

FLAQUER, L. *Family policy and Welfare State in Southern Europe*. Barcelona: Institut de Ciencias Polítiques i Socials, 2000. (Working Paper, 185.)

FLORA, Peter (Ed.). *Growth to limits:* the Western Welfare States since World War II. Berlin: de Gruyter, 1986.

_____; ALBER, Jens. Modernization, democratization, and the development of Welfare States in Western Europe. In: FLORA, P.; HEIDENHEIMER, Arnold J. (Eds.). *The development of Welfare States in Europe and America*. New Brunswick, London: Transaction Books, 1981.

_____; HEIDENHEIMER, Arnold J. (Eds.). *The development of Welfare States in Europe and America*. New Brunswick, London: Transaction Books, 1981.

_____; _____. *Lo sviluppo del* Welfare State *in Europa e in America*. Florence: Il Mulino, 1986.

FURTADO, Celso. *Desarrollo y subdesarrollo*. Buenos Aires: Eudeba, 1964.

_____. *Dialéctica del desarrollo*. Cidade do México: Fondo de Cultura Económica, 1965.

GIDDENS, Anthony. *The third way: the renewal of social democracy*. Cambridge: Polity Press, 1998.

GOODMAN, Roger; WHITE, Gordon. Welfare orientalism and the search for an East Asian welfare model. In: GOODMAN, R.; WHITE, G.; KWON, H. J. (Eds.). *The East Asian welfare model*: welfare orientalism and the State. London: Routledge, 1998.

_____; _____. KWON, Huck-Ju (Eds.). *The East Asian welfare model*: welfare orientalism and the State. London: Routledge, 1998.

GOUGH, Ian. The political economy of the Welfare State. London: MacMillan, 1979.

_____. *Welfare regimes*: on adapting the framework to developing countries. Bath: Global Social Policy Program, 1999. (Working Paper, 1.)

_____. Welfare State in East Asia and Europe. In: ANNUAL WORLD BANK CONFERENCE ON DEVELOPMENT ECONOMICS EUROPE. 2000, Paris. *Anais...* Paris: World Bank, June 2000.

HECLO, Hugh. *Modern social politics:* from relief to income maintenance in Britain and Sweden. New Haven: Yale University Press, 1974.

HOLLIDAY, Ian. Productivist welfare capitalism: social policy in East Asia. *Political Studies*, v. 48, n. 4, p. 706-723, 2000.

JOHNSON, Chalmers. *Miti and the Japanese miracle.* Stanford, Calif.: Stanford University Press, 1982.

JONES, Catherine. The Pacific challenge: Confuncion welfare states. In: JONES, C. *New perspectives on the Welfare State in Europe.* London: Routledge, 1993.

KIM, Yeon Myung. The re-examination of East Asian welfare regime: methodological problems in comparing Welfare States and possibility of classifying East Asian welfare regimes. In: WORKSHOP ON EAST ASIAN SOCIAL POLICY. 2005, Bath. *Anais...* Bath: Bath University, Jan. 2005.

KORPI, W. Faces of inequality: gender, class and inequalities in different types of Welfare States. *Social Politics: International Studies in Gender, State & Society*, v. 7, p. 127-191, 2000.

KUHNLE, Stein. *Productive welfare in Korea*: moving towards a European Welfare State type? Torino, 2002. (ECPR Joint Sessions of Workshops paper.)

_____; HORT, Sven. *The developmental Welfare State in Scandinavia*: lessons to the developing world. Geneva: Unrisd, 2003. (Unrisd Project on Social Policy in a Development Context.)

KWON, Huck-Ju. Beyond European welfare regimes: comparative perspectives on East Asian welfare systems. *Journal of Social Policy*, n. 26, p. 467-484, 1997.

_____. *The Welfare State in Korea:* the politics of legitimation. London: St. Martin's Press, 1999.

_____. The economic crisis and the politics of welfare reform in Korea. Geneva: Unrisd, 2002. (Unrisd Project on Social Policy in a Development Context.)

_____. Transforming the Developmental Welfare State in East Asia. *Development and Change*, vol. 36, n. 3, p. 477-497, May 2005.

LEWIS, Jane. Gender and the development of welfare regimes. *Journal of European Social Policy*, n. 2, p. 159-173, 1992.

_____. Gender and welfare regimes: further thoughts. *Social Politics: International Studies in Gender, State, and Society*, v. 4, n. 2, p. 160-177, 1997.

_____; DALY, M. The concept of social care and the analysis of contemporary Welfare States. *British Journal of Sociology*, v. 51, n. 2, 2000.

MAHONEY, James; RUESCHEMEYER, Dietrich (Eds.). *Comparative historical analysis in the social sciences*. Cambridge: Cambridge University Press, 2003.

MARSHALL, Thomas Humphrey. *Class, cityzenship, and social development*. Chicago: University of Chicago Press, 1964.

MELLO, J. M. Cardoso de. *O capitalismo tardio*. São Paulo: Brasiliense, 1982.

MESA-LAGO, Carmelo. *Social security in Latin America*. Pittsburgh: University of Pittsburgh Press, 1978.

_____. *Ascent to bankruptcy*. Pittsburgh: University of Pittsburgh Press, 1989.

MIDGLEY, James. *Social development:* the developmental perspective in social welfare. Thousand Oaks, CA: Sage, 1995.

_____. *Assets in the context of welfare theory:* a developmentalist interpretation center for social development. St. Louis: Washington University, 2003. (Working Paper, 03-10-2003.)

_____; SHERRADEN, Michael. The social development perspective in social policy. In: MIDGLEY, James; TRACY, Martin B.; LIVERMORE, Michelle (Eds.). *Handbook of social policy*. Thousand Oaks, CA: Sage, 2000. p. 435-446.

MIYAMOTO, Taro. Dynamics of the Japanese Welfare State in comparative perspectives: between "three worlds" and the developmental State. *The Japanese Journal of Social Security Policy*, v. 2, n. 2, Dec. 2003.

MKANDAWIRE, Thandika. *Social policy in a development context*. Geneva: Unrisd, 2001.

MORENO, Luis. Spanish development of Southern European welfare. In: KUHNLE, Stein (Ed.). *Survival of the European Welfare State*. London: Routledge, 2000a. p. 146-165.

_____. Spain, a via media of welfare development. In: CANTERBURY CONFERENCE ON THE FUTURE OF WELFARE IN EUROPE. 2000, Canterbury. *Anais...* Canterbury: s. n., July 2000b.

_____. *The Spanish development of Southern welfare*. Madrid: Instituto de Estudios Sociales Avanzados/CSIC, 2001. (Working Paper, 97-04.)

_____; SARASA, Sebastiá. *The Spanish "via media" to the development of the Welfare State*. Madrid: Instituto de Estudios Sociales Avanzados/CSIC, 1992. (Working Paper, 92-13.)

O'CONNOR, Julia; ORLOFF, Ann Schola; SHAVER, Sheila. *States, markets, families:* gender, liberalism and social policy in Autralia, Canada, Great Britain and the United States. Cambridge: Cambridge University Press, 1999.

ORLOFF, Ann Shola. *The politics of pensions:* a comparative analysis of Britain, Canada and the United States, 1880s-1940. Madison: University of Wisconsin Press, 1993.

_____. Gender and the Welfare State. *Annual Review of Sociology*, n. 22, p. 51-78, 1996.

_____. *Social provision and regulation:* theories of States, social policies and modernity. Evanston, Ill.: Institute for Policy Research/Northwestern University, 2003. (Working Paper Series, 04-07.)

_____; CLEMENS, Elizabeth; ADAMS, Julia. *Social theory, modernity, and the three waves of historical sociology.* New York: Russell Sage Foundation, 2003. (Working Paper, 206.)

PATEMAN, Carole. The patriarchal Welfare State. In: GUTMAN, Amy (Ed.). *Democracy and the Welfare State.* Princeton: Princeton University Press, 1988.

PENG, Ito; WONG, Joseph. Towards a model of East Asian welfare politics. 2002. Disponível em: <http://www.google.com/url?sa=U&start=1&q=http://www.cevipof.msh-paris.fr/rencontres/colloq/ palier/Abstract/Peng%2520%26%2520Wong.doc&e=9801>.

PIERSON, Christopher. "Late industrialisers" and the development of the Welfare State. Geneva: Unrisd, 2003. (Background paper for the Project Social Policy in a Development Context.)

POWELL, Martin; BARRIENTOS, Armando. Theory and method in welfare modelling business. In: COAST CONFERENCE. 2002, Oslo. *Anais...* Oslo, Apr. 2002.

_____; _____. Welfare regimes and the welfare mix. *European Journal of Political Research*, v. 43, n. 1, p. 83-105, Jan. 2004.

PREBISCH, Raul. O desenvolvimento da América Latina e seus principais problemas. *Revista Brasileira de Economia*, ano 3, n. 3, Rio de Janeiro: Fundação Getúlio Vargas, set. 1949.

RHODES, M. (Ed.). *Southern European Welfare States:* between crisis and reforms. London: Frank Cass, 1997.

RIESCO, Manuel (Ed.). *Latin America:* a new developmental Welfare State in the making? London: Palgrave, 2007.

RIMLINGER, Gaston V. *Welfare policy and industrialisation in Europe, America, and Russia.* New York: John Wiley and Sons, 1971.

SABEL, Charles; ZEITLIN, Jonathan. Active welfare, experimental governance, pragmatic constitutionalism: the new transformation of Europe. In: INTERNATIONAL CONFERENCE OF THE HELLENIC PRESIDENCY OF THE EUROPEAN UNION: the Modernisation of the European Social Model & EU Policies and Instruments. 2003, Ioannina, Grécia. *Anais...* Ioannina, Grécia: s. n., May 2003.

SAINSBURY, Diane. Gender and social-democratic Welfare State. In: SAINSBURY, Diane (Ed.). *Gender and Welfare State regimes.* Oxford: Oxford University Press, 1999.

SARACENO, C. Familismo ambivalente y clientelismo categórico en el Estado del Bienestar italiano. In: SARASA, S.; MORENO, L. (Comps.). *El Estado del Bienestar en la Europa del Sur.* Madrid: CSIC, 1995. p. 261-288.

SEN, Amartya. *Development as freedom.* New York: Alfred A. Knopf, 1999.

SKOCPOL, Theda. *Protecting soldiers and mothers.* Cambridge: Belknap Press of Harvard University Press, 1992.

_____. Conclusion. In: MAHONEY, James; RUESCHEMEYER, Dietrich. *Comparative historical analysis in the social sciences.* Cambridge: Cambridge University Press, 2003.

TAYLOR-GOOBY, Peter. Convergence and divergence in European Welfare States. In: JOWELL, R. et al. (Eds.). *European social attitudes:* the 3rd ISSP report. Aldershot: SCPR, Ashgate, 1998.

_____. The silver age of the Welfare State: resilience and contingency. In: HELLENIC SOCIAL POLICY ASSOCIATION INAUGURAL CONFERENCE. 2001, Komotini, Grécia. *Anais...* Komotini, Grécia: Democritus University of Thrace, May 2001. Disponível em: <http://www.bath.ac.uk/~hsstp/elepekp/Paper_Taylor_Gooby.doc>.

THERBORN, Göran. *European modernity and beyond:* the trajectory of European societies 1945-2000. London: Sage, 1995.

_____. Between sex and power: the family in the world of the 20th century. In: YALE COLLOQUIUM ON COMPARATIVE SOCIAL RESEARCH. 2002, New Haven. *Anais...* New Haven: Yale, Oct. 2002.

_____. *Between sex and power:* family in the world, 1900-2000. London: Routledge, 2004a.

_____. Familias en el mundo: historia y futuro en el umbral del siglo XXI. In: REUNIÓN CAMBIO DE LAS FAMILIAS EN EL MARCO DE LAS TRANSFORMACIONES GLOBALES: Necesidad de Políticas Públicas Eficaces. 2004, Santiago do Chile. *Anais...* Santiago do Chile: Cepal, oct. 2004b.

THÉRET, Bruno. L'État providence à l'épreuve des comparaisons internationales. In: AUVERGNON, Philippe et al. (Dirs.). *L'État à l'épreuve du social.* Paris: Syllepses, 1998.

_____. *Protection sociale et fédéralisme:* l'Europe dans le miroir de l'Amérique du Nord. Bruxelles: PIE, 2002.

TITMUSS, Richard. *Essays on the Brazilian developmental state of Welfare State.* London: Allen and Unwin, 1958.

UZUHASHI, Takafume. Japanese model of developmental state of Welfare State: how it was changed throughout "the lost decade" of 1990? *The Japonese Journal of Social Security Policy,* v. 2, n. 2, Dec. 2003.

VANDENBROUCKE, Frank. The active Welfare State. In: INTERNATIONAL RESEARCH CONFERENCE ON SOCIAL SECURITY. 2005, Antuérpia. *Anais...* Antuérpia, s. n. , May 2005. Disponível em: <http://www.issa. int/engl/publ/2contanvers.htm>.

WILENSKI, Harold. *The Welfare State and equality;* structural and ideological roots of public expenditures. Berkeley: University of California Press, 1975.

WOO-CUMMINGS, Meredith. *The developmental State.* New York: Cornell University Press, 1999.

9

Entre o mercado e o povo: desafios para a política econômica do governo Lula*

Maria Rita Loureiro
Fábio Pereira dos Santos
Alexandre de Ávila Gomide

As escolhas políticas que levaram as novas democracias a se inserirem na economia globalizada têm trazido exigências paradoxais a seus governos. Por um lado, o modelo de integração internacional impõe a necessidade de gerar confiança e credibilidade para os mercados financeiros quanto à capacidade de solvência governamental e, portanto, restrições fiscais. Por outro, a democratização e a maior liberdade de expressão das demandas populares por políticas redistributivas e melhores serviços públicos empurram os governantes em outra direção.

O objetivo deste capítulo é discutir os impactos na agenda macroeconômica, particularmente na área fiscal, desse processo duplo de transformações que desafiam os governos atuais. A escolha da temática fiscal merece esclarecimento. De modo geral, ela costuma ser objeto privilegiado por economistas ortodoxos e políticos conservadores. Desde as crises dos anos 1970-1980, analistas atacam as políticas keynesianas e os gastos com programas sociais do *Welfare State* com a retórica de que o déficit público era resultado de gastanças irresponsáveis dos governos, exprimindo a falta de compromisso moral com as gerações futuras.[1]

---

* Este texto é uma versão modificada do artigo "Democracia, arenas decisórias e política fiscal no governo Lula", publicado na *Revista Brasileira de Ciências Sociais*, n. 76, p. 63-77, jun. 2011
[1] Ver Buchanan, Rowley e Tollison (1987). James Buchanan, ganhador do Prêmio Nobel de

Questionando tais pressupostos ideológicos, a presente análise distancia-se da visão conservadora e leva em conta várias pesquisas empíricas que revelaram o fracasso das políticas ortodoxas praticadas naquele período, destinadas a zerar o déficit público. Tanto nos Estados Unidos quanto nos países europeus foram grandes as dificuldades políticas para reduzir os déficits públicos na situação de recessão econômica e de desemprego que caracterizou os anos 1980. Os estudos mostraram que a maioria dos países só conseguiu equilibrar seus problemas fiscais quando ocorreram novos ciclos de expansão econômica. Provavelmente, foi esse quadro de dificuldades econômicas e políticas que levou os mentores da comunidade econômica europeia, no tratado de Maastricht, a estabelecer um teto de 3% do PIB para o déficit nominal, abandonando a meta do déficit zero.[2] Em tempos mais recentes, a crise financeira desencadeada a partir de 2007 tem ajudado a reforçar as críticas ao conservadorismo econômico e político.

Este texto se distingue ainda das análises convencionais porque procura enfatizar a questão fiscal pelo prisma político, e, mais particularmente, a partir das possibilidades trazidas pela democracia. A literatura produzida na economia e na área de finanças públicas muitas vezes supõe que a lógica democrática traz obstáculos ou constrangimentos à "racionalidade econômica" e às iniciativas de ajuste fiscal.[3] Ao contrário, argumentamos que a democracia permite melhorar a qualidade das políticas públicas (fazendo-as mais representativas e próximas das demandas sociais), tornando, assim, mais provável a eficácia de sua implementação.

Recorrendo-se à própria história brasileira das últimas décadas, pode-se relembrar que foi sob o regime democrático que se alcançou o ordenamento das contas públicas legadas em profunda desordem pela ditadura militar. As eleições regu-

---

Economia em 1986, chegou a afirmar que o problema mais importante enfrentado pelas democracias ocidentais no final do século XX era a inclinação dos governos a trabalhar no vermelho, a gerar déficits para atender às demandas dos eleitores e dos grupos de interesses (apud Belluzzo, 1993).

[2] Ver Schich (1993), Brady e Volden (1998), Briffaul (1996) e Evans (1997).

[3] Belluzzo (1999:19) sintetiza assim a visão de economistas conservadores: "O mal é a política. Se o Estado se limitasse a cumprir os seus deveres de guardião da livre-concorrência, de bom administrador das finanças e da moeda, um discreto provedor de 'externalidades', mediante o investimento em infraestrutura, tudo correria às mil maravilhas". Vejamos outro exemplar, aliás não raro, de associação entre má qualidade do gasto público e ordem democrática: "O padrão de geração de gasto público no Brasil está longe de ser considerado eficiente [...] a dispersão e [a] baixa coordenação do poder político no regime democrático instituído a partir de 1984 enfraqueceu o controle fiscal" (Mendes, 2006:20).

lares e o sistema de poder, descentralizado pelo federalismo e pelo multipartidarismo, não têm sido obstáculos para o desenvolvimento de um processo gradual de mudanças na área fiscal. Independentemente de julgamentos de valor acerca do conteúdo dessas políticas, destaca-se aqui que os processos democráticos não têm sido empecilhos à efetivação de mudanças consideráveis nessa área no país. Em outras palavras, o poder compartilhado não tem sido obstáculo à governabilidade, como a literatura convencional sustenta. Novas abordagens teóricas têm permitido explicar que políticas públicas formuladas de forma negociada com os atores políticos relevantes e implementadas gradualmente têm mais chances de sucesso do que as decididas de forma intempestiva em arenas restritas e insuladas do restante do sistema político e das demandas da sociedade.

Se os processos incrementais requerem competência técnica e mais coordenação gerencial por parte da burocracia (para efetivar a agenda do governo), eles exigem também condições políticas fundamentais: a existência de arranjos institucionais que forcem o Executivo a levar em conta e a negociar continuamente suas políticas e programas com outros atores políticos no Legislativo, nos governos subnacionais, e com grupos organizados na sociedade.

Diferentemente de concepções (formuladas frequentemente em bases apenas dedutivas) que veem nessa situação de desconcentração de poder uma limitação à governabilidade e propõem arranjos decisórios majoritários ou mais centrípetos, pesquisas empíricas mais recentes têm mostrado situações inversas. A partir de estudos quantitativos, Lipjhart (1999) indicou que o sistema político mais consociativo (em que o poder está menos concentrado) é não só mais representativo em sociedades heterogêneas, mas, também, não tem sido obstáculo à gestão macroeconômica, em especial, ao controle da inflação. Outros autores, como Stark e Brustz (1998), ao examinarem as bases institucionais da coerência (ou sustentabilidade temporal) das políticas econômicas adotadas em países do Leste europeu no pós--socialismo, indicam que a capacidade de elaborar e implementar programas de reforma mais coerentes e eficazes é aumentada quando o Poder Executivo é menos concentrado, ou seja, é mais constrangido a prestar contas de suas decisões às diversas forças políticas no Parlamento e na sociedade organizada. E, portanto, tem sua responsabilidade política (*acccountability*) mais estendida. Tendo de debater e negociar suas propostas com outros atores, os decisores aumentam a compreensão dos problemas, ampliam a capacidade de obter informações, corrigindo erros de cálculo que, na ausência desse processo, só apareceriam no momento da implementação e, portanto, com menor possibilidade de correção. Isto encoraja ainda os formuladores a pensar vários passos à frente nos jogos estratégicos das políticas de reformas, além de comprometerem e responsabilizarem mais atores políticos com os resultados dos programas adotados.

Nessa mesma linha de raciocínio, é interessante relembrar também que várias tentativas de estabilização monetária fracassaram no Brasil nos anos 1980 e 1990, não apenas por erros de formulação técnica, mas, sobretudo, porque realizadas em moldes autoritários e em estilo tecnocrático. Em contrapartida, o Plano Real pôde ser bem-sucedido porque, comparativamente aos outros, foi capaz de negociar, no Legislativo e com atores organizados na sociedade, tanto sua implementação quanto as medidas preparatórias necessárias para seu lançamento, como a URV e o chamado Fundo Social de Emergência (Sola e Kugelmas, 2002; Loureiro, 1997). Em suma, o argumento aqui desenvolvido é o de que a democracia pode funcionar como uma oportunidade, e não como um obstáculo à gestão adequada das finanças públicas (como *enabling*, e não como *desenabling constraints*).

Do ponto de vista de sua trajetória histórica, cabe lembrar que a questão fiscal tem estado na agenda pública do Brasil contemporâneo há quase três décadas. Nos anos 1980-1990, ela incluiu reformas institucionais destinadas ao ordenamento das contas públicas, de modo geral bem-sucedidas, como a unificação dos orçamentos, a criação da Secretaria do Tesouro Nacional, a estabilização monetária, a reestruturação do sistema bancário público e privado. A partir de 1999, concentrou-se na política de geração de superávits primários, que têm servido de garantia de solvência para o mercado.

A política macroeconômica do primeiro governo Lula, sob o comando do ministro da Fazenda Antônio Palocci, foi marcada pela continuidade em relação à orientação predominante no governo Fernando Henrique Cardoso. Todavia, o segundo governo apresentou algumas mudanças, com o lançamento de programas de crescimento econômico (PAC), a expansão do crédito, a expansão de políticas de distribuição de renda, e até medidas de flexibilização das regras de endividamento de estados e municípios. Tais mudanças indicam que a política fiscal está deixando de ser apenas um instrumento de garantia de solvência para os credores (credibilidade financeira) e começando a adquirir um novo papel, de geração de recursos para o provimento de serviços públicos e instrumento de política de crescimento econômico. Com isso, o governo está sendo mais *accountable* a mais atores políticos.

Como se processaram as mudanças de conteúdo da política fiscal, e como elas se explicam na dinâmica de negociação do presidencialismo de coalizão e de insulamento das arenas decisórias, típica da área de política macroeconômica?

A resposta a essa indagação, e com a qual trabalharemos ao longo do capítulo, é que a agenda fiscal do governo Lula, especialmente em seu segundo governo, apresentou uma dupla face tanto em termos de conteúdo quanto de estilo decisório. Com relação ao conteúdo, a agenda fiscal conciliou o receituário ortodoxo (superávits primários elevados, metas de inflação que geram a necessidade de manutenção de altas taxas de juros e câmbio flutuante) com outras medidas, de caráter expansionista, intensificadas especialmente com a gestão dos impactos da crise financeira internacional de 2008/2009 no país. Quanto ao estilo de tomada de decisões, este também conteve uma dupla face: por um lado, certas agências, como o Banco Central, continuaram atuando com autonomia *de facto* ante as pressões do restante do sistema político, enquanto, em outras arenas de políticas econômicas, prevaleceu um estilo mais negociador entre uma pluralidade de atores políticos. O que permitiu a presença dessa dupla orientação nas políticas públicas?

Primeiro, a reorientação da política fiscal foi possibilitada, em grande parte, pelas mudanças no ambiente internacional, já visíveis mesmo antes da eclosão da crise financeira internacional de 2008, e que levaram à revisão da agenda ortodoxa. A partir do início dos anos 2000, os efeitos perversos das políticas neoliberais passaram a gerar críticas crescentes, não só por parte de dissidentes como Joseph Stiglitz (2000), mas, também, de dirigentes do FMI, de economistas e de jornalistas de orientações mais próximas do credo ortodoxo. No Brasil, os indícios de mudança da agenda econômica surgiram em debates na mídia, nos meios empresariais e acadêmicos, e, desde o final de 2006, no discurso do governo, especialmente no contexto eleitoral. Mesmo mantendo as diretrizes econômicas fixadas no primeiro mandato — abertura comercial, metas de inflação, câmbio flutuante e superávits primários —, os indícios, nos meios governamentais, de mudança da orientação manifestaram-se na incorporação da retórica de crescimento econômico — expansão dos investimentos, do crédito e da demanda interna — e na expansão de programas sociais de redução da desigualdade.

Por outro lado, essas tendências à mudança da agenda fiscal têm sido contrabalançadas pela força da coalizão política dominante no país, nucleada pelos interesses do capital financeiro e de grupos rentistas (o chamado "poder de fogo do mercado"). Politicamente, essa coalizão tem se expressado na ação dos dirigentes dos órgãos de gestão macroeconômica, especialmente o Banco Central, sustentada por ideias consensuais divulgadas constantemente na mídia e respaldadas pelo *mainstream* dominante na comunidade epistêmica (constituída pelos organismos internacionais, universidades norte-americanas e nacionais, empresas de consultoria etc.). Do ponto de vista econômico, a coalizão se sustenta na dependência estrutural do Estado em relação ao setor financeiro para a rolagem da dívida pública interna, posto que cerca de um terço da dívida mobiliária federal é composta por títulos de curto prazo baseados na taxa Selic detidos majoritariamente pelas instituições financeiras. Na composição desses interesses, incluem-se até fundos de pensão de segmentos bem organizados politicamente da classe trabalhadora brasileira, como os bancários e os petroleiros.

É pertinente relembrar, para reforço desse argumento, a literatura que discute os momentos de autonomia do Estado em relação aos capitais privados. Ela aponta as tensões existentes entre as políticas sociais e aquelas voltadas para a garantia de condições mais seguras de acumulação de capital, especialmente na arena financeira (Skocpol, 1985). Como argumentou Przeworski (1995), em situações em que o capital é internacionalmente móvel, como a com que ora nos deparamos, pode-se aplicar a teoria da dependência estrutural do Estado ao capital. Ou seja, na medida em que a livre mobilidade do capital não é algo natural ou inevitável, a dependência estrutural do Estado ao setor financeiro internacionalizado resulta das escolhas efetuadas no passado e reafirmadas no presente.[4] Dessas escolhas decorrem as exigências paradoxais entre acumulação financeira e legitimação política, configurando situação em que as políticas destinadas a atender a demandas sociais devem se submeter à necessidade de garantir a solvência governamental. Assim, as políticas sociais e de distribuição de renda só avançam até o limite em que não contrariam a credibilidade exigida pelo mercado financeiro.

Por fim, mas não menos importante, um fator relacionado ao padrão histórico mais amplo de estruturação do processo decisório de políticas públicas, no Brasil, reforça igualmente a hipótese da continuidade da política econômica no governo Lula. Trata-se do caráter insulado e restrito das arenas decisórias, fechadas à participação de atores políticos que possam, em princípio, gerar mudanças no *status quo*. Olhando a experiência brasileira, pode-se observar, com a ajuda de ampla literatura, que as políticas econômicas têm sido basicamente formuladas no interior da burocracia do Executivo, "protegidas" pelo respaldo do presidente da República contra as pressões vindas do sistema partidário, do próprio Congresso e da sociedade civil organizada. Essas arenas são compostas não só de altos funcionários, mas, também, de acadêmicos de prestígio e de economistas vindos do mercado financeiro e que se tornam temporariamente dirigentes ou assesso-

---

[4] Cabe relembrar que estamos vivendo hoje constrangimentos resultantes de escolhas de políticas econômicas efetuadas na década de 1970, durante o governo Geisel. Essas escolhas se pautaram pela estratégia de crescimento econômico pelo endividamento externo e nos levaram, posteriormente, à bem conhecida crise da dívida externa dos anos 1980, desencadeada pela elevação das taxas de juros internacionais.

res governamentais, com amplos poderes para formular e implementar medidas ou programas econômicos.[5] Embora tais traços tenham emergido em regimes autoritários, estão igualmente presentes na ordem democrática que atribui grande poder institucional ao Executivo por meio de medidas provisórias e controle da execução orçamentária (Mainwaring, 1997; Figueiredo e Limongi, 1999).

A seguir, faremos, inicialmente, uma breve descrição da trajetória da agenda fiscal no Brasil ao longo das três últimas décadas, destacando seus pontos principais de inflexão gerados pelas crises externas e dinâmicas políticas internas. Depois, compararemos as agendas econômicas do PT antes e durante a experiência à frente do governo federal, destacando o período Palocci, em que houve a continuidade do receituário liberal e mesmo tentativas de aprofundá-lo, com a proposta de déficit nominal zero. Na terceira seção, examinaremos como o segundo governo Lula operou a dupla face da política fiscal e conciliou suas ambiguidades. As considerações finais procurarão sistematizar os argumentos e, ainda, elaborar algumas reflexões acerca dos desafios impostos pela inserção do país no cenário internacional, e pela necessidade de aprofundamento de nossas instituições democráticas.

A trajetória da agenda fiscal no Brasil

Do descalabro do regime militar ao ordenamento das contas públicas

Durante a ditadura militar, o poder do Congresso Nacional de legislar sobre questões de financiamento público foi transferido para um órgão da burocracia governamental, o Conselho Monetário Nacional (CMN). Este tinha total poder para administrar a dívida mobiliária sem que as operações transitassem pelo Orçamento Geral da União (OGU). Em consequência do descrédito do OGU, que não tinha capacidade para impor limites e restrições à política fiscal, surgiram orçamentos paralelos que eram submetidos apenas ao Executivo, como, por exemplo, o orçamento monetário. Na verdade, ao longo da década de 1970, as finanças do setor público brasileiro eram norteadas por uma grande multiplicidade orçamentária.

---

[5] Ver Leff (1968), Souza (1976), D'Araujo (1982), Martins (1985), Loureiro (1997), Diniz (1997), e Sola (1998).

Além do OGU, havia o orçamento monetário, a conta da dívida e, ainda, o orçamento das empresas estatais.[6]

O orçamento monetário funcionava como uma ferramenta de controle do passivo monetário e não monetário que era utilizado para a política cambial, para autorizar subsídios e linhas de crédito a diferentes setores da atividade econômica e outros programas. Observe-se que cada orçamento era aprovado por uma autoridade pública diferente e em momentos também diferentes, o que causava total desarticulação entre as políticas econômicas implementadas pelo governo. O orçamento monetário era um artifício jurídico/contábil que funcionava como uma espécie de ralo pelo qual vazavam os recursos do Tesouro, em ações como crédito à agricultura e às exportações, e política de preços mínimos agrícolas (OCDE Brasil, 2001).

Além disso, havia a estratégia, adotada pelo governo ao longo da década de 1970, de utilização das autoridades monetárias como bancos de fomento do desenvolvimento econômico, a fim de viabilizar a política de "crescimento com endividamento". Grandes volumes de recursos eram levantados sem elevar a carga tributária, ou seja, sem desestabilizar politicamente o regime militar vigente. A contrapartida era sempre a expansão monetária ou a elevação da dívida mobiliária (OCDE Brasil, 2001).

Na verdade, do ponto de vista monetário, havia o Banco Central (BC) e também o Banco do Brasil (BB), que disputava e acabava ganhando poder em relação àquele. Quando o BC foi criado, em 1964, o BB, que até então exercia funções de autoridade monetária, era uma agência extremamente forte na estrutura de poder do país. Tal poder permitiu-lhe reter parcela considerável de atribuições de política econômica, gerando, assim, uma situação esdrúxula de duas autoridades monetárias em concorrência, e, consequentemente, de ausência de controle efetivo da política monetária.[7] O BB passou a ser o titular da chamada "conta movimen-

---

[6] Até o final dos anos 1970, as receitas e despesas das empresas estatais não haviam sido agregadas em um orçamento consolidado. Somente com a criação da Secretaria de Controle das Empresas Estatais (Sest), em 1979, é que o governo começou a ter um conhecimento menos precário do número total de entidades estatais, e a fazer um orçamento geral das empresas estatais para o ano seguinte (Martins, 1985).

[7] Em 31 de dezembro de 1964 foi promulgada a Lei nº 4.595, que extinguiu a Superintendência da Moeda e do Crédito (Sumoc), órgão do Banco do Brasil (BB), e criou o Conselho Monetário Nacional (CMN), como órgão formulador de políticas econômicas, e o Banco Central (BC), como órgão executor e fiscalizador dessas políticas. Entretanto, o BB manteve-se como depositário das reservas voluntárias dos bancos comerciais e prestador de serviços de compensação de cheques. Foram atribuídas ao Banco Central, por outro lado, algumas funções atípicas de uma autoridade monetária, como o fomento agrícola, o comércio exterior e a construção civil, além da função de executor da política da dívida do Tesouro nacional.

to", criada para processar o nivelamento das reservas com o BC. Tratava-se de um passivo do BB em relação ao BC, inventado para suprir a falta de infraestrutura administrativa e técnica do BC nesse período inicial. Embora criada para ser um expediente provisório a vigorar apenas no momento de transição institucional, essa conta acabou sendo perpetuada por facilitar a liberação de empréstimos e financiamentos sem que estes constassem do orçamento do governo. Em outras palavras, a conta movimento permitia ao BB sacar sem limites contra o Tesouro, inviabilizando qualquer controle fiscal. Além disso, na ausência de uma secretaria do Tesouro, o governo não tinha meios de saber, de fato, como andavam suas contas (Gouveia, 1994; OCDE Brasil, 2001).

Como se não bastasse, havia a conta da dívida, que, a partir do início da década de 1970, funcionou de forma autônoma e garantiu a cobertura dos juros e amortizações (serviço da dívida), sempre por meio da emissão de novos títulos. Esse processo ficou conhecido como o "giro da dívida interna". A dívida crescia em função de diversos fatores, do seu próprio serviço e do financiamento de gastos extraorçamentários, nunca se sabendo ao certo o quanto era devido a cada fator (OCDE Brasil, 2001).

Essa era a situação da área fiscal até a grande crise que atingiu as economias capitalistas nos anos 1970-1980, desencadeada por vários fatores, entre os quais o choque dos preços do petróleo, que repercutiu nos países periféricos, como o Brasil, sob a forma de uma grave crise de dívida externa. Como se sabe, essa crise levou ao esgotamento do modelo de desenvolvimento econômico fundado no endividamento externo crescente (Bresser-Pereira, Maravall e Przeworski, 1993). A situação das finanças públicas no Brasil se agravou ainda mais, gerando outro grave problema fiscal: o do aval da União a qualquer empréstimo externo efetuado pelos estados, municípios e empresas estatais, honrados pelo BB por meio do orçamento monetário. Também os aportes de recursos aos bancos estaduais passaram a ser supridos por essa conta movimento do Banco do Brasil.[8] Embora

---

[8] Ver OCDE Brasil (2001). Devido à elevação das taxas de juros internacionais no início dos anos 1980, tornou-se insustentável o processo de financiamento externo da economia brasileira: o pagamento de juros atingiu US$ 13 bilhões em 1982, o que equivalia a 82% das exportações, e o déficit em conta corrente representou mais de 5% do PIB. A moratória do México, ocorrida naquele mesmo ano, representou um sério choque para a economia brasileira: as reservas internacionais se reduziram, os influxos financeiros externos cessaram, e os investimentos diretos declinaram. A partir daí, iniciou-se um longo processo de renegociação da dívida externa que só foi finalizado em 1994. Em 1983, o governo brasileiro também estabeleceu, em conjunto com o Fundo Monetário Internacional (FMI), um programa de estabilização que foi bem-sucedido no equilíbrio do balanço de pagamentos, mas fracassou no controle da inflação (OCDE Brasil, 2001).

tenham ocorrido, sob pressão dos organismos internacionais, tentativas de ordenamento das finanças públicas ainda sob o governo militar, elas não surtiram efeito (Gouveia, 1994).

Portanto, foi tal quadro caótico — no qual era impossível qualquer controle eficaz sobre o orçamento público, a política monetária e o endividamento do governo e das estatais — que a ditadura e a gestão tecnocrática da economia legaram ao país. Fatores macroestruturais de ordem econômica e situações da conjuntura internacional tiveram impactos na geração desse quadro, mas não se pode deixar de enfatizar que a desorganização das finanças públicas brasileiras foi profundamente acentuada pelo caráter autoritário do governo, dado que não havia controle público democrático das decisões altamente insuladas tomadas pela tecnocracia econômica.

Medidas de ordenamento das finanças governamentais, como a unificação dos orçamentos, a criação de órgãos de controle das contas públicas, como a Secretaria do Tesouro Nacional (STN), e regras mais rigorosas sobre endividamento público só ocorreram após a redemocratização, na segunda metade dos anos 1980 e ao longo da década de 1990. A consolidação dessas medidas e a centralização da autoridade monetária no Banco Central só se efetivaram após a implementação do Plano Real, a partir de 1994, e com a adoção de reformas econômicas voltadas para a estabilização monetária. Na verdade, para melhor compreender a trajetória da agenda fiscal no Brasil, é necessário situá-la na própria trajetória da agenda neoliberal no país.

A importação da agenda neoliberal: as reformas do governo FHC

Como se sabe, a abertura comercial trazida pelo governo Collor, em 1990, desencadeou o processo gradual de rompimento com o modelo de substituição de importações, predominante no Brasil no período do nacional-desenvolvimentismo (iniciado com Vargas e consolidado nos governos militares). Esse modelo foi aos poucos desmontado pelas políticas econômicas dos anos 1990, especialmente no governo FHC, orientado predominantemente pelo ideário do livre mercado.

Além da abertura comercial e financeira que rompeu com o protecionismo; da suspensão dos monopólios estatais nos setores de petróleo, energia e telecomunicações; das privatizações de numerosas empresas e bancos públicos, e do processo de estabilização monetária, com o Plano Real, é necessário destacar aqui outras mudanças menos conhecidas, mas igualmente significativas, ocorridas ao longo desses anos. Elas envolvem a informatização das contas públicas e, portanto, seu maior ordenamento e transparência, a renegociação das dívidas dos governos subnacionais com a Lei nº 9.496, de 1997, a efetivação dos programas de reestruturação dos bancos públicos e privados (Proer e Proes), e, ainda, a criação de sistemas mais sólidos de proteção e fiscalização bancária.[9]

Essa experiência reformista trouxe uma nova cultura política para o país, na qual a estabilização monetária se tornou o maior objetivo da política macroeconômica desde então. Como se sabe, a convivência com altas taxas de inflação, que caracterizou boa parte da história econômica brasileira na segunda metade do século XX, gerou impactos perversos para as finanças públicas e para parcelas da sociedade (Sola e Kugelmas, 2002), com perdas para as camadas de mais baixa renda, que não tinham contas bancárias ou acesso à correção monetária de seus salários. Para os governos, a crônica hiperinflação significava que o orçamento era uma "peça de ficção", como se costumava dizer, pois impossibilitava o planejamento de receitas e de gastos, assim como qualquer tipo de transparência e controle das contas públicas.

Além disso, mas não menos importante, é fundamental ressaltar que os fracassos dos numerosos programas de controle da inflação experimentados nesse período, sempre resultantes em mais inflação e agravamento da descrença na capacidade de governo, acabaram tendo impacto inesperado (mas positivo) na frágil cultura democrática do país: geraram a percepção de que uma nova experiência de estabilização monetária só poderia ser bem-sucedida — como de fato ocorreu com o Plano Real, em 1994 — se fosse previamente negociada com atores políticos no Congresso e nos governos subnacionais, e se superasse os erros técnicos e políticos do padrão tecnocrático anterior, baseado em medidas de choque elaboradas em arenas restritas e insuladas das forças políticas relevantes.[10]

Todavia, se a política econômica do primeiro governo FHC foi bem-sucedida no tocante à estabilidade de preços, mostrou-se insustentável devido à acumulação contínua de passivos públicos e externos. Embora o Plano Real tenha colocado o ajuste fiscal como seu eixo fundamental, e identificado o desequilíbrio das contas

---

[9] Ver Sola e Kugelmas (2002), Loureiro e Abrucio (2004), Marques (2005). É necessário relembrar que tais medidas, embora criticadas pela oposição da época, pelo montante de recursos mobilizados, acabaram sendo benéficas na proteção do sistema bancário do país, impedindo que os efeitos da crise financeira internacional de 2008 fossem aqui tão grandes quanto em outros países.

[10] Ver Loureiro e Abrucio (2004). Não se desconsidera que o cenário econômico internacional também era bem diferente entre os planos Cruzado e Real. Mesmo que a abundância de capitais externos, na década de 1990, tenha facilitado a estabilização monetária no Brasil, como em outros países, o importante é não considerar esse fator o único determinante do sucesso do Plano Real. Ao contrário, buscamos aqui lançar luz na complementaridade essencial das dimensões política e econômica.

públicas como a causa fundamental da alta inflação, não houve ajuste fiscal "prévio" ou simultâneo à estabilização. A verdadeira âncora da estabilização monetária foi um choque de oferta externa, por meio da política de sobrevalorização do real ante o dólar, e de continuidade da abertura comercial e financeira, iniciada no governo Collor e aprofundada pelos acordos no âmbito do Mercosul, em 1994. O resultado foi o estímulo às importações e o desestímulo às exportações, revertendo o superávit comercial existente. O consequente aumento do déficit na balança de serviços rapidamente produziu uma situação em que o déficit em transações correntes saltou de US$ 1,8 bilhão em 1994 para US$ 33,4 bilhões em 1998, ou seja, mais de 4% do PIB.

A dívida pública, por sua vez, passou de 30% do PIB em 1994 para 41,7% no final de 1998, e para cerca de 50% no início de 1999, logo após a desvalorização cambial. A acumulação dessa dívida ocorreu apesar de o resultado primário do setor público consolidado ter sido fortemente superavitário em 1994 e aproximadamente equilibrado entre 1995 e 1998, e a despeito de as privatizações de empresas estatais federais e estaduais terem propiciado a obtenção de recursos que permitiram a redução de 4,8% do PIB no total da dívida pública no mesmo período.

A elevação da taxa de juros foi o instrumento de ajuste do balanço de pagamentos, deteriorado em função das razões indicadas. Em um quadro de sucessivas crises financeiras — México no início de 1994, Sudeste asiático em 1997, Rússia e o próprio Brasil em 1998 —, utilizou-se a taxa de juros interna para atrair os capitais de curto prazo necessários ao equilíbrio do balanço de pagamentos e à sustentação da taxa de câmbio sobrevalorizada. Esse elemento foi fundamental para garantir a estabilização de preços, que constituía o maior trunfo político do governo FHC, tendo em vista a expectativa de reeleição em 1998. As privatizações foram também importante fator de atração de capitais externos que ajudaram a equilibrar o balanço de pagamentos, visto que a maioria das aquisições foi levada a cabo por empresas estrangeiras (Pinheiro, 1999; Ibre, 1999).

Assim, o crescimento da relação dívida pública líquida/PIB para cerca de 50%, no momento do acordo com o FMI e da adoção de uma nova política fiscal, a partir de 1999, baseada na produção de superávits primários crescentes, pode ser, em grande parte, atribuído ao custo fiscal da combinação de políticas econômicas adotadas no período de implantação do real. A política de âncora cambial subordinou a política monetária e esta, por sua vez, produziu um custo elevado, a ser assumido pela política fiscal no momento seguinte. Em outras palavras, o ritmo de acumulação da dívida pública (como efeito perverso da política de elevação das taxas de juros para enfrentar as instabilidades financeiras) e do passivo externo (em decorrência da intensificação da abertura comercial, e consequentemente, da acumulação dos déficits em conta corrente) acabou caracterizando esse período como de estabilização com desequilíbrio (Oliveira e Turolla, 2003).

Diante da vulnerabilidade manifestada de forma dramática com a crise externa de 1998 que levou à desvalorização do real em janeiro de 1999 e que explicitou os limites da política econômica anterior, o segundo mandato de FHC teve de produzir mudanças importantes para suavizar os impactos da abertura e dos choques externos. Tais mudanças, consolidadas no segundo governo FHC, apoiavam-se no tripé: a) adoção do regime de metas de inflação; b) câmbio flutuante; e c) ajuste fiscal voltado para a geração dos superávits primários necessários à garantia da confiança dos credores na solvência do governo, diante do aumento da despesa com juros desencadeado pela instabilidade financeira (Oliveira e Turolla, 2003).

Continuidade e flexibilização da agenda fiscal no governo Lula

Os principais documentos programáticos do Partido dos Trabalhadores, apresentados antes da campanha de 2002, eram relativamente vagos sobre o regime de política fiscal a ser adotado em caso de vitória eleitoral. Ainda assim, pôde-se perceber que as críticas à política adotada por FHC deslocavam-se de uma rejeição completa ao "arrocho fiscal" para a preocupação crescente com a "viabilidade" das medidas a serem implementadas em um eventual governo Lula. O elevado endividamento público, seu perfil de curto prazo e os gastos com juros eram entendidos como restrições fundamentais a serem consideradas em uma possível reorientação da política fiscal em direção a um modelo *redistributivo e indutor do crescimento*.

Enfatizando a perspectiva de mudança, os programas do PT faziam menções genéricas à necessidade de aumentar os gastos públicos em políticas de habitação, saneamento e infraestrutura, e de elevar o investimento das estatais, especialmente na área de energia. Mesmo rejeitando a simples volta ao modelo nacional-desenvolvimentista, propunham retomar algumas estratégias para reativar o papel do Estado na economia (agora como indutor e coordenador), com o objetivo de alcançar o pleno emprego e universalizar as políticas sociais. Ênfase especial era também atribuída aos bancos públicos federais no que concerne ao investimento, à expansão do crédito, e à formação de poupança obrigatória, como o Fundo de Garantia por Tempo de Serviço (FGTS) e o Fundo de Amparo ao Trabalhador (FAT).

Entre os documentos formulados durante a campanha, o mais importante foi a "Carta ao Povo Brasileiro", que representava um compromisso explícito com o superávit primário, garantindo uma taxa estável de endividamento em relação ao PIB. Esse compromisso, de fato incorporado posteriormente ao programa de governo, foi fundamental para acalmar os credores e o mercado financeiro à medida que se intensificavam, na competição eleitoral, o medo e as expectativas negativas sobre o que ocorreria em um governo do PT, sendo decisivo para a vitória de Lula.[11]

A despeito da eventual importância da controvérsia relativa à continuidade ou à ruptura do governo Lula em relação às políticas defendidas em campanha, o que nos parece mais relevante enfatizar aqui é outro ponto. Se a continuidade da política econômica de Lula com relação à do segundo mandato de FHC pode ser interpretada como um desfecho possível, ou mesmo previsível, da trajetória programática do PT, o que causa surpresa, porém, é o fato de que o primeiro mandato de Lula tenha sido uma radicalização da política fiscal do segundo mandato de FHC.

A "era Palocci" e a proposta de radicalização da ortodoxia fiscal

Já no início do governo Lula, o Ministério da Fazenda lançou o documento intitulado "Política econômica e reformas estruturais" (abril de 2003), apresentando claramente a opção da agenda econômica daquele momento. Esta passava pela concepção de que a retomada do crescimento da economia brasileira necessitava, sobretudo, de equilíbrio fiscal, da implantação de reformas estruturais e microeconômicas (como a reforma da previdência social e a autonomia operacional do Banco Central), e da focalização das políticas sociais.

No que se refere à política fiscal, o documento afirma que foram os graves desequilíbrios das décadas precedentes os responsáveis pela inflação e por aumentos da relação dívida líquida/PIB, principal indicador da solvência do setor público. Isso diminuiu a taxa de crescimento econômico, pois o financiamento do gasto público passou a exigir uma fração crescente dos recursos fiscais, reduzindo

---

[11] As propostas de política econômica apresentadas durante a campanha eleitoral de 2002 foram consolidadas em três documentos principais: a) orientações para o programa de governo, aprovadas no Encontro Nacional do PT de 2001, que deu origem ao "Um outro Brasil é possível"; b) a Carta do Povo Brasileiro, lançada em junho de 2002; e c) o programa de governo do candidato, lançado em julho de 2002. Esses documentos foram objeto de muita interpretação controversa. Paulani (2004), Carvalho (2004), Maldonado Filho (2003) e Borges Neto (2003) argumentaram que o governo Lula quebrara, ou mesmo traíra, seus compromissos anteriores. Machado (2007), ao contrário, mostra uma gradual evolução e, portanto, continuidade entre o programa da campanha e a política efetivamente implantada no governo.

o crédito disponível para o setor privado, e retirou do Estado a capacidade de investimento em infraestrutura. A alta relação dívida/PIB, que chegou a 56% em 2002, acarretou o aumento da desconfiança na capacidade do governo de honrar seus compromissos futuros, levando aos maiores prêmios de risco dos títulos da dívida pública e ao aumento da taxa de juros.[12] Por isso, segundo o Ministério da Fazenda, seria essencial estabelecer o equilíbrio das contas públicas, pois a diminuição da necessidade de financiamento do setor público geraria a queda da taxa de juros e o aumento da taxa de poupança doméstica, permitindo ao governo voltar a investir em infraestrutura.

Por isso, o primeiro compromisso da política econômica do governo foi com a solução do problema fiscal. Assim, adotaram-se medidas de elevação continuada dos superávits primários (4,25% do PIB), necessários à redução gradativa da relação dívida/PIB, além do alongamento dos prazos da dívida mobiliária. Peso maior foi dado ao ajuste fiscal, com base no pressuposto de que ele condiciona as principais variáveis macroeconômicas, como as taxas de inflação, de juros e de câmbio.

Ressalte-se que a agenda adotada teria também como objetivo construir condições para que a política fiscal amenizasse as flutuações cíclicas da economia, em vez de agravá-las. Isso se explica, no diagnóstico do Ministério da Fazenda, porque a política fiscal no Brasil, nos anos anteriores, teria sido essencialmente pró-cíclica, em decorrência dos desequilíbrios fiscais. Nas fases de expansão acelerada do produto, a política fiscal contracíclica garantiria superávits fiscais suficientes para a redução da relação dívida/PIB, permitindo menor esforço fiscal nos momentos de desaceleração do crescimento. Em suma, a política fiscal deixaria de agravar o ciclo econômico, suavizando os efeitos negativos sobre o nível de emprego e a massa salarial, e garantindo ao governo recursos proporcionalmente maiores para gastar na área social nos momentos em que estes fossem mais necessários.

Complementando essa agenda, o Ministério da Fazenda divulgou, no final de 2004, outro documento, intitulado "Reformas microeconômicas e crescimento de longo prazo", expressando o entendimento de que a política macro deveria ser completada por reformas microeconômicas. Estas enfatizavam a

---

[12] Para o Ministério da Fazenda (2003), os elevados prêmios de risco do passado se explicavam porque o governo teria procurado solucionar a questão fiscal a partir do rompimento de contratos na década de 1980 e início da década de 1990. A trajetória ascendente da relação dívida/PIB, as dúvidas sobre a solvência das contas públicas, e as especulações sobre a condução da política econômica, no período eleitoral de 2002, reforçaram o comportamento observado para os prêmios.

importância das condições institucionais para o adequado funcionamento do mercado. Assim, a segurança jurídica das operações econômicas e a garantia dos direitos de propriedade, em conjunto com o modelo macroeconômico, dariam as condições para o desenvolvimento do mercado de crédito, a redução dos custos de transação, e a melhoria do ambiente geral dos negócios. Em suma, só depois de posto em prática esse conjunto de medidas (política macroeconômica e reformas institucionais) é que se alcançaria o ansiado "espetáculo do crescimento". Com esse objetivo, foram propostas medidas legislativas e administrativas visando o desenvolvimento do mercado de crédito, a melhoria da estrutura tributária, além de reformas trabalhistas e regulatórias. As medidas na área do crédito teriam por objetivo desenvolver o financiamento privado, aperfeiçoando os instrumentos já existentes, e criar condições para a queda das taxas de juros de mercado. Entre tais medidas, destacavam-se as de ampliação do crédito, como a consignação em folha de pagamento, e os instrumentos de financiamento específicos para a construção civil. No rol das medidas tributárias, mencionavam-se as que introduziram o fim da cumulatividade do PIS-Pasep e da Cofins, e as propostas de unificação das regras do ICMS. A reforma do Judiciário foi apontada, nesse contexto, como importante para a ampliação do mercado de crédito, pois os elevados custos de resolução de conflitos contratuais na justiça elevavam as taxas de juros pagas pelos consumidores, excluindo famílias que tinham acesso a garantias do mercado de crédito. No grupo de medidas voltadas para a redução do custo da resolução de conflitos, incluía-se a nova Lei de Falências. No que concerne ao ambiente de negócios, destacavam-se as medidas de ampliação dos mecanismos de financiamento da infraestrutura, como a Lei das Parcerias Público-privadas, aprovada pelo Congresso Nacional. A condução desse receituário permitiu o recuo da taxa de inflação, que tinha chegado a 12,5% em 2002, e a diminuição da taxa de juros, que estava no patamar de 27% no começo de 2003 (ou seja, em 16% em termos reais).

A despeito dessas relativas melhoras nos indicadores, desenvolveu-se no governo a proposta de zerar o déficit nominal num curto horizonte de tempo (em torno de cinco anos), como forma de acelerar a diminuição da relação dívida/PIB. Argumentou-se a respeito da má qualidade do ajuste fiscal empreendido até o momento, pois o enfrentamento da questão fiscal brasileira havia se dado pelo aumento da carga tributária e pela compressão do investimento público. A adoção da meta de déficit nominal zero levaria à redução mais acelerada do juro real e à elevação da taxa cambial, provocando o aumento da poupança doméstica e, consequentemente, dos investimentos públicos e privados. Ou seja, a adoção da meta fiscal de déficit nominal zero seria o caminho mais curto para, simultaneamente, atingir o crescimento econômico sem pressões inflacionárias, conseguir o grau de investimento concedido pelas principais agências internacionais de *rating*, e reduzir a carga tributária.

A implantação da proposta, no entanto, exigiria medidas consideradas "penosas" no curto e no médio prazos. Muitas delas por meio de emenda constitucional, como forma de "amarrar as mão do governo" (ou de sinalizar o *credible commitment*), blindando-o de mudanças políticas, e de evitar o chamado *stop and go* da política fiscal. O programa do déficit nominal zero propunha as seguintes medidas: elevação da meta de superávit primário para 5% do PIB; desvinculação das receitas da União (em saúde e educação, principalmente) de 20% para 35% do orçamento; congelamento real do custeio da máquina pública, principalmente de salários e contratações ("choque de gestão"); e uma nova rodada de reforma previdenciária, para a diminuição do chamado "déficit previdenciário", por meio da desvinculação dos benefícios do salário mínimo e da revisão para cima da idade limite para a aposentadoria.

O início da discussão pública dessa proposta, claramente marcada pelo ideário da ortodoxia liberal, coincidiu com a crise política de 2005. Esta, como se sabe, provocou a troca do comando da Casa Civil da Presidência da República. A ministra Dilma Roussef passou a ser um novo ator político na arena macroeconômica. Logo depois de sua posse, em entrevista à imprensa, ela classificou o plano de "rudimentar", e afirmou que tal debate era "absolutamente desqualificado", não havendo "autorização do governo" para que ocorresse. Assim, a proposta de déficit zero foi paulatinamente desaparecendo da agenda pública, na medida em que novos ventos começaram a soprar na área econômica, reforçados pela ampliação de sua arena decisória. Em outubro de 2006, no contexto da reeleição do presidente Lula no segundo turno, o então ministro das Relações Institucionais chegou a afirmar que "a era Palocci" havia acabado. O fim da "era Palocci" representou, assim, a inflexão do conteúdo da política fiscal e a ampliação da arena decisória da área econômica, como veremos a seguir.

A política fiscal no segundo governo Lula: flexibilização de seu conteúdo e ampliação da arena decisória

No debate eleitoral que levou à reeleição de Lula em 2006, discutiu-se a dificuldade do modelo macroeconômico, praticado desde 1999, em promover o crescimento da economia. Nesse contexto, o presidente encomendou à Casa Civil e ao

Ministério da Fazenda a elaboração de um conjunto de medidas para "destravar" a economia, e para atingir a meta de crescimento do PIB de 5% já em 2007 e para todo o segundo mandato. Contudo, a mudança no discurso da política econômica não se processou sem contestações, havendo, dentro do próprio governo, opositores à sua inflexão que cobravam a manutenção da orientação anterior e mesmo o aprofundamento do ajuste fiscal.[13]

O pífio desempenho da economia (que apresentava baixas taxas de crescimento), as mudanças no Ministério da Fazenda e a nova liderança da Casa Civil, que também passou a influenciar a política econômica, foram fatores decisivos para a reorientação das diretrizes prevalecentes na chamada "era Palocci". Em outras palavras, a participação de Dilma Roussef na equipe que comandava a economia significou maior abertura dessa arena decisória a outros atores políticos. Além da coordenação dos programas prioritários do governo, a Casa Civil, no segundo mandato, continuou a ser o espaço institucional de articulação entre o Executivo federal e os governos subnacionais.[14] À influência da nova ministra da Casa Civil somou-se ainda a participação do novo presidente do BNDES na equipe que comandava a área econômica, o que ajudou o redirecionamento do segundo mandato para políticas de cunho desenvolvimentista.

Em suma, o segundo governo Lula iniciou-se com indícios de flexibilização da equação ortodoxa que aos poucos se transformaram em nova orientação atribuída à política fiscal. Em vez de um ajuste extremado ser a condição necessária para o crescimento, as novas medidas inverteram a fórmula "o crescimento fortalece o equilíbrio fiscal". Primeiramente, porque o maior crescimento, aumentando a arrecadação fiscal, permite manter a agenda de superávits primários necessários à diminuição progressiva da relação dívida/PIB e à manutenção da credibilidade no mercado financeiro. Segundo, porque o crescimento permite também gerar recursos para investimentos públicos, sem necessidade de redução de gastos

---

[13] Em novembro de 2006, por exemplo, a Diretoria de Estudos Macroeconômicos do Ipea divulgou "Uma agenda para o crescimento econômico e a redução da pobreza" em que reafirmava a agenda da "era Palocci". O texto argumentava que só por medidas fiscais "penosas" o país conseguiria fazer crescer o PIB em 5%, isso apenas em 2017 (Levy e Villela, 2006).

[14] Afirmação da ministra ao jornalista Luis Nassif, em 5 de março de 2008, revelou seu novo posicionamento na área: "O que pudemos fazer nesse segundo governo Lula foi ter alterado a dinâmica do discurso econômico. Antes a dinâmica era: 'vamos construir a estabilidade'. Era importante e o real surgiu para isso. Mas da estabilidade não decorre automaticamente a dinâmica de investimento e crescimento. Tivemos, então, que mudar a dinâmica: mantendo a estabilidade, vamos tratar de crescer".

correntes (em pessoal, programas sociais, como o Bolsa Família), prescindindo também de reforma na área previdenciária que implique redução de benefícios sociais. Portanto, do ponto de vista político, mais crescimento econômico parecia ser a chave capaz de atender às principais *constituencies* do governo Lula (sindicatos trabalhistas, especialmente do setor público, e beneficiários de políticas sociais), sem infringir nenhuma delas produzindo perdas econômicas e, portanto, demasiados custos políticos. É nesses termos que se pode compreender o lançamento do Programa de Aceleração do Crescimento (PAC), anunciado em janeiro de 2007. Visando prioritariamente ao investimento público em infraestrutura e em outras áreas prioritárias, como habitação, e a estimular o crédito público, o programa estabeleceu também medidas de desoneração e mudanças no sistema tributário e nas ações fiscais de longo prazo.

Pode-se afirmar que, por meio do PAC, o discurso do governo começou a atribuir à política fiscal uma nova função, além daquela centrada na redução da relação dívida/PIB. Ou seja, mesmo garantido o compromisso de geração de superávit primário, há espaço para uma política de crescimento. Isto porque o PAC criou também a possibilidade de o governo abater da meta de superávit primário de 4,25% o gasto com investimentos nos projetos piloto de investimento (PPIs) de até 0,5% do PIB. Cabe relembrar que, na "era Palocci", o cumprimento da meta fiscal esteve sempre associado a cortes nos gastos de custeio e investimentos públicos e também ao aumento da carga tributária, tendo a política fiscal um papel contracionista, pois a canalização dos esforços implicava o pagamento dos juros e a quitação de parte da dívida.

Paralelamente ao PAC, foram também adotadas medidas expansionistas, de cunho keynesiano, para reduzir o custo dos financiamentos, para ampliar os recursos disponíveis ao crédito, além de subsídios para as faixas de renda de até seis salários mínimos. Já antes da crise de 2008, o governo havia reduzido os juros e quase dobrado o valor do orçamento para habitação. Em 2009, como medida de gestão dos impactos domésticos da crise internacional, anunciou a destinação de consideráveis recursos para subsídios à moradia da população de baixa renda, para financiamento de infraestrutura e da cadeia produtiva da construção civil, com a meta de construir 1 milhão de moradias.[15]

---

[15] As mudanças da agenda fiscal geraram bons resultados da economia em 2007 e 2008, com crescimento do PIB de mais de 5%. O PIB *per capita* cresceu 4% em 2007 em relação a 2006, nível celebrado pelo ministro da Fazenda porque era o mesmo patamar das décadas de 1950, 1960

Outro indício da mudança de foco na política fiscal pode ser encontrado na forma de o governo conduzir o tema da reforma previdenciária. No início do segundo governo, o presidente Lula instituiu um fórum integrado por representantes dos trabalhadores, dos empregadores e do governo para a discussão do tema. No final dos trabalhos, o fórum concluiu, por consenso, que a previdência social deveria continuar sendo parte integrante do conceito de seguridade social, financiando-se com recursos de contribuições dos trabalhadores e empregadores, e que seus elementos redistributivos deveriam ser financiados com recursos do orçamento da seguridade social, conforme previsto na Constituição Federal. Tais conclusões contrariavam frontalmente as propostas reformistas de viés fiscalista. Mesmo não havendo consenso sobre regras de idade mínima e de tempo de contribuição para acesso a benefícios, os integrantes do fórum conseguiram estabelecer acordo quanto à permanência da vinculação dos benefícios assistenciais ao salário mínimo — item cuja modificação é considerada fundamental pelos economistas ortodoxos.

Em suma, as mudanças de conteúdo das políticas foram responsáveis pelos indicadores positivos apresentados pela economia: elevado crescimento, diminuição do desemprego, redução da pobreza e da desigualdade. Tais mudanças não podem também ser dissociadas da ampliação do núcleo decisório das políticas econômicas e, consequentemente, da maior *accountability* dos decisores a um leque maior de atores políticos.

Todavia, o insulamento do núcleo decisório da política monetária no Banco Central continuou seu curso. Mesmo com a crise financeira internacional já desenhada no horizonte, o Copom iniciou, em janeiro de 2008, um novo ciclo de elevação da taxa de juros, argumentando sobre a possibilidade de um eventual recrudescimento da inflação. A ameaça de novos aumentos dessas taxas por parte do BC exigiu que o Ministério da Fazenda respondesse com a elevação da meta de superávit primário para 4,3% do PIB em 2008 e 2009, aumentando em 0,5% o esforço fiscal (mesmo que formalmente essa elevação tivesse como destino a constituição de um fundo soberano).

---

e 1970, mas com inflação sob controle e capacidade produtiva aumentando. Também o investimento, medido pela formação bruta de capital fixo, teve um aumento de 13,4%, a maior taxa anual desde o início da série, em 1996. A expansão de 6,5% no consumo das famílias ocorreu devido a aumento do nível de emprego (com crescimento daquele com carteira assinada), aumento da renda e expansão do crédito e das políticas públicas, como a valorização do salário mínimo e o programa Bolsa Família.

Na verdade, a duplicidade de lógica da política macroeconômica continuou na gestão dos impactos da crise internacional. Por um lado, estímulos fiscais, com a redução de impostos para elevar o consumo de bens duráveis e os recursos para habitação, que acabaram levando à redução da meta de superávit primário para 2,5% do PIB em 2009. Também a retração dos créditos externo e interno foi enfrentada com a redução dos depósitos compulsórios no Banco Central, o aumento de recursos para o BNDES etc. Por outro lado, o Banco Central seguiu praticando uma política monetária contracionista.[16] Como a análise aqui realizada procurou mostrar, mais do que ambivalência ou irracionalidade, a combinação dessa equação política pode ser explicada pela base social de sustentação do governo.

Considerações finais

Diferentemente do que afirma a literatura convencional, as decisões de política macroeconômica tomadas sob o regime democrático são não só mais representativas, mas também mais efetivas em sua implementação. A consolidação do processo eleitoral no Brasil, a partir da Constituição de 1988, não foi um obstáculo à efetivação das políticas de estabilidade monetária, que caracterizaram a agenda macroeconômica dos anos 1990. Os impactos eleitorais do Plano Real revelaram que o controle da inflação, longe de ser uma "pílula amarga" imposta à população, ou um desafio à governabilidade democrática, representou, ao contrário, importante trunfo para seu patrocinador, Fernando Henrique Cardoso, que se elegeu por duas vezes, em primeiro turno, na esteira da estabilidade monetária que, naquele momento, havia se convertido em um bem público fundamental para o país (Sola e Kugelmas, 2002).

Se a democracia eleitoral não foi obstáculo para a efetivação da agenda macroeconômica nos anos 1990, ela tem sido nos anos 2000 um fator fundamental para que os temas do crescimento e da redistribuição de renda passem a ser incorpo-

---

[16] Os juros foram mantidos em 13,75% ao ano até janeiro de 2009, apesar da reconhecida diluição das pressões inflacionárias e de uma política fiscal restritiva, como mostra o superávit primário acumulado em 2008, que atingiu 4,08% do PIB, acima dos 3,91% verificados em 2007. No primeiro trimestre de 2009, mesmo após a dramática queda da economia no último trimestre de 2008, o superávit primário atingiu 3,57% do PIB. Somente após seis meses do agravamento da crise e de recessão, o Banco Central decidiu implementar uma política de redução mais acentuada da taxa de juros (fixada em 9,25% ao mês a partir de junho de 2009) e o governo decidiu reduzir a meta de superávit primário de 3,8% do PIB para 2,5%.

rados à agenda pública, mesmo que de forma subordinada à dominante desde o governo FHC. O redirecionamento do segundo mandato Lula, conciliando políticas monetárias conservadoras com medidas de estímulo ao crescimento e de expansão da demanda interna para responder a suas bases sociais heterogêneas — por um lado, capital financeiro, e, por outro, trabalhadores sindicalizados e de baixa renda (Singer, 2009) —, foi possibilitado pela ativação das potencialidades consociativas das instituições democráticas brasileiras. Essas potencialidades ficaram claras com a decisão de ampliar a arena decisória econômica, a partir do final de 2005, para enfrentar a crise política e o processo eleitoral que se avizinhava.

Por outro lado, se a lógica da política econômica mais geral do governo permanecer subordinada ao receituário que lhe dá credibilidade no mercado financeiro — metas de inflação e de superávits primários e câmbio flutuante —, sua combinação de medidas keynesianas e orientação desenvolvimentista representa uma realidade política consideravelmente nova no país. Isso, a despeito de já ter sido um modelo experimentado historicamente pela social-democracia europeia (Przeworski, 1995).

Em outras palavras, se as políticas econômicas adotadas no Brasil, ao longo das últimas décadas, estão relacionadas às transformações mais amplas ocorridas na economia internacional e à forma de inserção do país nesse processo, a democratização política também teve impactos na definição de vários de seus componentes. A dinâmica democrática faz com que os governos, ao definirem seus rumos, levem em conta tanto as exigências do mercado (estabilidade monetária e ajuste fiscal para garantir solvência e credibilidade aos credores) quanto as demandas mais amplas da sociedade (crescimento, expansão do emprego, distribuição de renda), fundamentais para sua legitimação política (Sola, 2008). O sucesso do governo Lula tem a ver com a percepção dessa dupla exigência e com uma dose importante de pragmatismo para lidar com ela. Todavia, tal pragmatismo certamente traz desafios ao aprofundamento da democracia no país — um deles é dar sobrevida às elites tradicionais no comando do Estado, dificultando uma transformação mais substantiva na ordem política e social.

Bibliografia

BARROS, L. C. Mendonça de. Um olhar mais profundo. *Folha de S. Paulo*, 28 abr. 2006.
BELLUZZO, L. G. Economia, Estado, democracia. *Lua Nova*, São Paulo, n. 28/29, p. 201-208, 1993.

_____. Prefácio. In: MANTEGA. G.; REGO, J. M. (orgs.). *Conversas com economistas brasileiros II*. São Paulo: Ed. 34, 1999.

BORGES NETO, J. M. Um governo contraditório. *Revista da SEP*, n. 12, jun. 2003.

BRADY, D.; VOLDEN, C. *Revolving gridlock:* politics and policy from Carter to Clinton. Boulder: Westview Press, 1998.

BRASIL. MINISTÉRIO DA FAZENDA. *Política econômica e reformas estruturais*. Brasília, abr. 2003. 96p.

_____. *Reformas microeconômicas e crescimento de longo prazo*. Brasília, dez. 2004. 103p.

BRESSER-PEREIRA, L. C.; MARAVALL, J. M.; PRZEWORSKY, A. *Economic reforms in new democracies*. Cambridge: Cambridge University Press, 1993.

BRIFFAUL, R. *Balancing acts:* the reality behind State balanced budget requirements. New York: Twentieth Century Fund Press, 1996.

BUCHANAN, J.; ROWLEY, C.; TOLLISON, R. Government by red ink. In: _____; _____; _____ (ed.). *Deficit*. Oxford: Basil Blackwell, 1987.

CARVALHO, C. O governo Lula, triunfo espetacular do neoliberalismo. *Margem Esquerda*, São Paulo, v. 3, n. 1, p. 131-146, 2004.

CARVALHO, F. Cardim de. Os críticos e os críticos da política econômica. *Folha de S. Paulo*, 18 dez. 2005.

D'ARAUJO, M. C. *O segundo governo Vargas:* democracia, partidos e crise política. Rio de Janeiro: Zahar, 1982.

DINIZ, Eli. *Crise, reforma do Estado e governabilidade*. Rio de Janeiro: FGV, 1997.

EVANS, G. *Red ink: the budget, deficit, and debt of US government*. San Diego, London: Academic Press, 1997.

FIGUEIREDO, A. C.; LIMONGI, F. *Executivo e Legislativo na nova ordem constitucional*. Rio de Janeiro: FGV; São Paulo: Fapesp, 1999.

GOUVEIA, G. *Burocracia e elites burocráticas no Brasil*. São Paulo: Pauliceia, 1994.

HELD, David. *Models of democracy*. Stanford, Calif.: Stanford University Press, 2006.

HUNTINGTON, S. *Political order in changing societies*. New Haven: Yale University Press. 1968.

IBRE (Instituto Brasileiro de Economia). Competição é a chave. *Conjuntura Econômica*, jul. 1999.

INSTITUTO DA CIDADANIA. *Um outro Brasil é possível*. São Paulo: s. n., 2001.

LEFF, N. *Política econômica e desenvolvimento no Brasil:* 1947-64. São Paulo: Perspectiva, 1968.

LEVY, P. M.; VILLELA, R. *Agenda para o crescimento econômico e a redução da pobreza*. Rio de Janeiro: Ipea, nov. 2006. (Texto para Discussão, 1.234.)

LIPJHART, A. *Patterns of democracy:* government forms and performance in thirty-six countries. New Haven, London: Yale University Press, 1999.

LOUREIRO, M. R. *Os economistas no governo:* democracia e gestão econômica. Rio de Janeiro: FGV, 1997.

____; ABRUCIO, F. L. Política e reformas fiscais no Brasil recente. *Revista de Economia Política*, v. 24, n. 93, p. 50-72, jan./mar. 2004.

MACHADO, R. *Lula A.C.-D.C.* — política econômica antes e depois da "Carta ao Povo Brasileiro". São Paulo: Annablume, 2007.

MAINWARING, S. Multipartism, robust federalism and presidentialism. In: ____; SHUGART, M. *Presidentialism and democracy in Latin America*. Cambridge: Cambridge University Press, 1997.

MALDONADO FILHO, E. A marcha da insensatez: o programa econômico do governo Lula. *Análise Econômica*, Porto Alegre, p. 317-328, 2003.

MARQUES, M. *Reformas financeiras liberalizantes em democracias emergentes de mercado* — o caso do Brasil. A construção política de redes de proteção para o sistema financeiro, a partir da interação entre o Bacen e o BIS, em conjunturas críticas. 2005. Tese (Doutorado) — FFLCH/USP, São Paulo, 2005.

MARTINS, L. *Estado capitalista e burocracia no Brasil pós-64*. Rio de Janeiro: Paz e Terra, 1985.

MENDES, M. Ineficiência do gasto público no Brasil. *Boletim de Desenvolvimento Fiscal*, Brasília, Ipea, n. 3, p. 20-31, 2006.

MORAES JUNIOR, A. O governo Lula e a manutenção da agenda da política macroeconômica. *Análise Econômica*, Porto Alegre, v. 21, n. 40, p. 309-316, 2003.

OCDE BRASIL. *Estudos econômicos da OCDE Brasil (2000-2001)*. Rio de Janeiro: OCDE, FGV, 2001.

OLIVEIRA, G.; TUROLLA, F. Política econômica do segundo governo FHC: mudança em condições adversas. *Tempo Social*, v. 15, n. 2, nov. 2003.

PALERMO, V.; NAVARO, M. *Poder y política en el gobierno de Menem*. Buenos Aires: Norma Ensayo, 1996.

PALOCCI, A. Entrevista. *Teoria e Debate*, Fundação Perseu Abramo, n. 51, jun./ago. 2002.

PAULANI, L. Um balanço da política econômica no primeiro ano do governo Lula. *Crítica Marxista*, São Paulo, v. 10, p. 47-66, 2004.

PINHEIRO, A. C. Privatização no Brasil: por quê? Até onde? Até quando? Rio de Janeiro: BNDES, 1999. Disponível em: <http://www.bndes.gov.br>.

PRZEWORSKY, A. *Estado e economia no capitalismo*. Rio de Janeiro: Relume-Dumará, 1995.

SANTOS, W. G. *O ex-Leviatã brasileiro*: do voto disperso ao clientelismo concentrado. Rio de Janeiro: Civilização Brasileira, 2006.

SCHICH, A. Governments versus budget deficits. In: WEAVER, K.; ROCKMAN, B. *Do institutions matter?* Government capabilities in the United States and abroad. Washington, DC: Brookings Institution, 1993.

SENNET, R. *A corrosão do caráter.* Rio de Janeiro: Record, 1999.

SINGER, André. Raízes sociais e ideológicas do Lulismo. *Novos Estudos CEBRAP* (Impresso), v. 85, p. 83-99, dez. 2009.

SKOCPOL, T. Bringing the State back in: strategies of analysis in current research. In: EVANS, Peter; RUESCHEMEYER, Dietrich; SKOCPOL, Theda. *Bringing the state back in.* Cambridge: Cambridge University Press, 1985.

SOLA, L. *Ideias econômicas e decisões políticas.* São Paulo: Edusp, Fapesp, 1998.

_____. Financial credibility, legitimacy and political discretion: Lula da Silva government, first year. In: ANNUAL MEETING OF THE BRAZILIAN POLITICAL SCIENCE ASSOCIATION, 4. 2004, Rio de Janeiro. *Proceedings...* Rio de Janeiro: s. n. 2004.

_____. Politics, Markets and Society in Lula's Brazil. In: DIIAMOND, Larry; PLATTNER, Marc; ABENTE, Diego (org.). *The Struggle for Democracy in Latin America.* Baltimore: John Hopkins, 2008. p. 10-20.

_____; KUGELMAS, E. Estabilidade econômica e o Plano Real como construção política e democratização. In: _____; _____; WHITEHEAD, L. *Banco central, autoridade política e democratização:* um equilíbrio delicado. Rio de Janeiro: FGV, 2002.

_____; GARMAN, C.; MARQUES, M. Banco Central, autoridade política e governabilidade democrática. In: SOLA, L.; KUGELMAS, E.; WHITEHEAD, L. *Banco central, autoridade política e democratização:* um equilíbrio delicado. Rio de Janeiro: FGV, 2002.

_____; KUGELMAS, E.; WHITEHEAD, L. *Banco central, autoridade política e democratização:* um equilíbrio delicado. Rio de Janeiro: FGV, 2002.

SOUZA, M. C. C. S. *Estado e partidos políticos no Brasil.* São Paulo, Alfa-Ômega, 1976.

STARK, D.; BRUSZT, L. *Enabling constraints*: fontes institucionais de coerência nas políticas públicas no pós-socialismo. *Revista Brasileira de Ciências Sociais*, v. 13, n. 36, p. 13-39, fev. 1998.

STIGLITZ, J. O que aprendi com a crise mundial. *Revista de Economia Política*, v. 20, p. 169-174, jul./set. 2000.

THELEN, Kathleen. Historical institutionalism in comparative politics. *Annual Review of Political Science*, n. 2, p. 369-404, 1999.

URBINATI, N. O que torna a representação democrática? *Lua Nova*, v. 67, 2006.
VIANNA, L. W. A viagem (quase) redonda do PT. *Carta Maior*, jul. 2009.
WOLF, M. Os limites da liberalização. *Valor Econômico*, 26 mar. 2008, p. A15.

10

Democracia, Estado e mercado como agentes de transformação no Brasil

Lourdes Sola

O problema em perspectiva

As teorias sobre a democratização na América Latina embutem uma lógica político-econômica construída no ambiente internacional de crise dos anos 1980 e 1990, na esteira de sucessivos choques econômicos externos. Partem do pressuposto, correto à época, de que a democratização entre nós se desenvolveu em tempos difíceis: no contexto da crise da dívida externa de 1982, e dos ajustamentos estruturais que se seguiram à crise de legitimação de um modelo de desenvolvimento centrado no Estado. Elas se apoiam também em duas outras proposições que pretendem ter alcance regional. Primeira, que os ajustamentos estruturais levados a cabo ao longo daqueles anos teriam sido pautados predominantemente pelas condicionalidades impostas pelas instituições financeiras gêmeas de Bretton Woods, o Fundo Monetário Internacioal (FMI) e o Banco Mundial. A escolha das políticas públicas é equacionada em termos simplistas, como pautadas pelo ideário neoliberal, em termos de "um Estado mínimo", ou mesmo de "um assalto ao Estado". A segunda, relacionada à anterior, refere-se à relação unidimensional entre economia e política. As reformas de mercado teriam evidenciado o caráter subalterno da política em relação à economia. Isso porque as decisões dos políticos recém-eleitos que pautaram o processo de integração do Brasil à economia global teriam refletido o poder avassalador das regras do jogo impostas pela globalização econômica — nos termos impostos pelas "instituições globalizadoras" (Woods, 2000). Por essa perspectiva, os políticos eleitos são reduzidos à condição de um registro passivo da "necessidade econômica". Quando muito, os espaços da política e da ação do Estado teriam ficado circunscritos apenas aos conflitos distributivos que acompanharam a disputa crescente por recursos públicos, no contexto institucional instável e movediço de inflação acelerada e democracia nascente.

Essa leitura não dá elementos para explicar o desempenho do Brasil hoje, tampouco permite explicar as características distintivas de sua trajetória no quadro latino-americano. Ao contrário, duas décadas depois, a crise global de 2008 tornou evidente que o Brasil havia percorrido uma trajetória bem mais diferenciada do que o previsto nessas análises. A capacidade do país de fazer frente à "grande liquefação" dos ativos financeiros nas democracias dominantes, sem os grandes abalos que se sucederam às crises econômicas anteriores, atesta uma profunda mudança estrutural na forma de inserção do país no sistema econômico internacional.[1] Por esse prisma, o contraste com o cenário dos anos 1980 e início dos 1990 é patente. Por um lado, a crise de 2008 iluminou uma transformação econômica sem precedentes: a comparativa invulnerabilidade aos choques externos; a estabilidade de preços e das regras do jogo econômico; a conversão do país de devedor em credor, dotado de um mercado de capitais aprofundado e moderno. Por outro, o processo de integração à economia global revelou-se compatível com a redução sustentável nos índices de desigualdade social e, sobretudo, com a formação de um amplo consenso social sobre a democracia como *the only game in town*.

Neste capítulo, procuro identificar alguns elementos centrais para entender o Brasil como um caso de relativo sucesso no conjunto de países que Laurence Whitehead (2005) definiu como "democracias emergentes de mercado". São sociedades em que as transformações em sua forma de inserção no cenário internacional resultaram da interação dinâmica entre a liberalização dos respectivos regimes econômicos e o processo de democratização. Apresento quatro argumentos. Primeiro: a análise das dimensões distributivas da trajetória brasileira de liberalização econômica com democratização é um tópico subestudado e subteorizado. Faz-se necessário um recuo histórico aos anos 1980/1990 para entender por que foi possível compatibilizar políticas sociais redistributivas com novos padrões de disciplina fiscal e monetária, combinados a uma abordagem gradualista de reformas liberalizantes. Segundo: as situações de emergência econômica podem ter restringido o espaço de arbítrio dos políticos eleitos, mas a escolha das políticas públicas relevantes reflete um processo de construção social e política que con-

---

[1] Ver o capítulo 1 deste livro.

dicionou a formulação das soluções tecnicamente factíveis. Terceiro: a trajetória brasileira dos últimos 15 anos demonstra que as relações entre economia e política são mais complexas do que postulam as teses economicistas. Sustento que tais relações devem ser equacionadas nos seguintes termos: as mudanças econômicas estruturais oferecem um conjunto de incentivos, ou de restrições, que condicionam as decisões estratégicas dos políticos eleitos e das elites governamentais. Porém, a forma pela qual tais incentivos são interpretados, decantados e convertidos em políticas públicas depende de um conjunto de fatores sociais e políticos. Depende da estratégia de construção de poder dos novos governantes, das características do sistema político, das capacidades do Estado, do legado institucional do regime e do governo anterior, e das mudanças nos critérios de legitimação política. Por último, mas não menos importante, depende da ideologia dos atores políticos relevantes. A característica distintiva do Brasil é que tanto as situações de crise quanto as de crescimento sustentável forjaram incentivos para que os políticos (eleitos ou não) procedessem à redefinição do *mix* entre Estado e mercado, entre Estado e sociedade, e, não, para que implantassem um Estado mínimo.

Concluo com a proposta de uma nova problemática, subestudada, mas relevante para a análise das perspectivas que se abrem para o Brasil hoje. Esta pode ser resumida em duas perguntas e uma proposição. O que ocorre quando a economia passa a ser uma condição habilitadora que capacita os atores políticos a exercerem maior discricionariedade política? Quais as implicações dessa verdadeira mutação político-econômica para a estabilidade e para a qualidade da democracia brasileira? A proposição, de cunho teórico, está na raiz dessas reflexões. Para entender como a era do capital globalizante se manifesta em sociedades abertas, é necessário especificar os processos sociais, as forças políticas e as ideias pelas quais os impulsos e as instituições globalizantes — domésticos e internacionais — são decantados, filtrados e convertidos em agenda de Estado. Ou não.

Democratização com liberalização econômica no Brasil

A trajetória brasileira de democratização com liberalização econômica tem características singulares quando comparada a outros países da região. Entre elas destacam-se as constrições legais, políticas e econômicas impostas pela nova Constituição promulgada em 1988, as quais passaram a limitar as escolhas de políticas públicas subsequentes. Por um lado, essas constrições condicionaram a forte *dimensão distributiva* das políticas públicas levadas a cabo desde então, caracterizadas por um viés profundamente reformista, apesar das constrições econômicas. Como se verá, a Constituição fixou os parâmetros legais que condicionaram as decisões dos novos formuladores de políticas públicas, bem como as demandas por direitos civis, sociais e políticos. Por outro lado, no entanto, a Constituição incorporou o ideário tradicional sobre o papel do Estado como agente de transformação econômica, aumentando significativamente os custos legais e políticos das reformas de Estado.

A dimensão distributiva das reformas de Estado e de mercado

Na década de 1980, o Brasil, tal como ocorreu com seus pares da América Latina, confrontou-se com uma crise fiscal combinada a uma crise de legitimação do Estado como indutor do desenvolvimento. Um dos aspectos que diferenciam a trajetória brasileira é o fato de que, simultaneamente a esse padrão regional, os novos critérios de legitimação social e política integrados à agenda brasileira de democratização foram também entranhados na Constituição de 1988. A razão dessa singularidade remete às características do processo de transição política, lenta, gradualista: os 12 anos que decorreram entre a "abertura política" iniciada pelos militares (1974/1975) e o primeiro governo civil (1986). Foram anos pautados pela escalada dos movimentos sociais, pela emergência do "novo sindicalismo" e por novas formas de associativismo de setores profissionais de classes médias. Deles nasceram propostas de mudança parcialmente "constitucionalizáveis" pelos novos legisladores. Por isso, do ponto de vista sociopolítico, a Constituição de 1988 pôde desempenhar a função de âncora segura para uma mudança secular: uma modalidade mais igualitária de incorporação social e política dos setores que haviam sido deixados para trás durante os ciclos anteriores de acumulação de capital e de crescimento acelerado. Desenhava-se, assim, o cenário macropolítico e legal para levar a cabo as reformas sociais que consolidaram uma ruptura com o padrão secular caracterizado como "modernização socialmente conservadora".[2] Ela permitiu, por exemplo, a incorporação imediata de 8,5 milhões de trabalhadores rurais ao sistema de proteção social e ao sistema político-eleitoral.

A despeito da instabilidade macroeconômica e da rota explosiva da inflação, os primeiros 15 anos da democracia brasileira foram pautados pela extensão dos

---

[2] A "modernização conservadora" prevaleceu nos dois ciclos de crescimento acelerado e de diversificação estrutural: 1956-1961, em um marco democrático; e 1969-1974, sob o regime militar.

direitos civis, políticos e sociais em bases universais e pela legislação detalhada e eficiente de proteção social com foco nos setores mais vulneráveis da sociedade — idosos e deficientes.[3] Foram anos marcados por dois ciclos de reformas sociais: o primeiro data de 1980 a 1990, e o segundo, de 1990 a 2010. Sucessivos presidentes — José Sarney (1985-1989), Itamar Franco (1992-1994), Fernando Henrique Cardoso (1995-2002) e Luiz Inácio Lula da Silva (2003-2010) usaram intensivamente seu poder de agenda para regular e implementar os direitos sociais e políticos incorporados à Constituição. Uma breve lista desses avanços deve incluir o primeiro impulso à instauração do Sistema Único de Saúde (SUS) no governo Sarney, um ciclo que se completou na presidência de FHC. Deve-se ao presidente Itamar Franco o impulso inicial à institucionalização dos programas de *welfare*, graças à implantação da Lei Orgânica de Assistência Social (Loas). O espírito profundamente reformista dessa iniciativa contrasta com os experimentos anteriores, calcados na tradição assistencialista-filantrópica brasileira, condensada na Legião Brasileira de Assistência (LBA). As atividades dessa instituição, por sua vez, foram encerradas no governo FHC. Nesse governo, três tipos de reforma consolidaram o espírito reformista da Carta de 1988. A implantação do sistema de previdência dos trabalhadores rurais e a reforma do sistema de previdência, que se completaria no governo Lula, e a instauração de conselhos especiais para cada uma das áreas sociais, integrados por representantes da sociedade civil, dos beneficiários e demandantes, do governo e dos profissionais da área — um marco importante na democratização dos processos decisórios pertinentes. Nos anos do governo Lula, além da preservação do arcabouço institucional anterior, as reformas possibilitadas pela Constituição incluíram: o aprofundamento da reforma da previdência e a criação do Sistema Único de Assistência Social (Suas).

Em resumo, no que se refere à dimensão distributiva, às relações entre Estado e sociedade, a Constituição de 1988 condensou um deslocamento significativo, pautado por novos critérios de legitimação política, de corte liberal e republicano. Ela representou (e representa) uma constrição habilitadora (*enabling constraint*) de avanços democráticos, nos quais o Estado pôde (e pode) atuar como agente de transformação social e política, promotor e garantia da implantação de direitos. A nova Carta constituiu, por isso, a referência básica para uma nova relação entre Estado e sociedade e para a ação de três tipos de novos atores políticos: para os

---

[3] As análises das políticas sociais que se seguem baseiam-se na extensa obra de Sônia Draibe, com especial destaque para Draibe (2010).

formuladores de políticas públicas; para os portadores e/ou beneficiários dessas demandas; e para os membros do sistema de justiça, convertidos em atores estratégicos, porque intérpretes autorizados do novo marco legal.

Do ponto de vista da equação entre Estado e mercado, no entanto, a Constituição de 1988 era profundamente conservadora, por ser estatizante. Prevaleceram os princípios normativos e regulatórios típicos de uma abordagem das relações entre economia e política centrada no Estado, a par de doses significativas de nacionalismo econômico. Além disso, a estrutura corporativista, que regulara a integração dos interesses organizados urbanos ao Estado desde 1930 — de inspiração mussolinista —, foi estendida aos trabalhadores rurais. A nova Carta indicou — e institucionalizou — a prevalência de uma concepção normativa do Estado como motor de transformação econômica — de costas para as constrições econômicas impostas pela crise fiscal do Estado. Além disso, foi omissa em relação às distorções econômicas e sociais do modelo centrado no Estado. Por essa razão, e na medida em que quaisquer mudanças na Constituição requeriam o recurso a procedimentos legais politicamente onerosos, a nova Carta impunha severas constrições legais à liberalização econômica. Por isso também, como os atores políticos com poder de veto foram legalmente equipados com o direito a recurso a várias instâncias do sistema de justiça, passaram a dispor de instrumentos protelatórios para adiar a aplicação da lei. Por essa perspectiva, a Constituição representou uma constrição duplamente inibidora (*disabling constraint*) para barrar medidas liberalizantes, assim como as subsequentes tentativas de reordenamento das formas de financiamento e dos gastos do Estado. Derivam daí os altos custos legais e políticos das reformas econômicas relevantes para promover a integração do país ao mercado global e para instaurar novos padrões de governança, de disciplina fiscal e monetária. Qualquer ofensiva reformista no plano econômico teria por precondição reformas constitucionais, necessariamente negociadas no Congresso, dependentes da formação de maiorias de três quintos e do apoio da maioria dos Executivos subnacionais. Além disso, teriam de ser legalmente autorizadas pelos membros do sistema de justiça, o Judiciário e o Ministério Público.

É a partir desse quadro legal que deve ser situada outra característica distintiva da trajetória brasileira de democratização com liberalização econômica. Ela restringiu o leque de opções de políticas públicas, pois tornou política e legalmente inviável a adoção de políticas neoliberais ou "um assalto ao Estado". O *mix* efetivo que caracterizou as equações Estado-sociedade e Estado-mercado não poderia ter seguido, portanto, o *script* imputado ao Consenso de Washington. A lógica política moldada pela Constituição remete, portanto, às duas características que marcariam os processos decisórios ulteriores. A primeira é a prevalência da negociação e da barganha — e da contestação — sobre a adesão pura e simples ao liberalismo constitucional, vale dizer, ao estabelecimento de uma linha divisória clara entre os princípios estabelecidos constitucionalmente, não suscetíveis a conflito, e o espaço no qual se exerce a vida política, com seus conflitos. A segunda característica deriva da anterior. Esse tipo de lógica e dinâmica políticas inviabilizaria também a adoção das terapias de choque que caracterizaram os experimentos econômicos na Bolívia dos anos 1980, e na Argentina ou na Rússia dos anos 1990.

A julgar pela amplitude das reformas sociais levadas a cabo, no Brasil, a partir dos anos finais da década de 1980, e aprofundadas a um ritmo acelerado nos anos 1990, o Estado de bem-estar preexistente passou por uma transformação profunda, em meio à instabilidade macroeconômica associada a sucessivos choques externos — e apesar dela. Falo da crise mexicana de 1994/1995, da crise da Ásia em 1997/1998, da moratória da Rússia em 1998 e da crise de 2002, inseparável do alto risco associado pelos mercados à probabilidade da eleição de Lula.

Os especialistas em políticas públicas convergem quanto às evidências de que o ano de 1993 constituiu um divisor de águas no que diz respeito à redução sistemática das desigualdades de renda e à redução da pobreza, bem como à formulação do marco institucional que passou a enquadrar as políticas sociais (Ferreira, Litchfield e Leite, 2006). Ora, esse ano foi também um divisor de águas quanto à estabilização econômica, à implementação sistemática de reformas de mercado e das disciplinas fiscal e monetária que puseram fim à rota explosiva da inflação.

Em 1995, a montagem de um novo e elaborado marco institucional serviu de âncora para a regulamentação dos direitos sociais estabelecidos na Constituição. Durante os dois mandatos do presidente Fernando Henrique Cardoso (1995-1998 e 1999-2002) iniciou-se o segundo ciclo de reformas, parte das quais completaram as do primeiro ciclo, correspondente aos governos Sarney e Itamar Franco. Estas incluíram: a) a expansão dos programas públicos de caráter universal nas áreas de educação e saúde (SUS); b) programas especiais focados em idosos e deficientes (Loas). A novidade foi a implantação dos programas condicionados de transferência de renda, como o Bolsa Escola, o Bolsa Alimentação e o Projeto Alvorada, cobrindo 5,5 milhões de famílias. A isso somaram-se os programas levados a cabo pelos programas da Comunidade Solidária, de Ruth Cardoso, que articulava a provisão extensa de serviços públicos universais com programas de alfabetização e de capacitação profissional, com foco nos municípios mais carentes. Finalmente, o novo e bem-sucedido impulso à reforma agrária garantiu o assentamento de 630 mil famílias sob a supervisão do recém-criado Ministério da Reforma Agrária. Ao mesmo tempo, o novo marco institucional criado para esse fim viabilizou pela primeira vez o processamento rápido dos assentamentos de terra e a implementação de um programa de redução da pobreza no setor rural (o Programa Nacional de Fortalecimento da Agricultura Familiar — Pronaf).

A característica singular desse período consiste justamente no fato de o segundo ciclo de reformas sociais ser *simultâneo* à adoção das disciplinas monetárias e a reformas de mercado, como: a) o aprofundamento da liberalização comercial iniciada no governo Collor; b) a suspensão das restrições constitucionais à mobilidade de capitais; c) a privatização de um número limitado de empresas e bancos estaduais; d) o programa de resgate de bancos privados de importância regional, em situação falimentar; e) reformas administrativas. Esse ciclo de reformas se desdobrou na das agências reguladoras autônomas na área de energia elétrica e de petróleo (Aneel e ANP), e culminou com a Lei de Responsabilidade Fiscal, que disciplinou as relações entre o governo federal e os governos subnacionais, ao mesmo tempo que introduzia novos critérios de transparência e de prestação de contas (Abrucio e Loureiro, 2005).

O crescimento exponencial dos gastos sociais derivados da regulação dos direitos sociais incorporados à Constituição de US$ 1,3 bilhão, em 1995, para US$ 12,3 bilhões, em 2002, atesta o viés redistributivo do novo Estado de bem-estar. Além disso, essas medidas viabilizaram um duplo avanço, seja na estrutura das desigualdades, seja na redução da pobreza, tendências que se revelaram sustentáveis (Ferreira, Litchfield e Leite, 2006). Em 2004, o coeficiente Gini indicou um declínio de seis pontos, de um pico de 0,625, em 1989, para 0,564, enquanto a pobreza declinou em 25%.

O governo do presidente Lula, a partir de 2003, deu novo impulso a esse processo, com a aceleração do ritmo de redução da pobreza e também das desigualdades de renda. A par do seu compromisso com a estabilidade macroeconômica, a mudança positiva no cenário econômico internacional, a partir de 2004, abriu espaço para um novo ciclo de expansão dos programas de transferência de renda condicionada, sob a égide do programa Bolsa Família. O número de beneficiários mais do que dobrou — de 5,5 milhões de famílias atendidas em 2002 para 8 milhões em 2004 e 2005, e para 11,9 milhões em 2009.

Em um período de 14 anos (1996-2009) o impacto geral de *todas* as transferências de renda condicionadas se refletiu na redução sustentada do coeficiente Gini em mais de 12 pontos. No governo Lula, outros fatores contribuíram para esse resultado: o crescimento econômico a partir de 2004; o aumento do salário mínimo, de 39% em termos reais; a lenta desvalorização do dólar e, portanto, o aumento do poder de compra; a política de crédito.

Um aspecto a ressaltar diz respeito à diferença de ênfase atribuída à continuidade das políticas sociais quando comparada à política macroeconômica. Embora o governo Lula tenha mantido ao longo de seus dois mandatos o mesmo arcabouço institucional criado por seu antecessor para ancorar o conjunto de políticas sociais, foram a continuidade das políticas macroeconômicas e a autonomia de fato do Banco Central que ganharam projeção nos meios de comunicação.

Essa defasagem é sintomática de um novo ponto de inflexão nas relações entre democracia, mercado e Estado, que corresponde a três desdobramentos paralelos e simultâneos característicos do governo Lula. Refiro-me à recombinação entre a continuidade de políticas macroeconômicas liberalizantes, favoráveis aos mercados, a continuidade e o aprofundamento das políticas sociais anteriores, e a retórica política da descontinuidade radical, condensada na fórmula "nunca antes nesse país". Como se sabe, além de uma relativa continuidade das políticas macroeconômicas, a reforma do sistema de previdência, em 2003, aprofundou a de 1998, e, com ela, o compromisso de reordenamento dos gastos e das formas de financiamento do Estado, razão pela qual pôde ser apoiada pelos partidos de oposição no Congresso (PSDB e PFL). O que importa ressaltar é o significado desses desdobramentos. Por um lado, um avanço significativo no processo de formação de consensos mínimos, que se revelaram indispensáveis para levar a cabo a transição eleitoral do governo FHC para o governo Lula aos olhos do mercado e do eleitorado. Por outro, a construção de um imaginário popular em que ganhou força a polarização sem precedentes entre o povo e as elites.

A conquista da credibilidade econômica e os usos da legitimidade política

Nas democracias emergentes de mercado, o principal desafio para os formuladores de políticas públicas consiste em encontrar os pontos de convergência entre os requisitos impostos pela integração à economia global e as demandas de um eleitorado típico de uma democracia de massas. Na raiz desse desafio está a mudança estrutural que configurou uma nova relação entre economia e política na era da globalização econômica. Pois, nessas sociedades, foi justamente quando a democratização conferiu maior poder a um eleitorado de massa que se produziu, também, a transferência parcial de um maior poder financeiro e econômico das autoridades políticas nacionais aos mercados globais. Isso quer dizer que o desafio consiste em encontrar pontos de convergência — e de equilíbrio — entre dois objetivos. Por um lado, a *credibilidade econômica*, indispensável para o acesso ao mercado internacional de capitais, crucial para aumentar a taxa de investimento e de crescimento. Por outro, a conquista da *legitimidade política* aos olhos de um eleitorado que associa a democracia a maior bem-estar, à conquista de direitos, e à reversão das desigualdades sociais.

De que forma essa mudança estrutural comum às democracias emergentes de mercado reverberou sobre as escolhas de políticas públicas no Brasil? O melhor modo de encaminhar a resposta é refazer a pergunta. Quais os pontos de convergência entre a busca da credibilidade econômica e a conquista da legitimidade política? Essa questão adquire significado especial à luz das características distintivas do legado político-econômico do regime autoritário brasileiro. Este combinou um modelo econômico centrado no Estado, como agente de transformação econômica, indutor da industrialização e da diversificação estrutural, com um sistema político autoritário híbrido. Um sistema político pautado por eleições subnacionais, pela imposição de um sistema partidário tutelado, o qual, por sua vez, foi reiteradamente redefinido em resposta a cada vitória eleitoral das oposições no plano subnacional.[4] No que segue, atenho-me ao primeiro aspecto.

O legado do regime autoritário: Estado e mercado como agentes de transformação

Três características do regime autoritário são relevantes para nossos propósitos. A primeira foi a opção pela continuidade do crescimento acelerado, quando as elites governamentais da época foram confrontadas com as condições internacionais adversas, isto é, os primeiros choques do petróleo (1973/1974) e a alta abrupta dos juros nos Estados Unidos e, por extensão, os juros da dívida externa. A resposta a esse cenário foi o aprofundamento do modelo de industrialização por substituição de importações, com investimentos em bens de capital e insu-

---

[4] Isso marca uma enorme diferença com o legado político de outros regimes autoritários da América Latina (Argentina, Chile e Bolívia) e do Sul da Europa. Por um lado, o recurso a eleições como forma de legitimar o novo regime envolveu a imposição de um quadro bipartidário, configurando, assim, a coexistência do regime com padrões de concorrência eleitoral ausentes nos demais. Por outro, em lugar das identidades partidárias submersas, que ressurgiram em contexto pós-autoritário nos países apontados, no Brasil emergiram novas identidades partidárias em conexão com o jogo eleitoral permitido e bem explorado pelos opositores do regime. Isso explica por que a democratização brasileira não pôde ser ancorada na reativação das identidades partidárias anteriores.

mos intermediários e a maior diversificação regional desses investimentos. Essa estratégia correspondeu a um padrão de acumulação de capital específico: ancorado na participação de empresas e bancos estatais, de capital privado doméstico e internacional, sob a tutela do poder central como formulador da "agenda de desenvolvimento". A versão brasileira de "seleção dos vencedores" pelos agentes do Estado (então praticadas nos países da Ásia), ancorava-se em mecanismos de financiamento característicos: a) o recurso intensivo ao endividamento externo; b) o papel funcional da inflação moderada para a acumulação de capital, garantindo a transferência de renda para os formadores de preços e para o Estado (via imposto inflacionário); e c) política salarial regulada por fórmulas que garantiam aumentos reais inferiores aos níveis médios de produtividade.

A escolha das políticas públicas nesse período, portanto, confirma um padrão que caracterizo como "fuga para a frente", ou seja, a opção estratégica pela continuidade do crescimento acelerado observado nos anos do "milagre econômico" (1969-1974). Excluíam-se, assim, políticas de ajustamento ao novo cenário internacional, marcado por choques externos, que exigiriam o reordenamento das formas de financiamento e dos gastos do Estado.

Daí a segunda característica distintiva, que explica em parte essa opção estratégica. O ideário nacional-desenvolvimentista dos militares e tecnocratas que formavam a coalizão dominante é um fator ponderável, mas não basta para explicá-la. Ela adquire sentido à luz das teses de Hirschman sobre a *dimensão política* do crescimento acelerado, como um mecanismo de legitimação social e política. A experiência brasileira valida essa interpretação, segundo a qual o crescimento acelerado tem o poder de atuar como fator de coesão social justamente quando as desigualdades de renda tendem a aumentar. O mecanismo é simples: o crescimento acelerado recria um horizonte de expectativas positivas entre os setores deixados para trás em termos relativos, porque são beneficiários dos ganhos de renda e de riqueza em termos absolutos. A percepção de um "efeito túnel", ou seja, a perspectiva de mobilidade social ascendente gerada pelo crescimento, explica a tolerância com a desigualdade crescente de renda e de riqueza, e a consequente redução dos conflitos distributivos – justamente quando a acumulação de capital é mais intensa.

No contexto autoritário brasileiro, a aposta no crescimento acelerado adquiriu funções políticas adicionais. Dispensava o Estado de exercer um papel proativo na reversão das desigualdades sociais e, ao mesmo tempo, permitia acomodar as elites políticas regionais, detentoras das máquinas eleitorais subnacionais. Também contribuiu para minimizar a oposição da direita autoritária ao projeto oficial de liberalização política.

A terceira característica distintiva do modelo estadocêntrico brasileiro foi a emergência de uma configuração especial nas relações Estado/setor privado — os "anéis burocráticos" —, conforme caracterização de Fernando Henrique Cardoso à época. Os interesses das grandes corporações, privadas e estatais, eram integrados seletivamente às arenas decisórias do Estado, por meio de vínculos individualizados com as burocracias relevantes, nas quais se desenhavam os projetos de investimento e a distribuição de incentivos planejados pelo Executivo federal. Nessas arenas decisórias prevaleceu um sistema de negociações, entre tecnocratas e representantes do setor privado, à margem de quaisquer mecanismos de prestação de contas, de responsabilização e de controle público.

A crise da dívida externa de 1982 obrigaria as elites governamentais e empresariais a se defrontarem com uma transformação estrutural sem precedentes na história brasileira. A interrupção dos fluxos internacionais acelerou um processo já em curso — a crise fiscal do Estado —, que passou a depender de um mercado de capitais doméstico, estreito e raso, para financiar seus gastos, a juros crescentes. O Estado brasileiro passou a depender também da geração de excedentes exportáveis para financiar suas importações e para rolar a dívida externa, incluída aí a dívida do setor privado, "estatizada" porque assumida pelo Estado como dívida pública.

Em termos do legado do regime autoritário, interessa registrar apenas as múltiplas funções políticas do crescimento acelerado: como fator de legitimação do regime, como amortecedor dos conflitos distributivos, e como facilitador do projeto de "abertura política". Nesse quadro, as disciplinas fiscal e monetária passaram a ter caráter subalterno — na contramão das novas exigências impostas pela necessidade de administrar a crise fiscal do Estado a partir de 1982. Foi com essa mudança estrutural que adquiriu sentido a emergência de um novo critério de desempenho econômico — o da solvência do país — como condição *sine qua non* para o acesso ao mercado internacional de capitais. O reconhecimento dessa situação objetiva pelos formuladores de políticas públicas e pelos demais atores políticos foi tardio. Pois a crença dominante na funcionalidade da inflação para a acumulação de capital, e, portanto, para a geração de renda e de emprego explica o caráter subalterno da estabilidade econômica como critério de desempenho econômico e de legitimação política aos olhos dos interesses organizados, sindicais e patronais. Ela explica a cultura econômica dominante entre os setores ditos de esquerda, e a resistência ativa dos sindicatos e do Partido dos Trabalhadores *a todos* os experimentos de estabilização ensaiados nos anos 1980 e 1990. Por isso, também, a história dos anos iniciais da democratização no Brasil pode ser narrada em termos de um lento processo de aprendizagem, por parte das futuras elites governamentais, sobre a estabilidade econômica como um bem público.

Por essa ótica, embora os experimentos heterodoxos de estabilização anteriores ao Plano Real (1993/1994) tenham fracassado, tiveram a função inestimável de contribuir para a formação de consensos mínimos futuros. Contribuíram para evidenciar o forte apoio dos setores não organizados e menos privilegiados — a maioria da população — à estabilidade econômica. Sinalizaram a emergência de um novo critério de legitimação política — a estabilidade como bem público —, a qual, finalmente, se consolidou como critério de desempenho eleitoral com a eleição de Fernando Henrique Cardoso.

O contraste entre a trajetória de transformações positivas no *front* da construção democrática e a trajetória da economia, marcada pela crise fiscal do Estado, atingiu seu auge nos anos 1980. Sem acesso ao mercado internacional de capitais, o Estado passou a depender de um mercado de capitais doméstico, limitado e raso, para financiar seus gastos crescentes. A liberação da demanda reprimida por gastos sociais, inseparável da liberalização do regime autoritário, foi apenas uma das faces do problema. A dependência crescente do Estado em relação ao mercado doméstico limitado implicou também um aumento crescente dos riscos de insolvência, com a consequente elevação dos juros (e prêmios de risco) cobrados para a rolagem da dívida pública. Esse endividamento em bola de neve é que explica uma das transformações mais relevantes para o observador do quadro político-econômico: a mudança no regime inflacionário, ou seja, a rota explosiva da inflação (que, embora comparativamente alta, permanecera sob controle).[5] O que importa reter é a natureza da explicação econômica, endossada neste capítulo. Parte-se de uma dupla constatação: a mudança no regime inflacionário, dando lugar ao curso explosivo da inflação; e o vínculo entre esse fenômeno e a dependência abrupta do Estado dos mercados financeiros domésticos para financiamento de seus gastos, em decorrência do choque externo de 1982. Essa explicação é relevante porque foi teorizada por analistas latino-americanos, argentinos e brasileiros, na contramão do diagnóstico ortodoxo da hiperinflação, endossado pelo FMI e pelos comitês internacionais de negociação da dívida dos países latino-americanos. Estes situavam as causas da inflação predominantemente no modelo de substituição de importações e no tamanho dos respectivos Estados. Essa interpretação negligenciava

---

[5] Baseio-me na interpretação de Frenkel, Fanelli e Rozenwurcel (1993), notoriamente não convencional no diagnóstico da hiperinflação. Ver também Sola (1993a e 1993b).

justamente o fator que contribuiu para a mutação do regime inflacionário, ou seja, o choque externo de 1982. O componente ideológico dessa interpretação é ainda mais evidente no caso do Brasil, onde a industrialização com base no modelo de substituição de importações avançou mais, a taxas de inflação comparativamente altas mas administráveis.

É nesse quadro, de rota explosiva da inflação e de dependência do Estado dos capitais domésticos privados, que se situam dois fenômenos conjugados: a deslegitimação da funcionalidade da inflação para a acumulação de capital aos olhos do setor privado e de formuladores de políticas públicas; e a crise de legitimação do Estado como agente de transformação. É nesse quadro também que se observa a mutação nas preferências sociais, sobretudo dos setores não organizados da população, em favor da estabilidade econômica. A percepção dessa mudança pode ser explorada politicamente graças à participação popular no primeiro experimento de estabilização heterodoxa, o Plano Cruzado.

Resultaram daí desdobramentos políticos relevantes para a formação de consensos mínimos. Por um lado, a convergência entre a estabilidade econômica, legitimada aos olhos da população não organizada e carente, e o interesse dos setores privado e público em reconquistar a credibilidade econômica para ter acesso ao capital internacional. Por outro, a eleição de Fernando Henrique Cardoso, no primeiro turno, na esteira do Plano Real, que consolidou a convergência entre legitimidade político-eleitoral e credibilidade econômica. Foram esses processos que conferiram autoridade política e legitimidade técnica aos formuladores do Plano Real, não obstante a recusa do FMI em aprová-lo e apesar da oposição sistemática dos sindicatos e do principal partido de esquerda, o PT.

Por essas razões, justifica-se conceptualizar a estabilização da economia, combinada às disciplinas fiscal e monetária que se seguiram e aos novos padrões de governança adotados, como um processo de construção social — para além de sua dimensão técnica inovadora.

Continuidade e mudança: os usos da legitimidade política nos governos de FHC e Lula

A trajetória brasileira dos últimos 18 anos fornece um conjunto de evidências que confirma o pressuposto principal deste capítulo: as mudanças econômicas estruturais, nos planos internacional ou doméstico, apenas fornecem um conjunto de incentivos e/ou restrições para a tomada de decisões estratégicas por parte dos políticos eleitos e das elites governamentais. A forma pela qual tais incentivos são explorados e a escolha das políticas públicas relevantes dependem de outros fatores: a estratégia de construção de poder dos novos governantes; as características do sistema político e as capacidades do Estado; o legado institucional do regime ou do governo anterior, os critérios de legitimação política. Tanto as situações de crise econômica geradas por choques externos quanto o crescimento sustentável a partir de 2004 são interpretados aqui, portanto, apenas como incentivos para que os governos de Fernando Henrique Cardoso e de Lula procedessem à redefinição do *mix* entre Estado e mercado.

A ofensiva reformista e os anos de construção institucional (1994-2001)

> Enraizar a democracia e estabilizar as relações de mercado, incluindo-se aí a estabilidade econômica, toma tempo, paciência, boa liderança e firmeza de propósitos, especialmente em uma sociedade extremamente desigual como a brasileira, com instituições democráticas ainda em vias de consolidação, com experiência de cidadania limitada e com poucas garantias ao exercício de direitos [Sola e Whitehead, 2005:4].

É contra esse pano de fundo que se destaca o que Laurence Whitehead e eu caracterizamos como o processo de *statecrafting*. Nesse caso, o uso desse conceito (dos mais tradicionais e negligenciados da ciência política) restringe-se ao processo de institucionalização das democracias emergentes de mercado.[6] Pode ser definido como a capacidade dos governantes de gerar novos recursos de poder a partir de instituições dadas (e herdadas), recursos postos a serviço da construção de novas formas institucionais. O critério para avaliar a qualidade dessa construção nas democracias emergentes de mercado é justamente sua eficácia em promover o enraizamento dos valores democráticos e a estabilização das relações de mercado.

Essa construção, no Brasil, manifestou-se de várias formas, evidenciando as características distintivas da trajetória brasileira. A primeira consistiu na construção do arcabouço institucional das políticas sociais, que consolidaram a ruptura

---

[6] Tem sido por nós usado em outros contextos, nos quais um projeto político de longo prazo envolve a formação de consensos mínimos, negociações e um processo de construção institucional cujos objetivos podem se concretizar, mas não necessariamente. Depende de múltiplos atos de delegação política e de calibragem (*balancing acts*) por parte das lideranças relevantes. Eu o uso ainda em outro contexto, para me referir à Europa do euro (Sola, 2011).

definitiva com o padrão histórico da modernização conservadora (1987-2002), simultaneamente a um conjunto de reformas de mercado conduzidas de forma gradualista e negociada nas arenas decisórias relevantes. Situadas no Congresso, no sistema de justiça e nos espaços de interação entre o governo federal e os governos subnacionais, as negociações nessas arenas se caracterizaram por seu caráter inclusivo, no sentido de incorporar os *players* que representavam os principais pontos de veto às reformas: o principal partido de oposição, o PT, os sindicatos e os governadores, cujo poder de barganha se consolidara no quadro do novo federalismo democrático.

Duas outras dimensões da construção institucional são relevantes para situar o tipo de *statecrafting* característico do período 1990-2002, e ajudam também a situar os elementos de continuidade e de mudança entre os governos FHC e Lula. Primeiramente, a legitimação do Banco Central como autoridade monetária efetiva, na contramão das explicações ortodoxas. Conforme essa linha de pensamento, a institucionalização de um banco central independente é vista como condição para garantir a estabilidade econômica. A conquista da estabilidade econômica no Brasil, ao contrário, constituiu a precondição para a legitimação da autoridade monetária, o Banco Central, como autoridade política.[7] Ela conferiu autoridade ao governo para proceder à reconcentração de poderes e à obtenção de boa dose de autonomia e de credibilidade dessa instituição aos olhos dos investidores internacionais e também da população beneficiada pela estabilidade de preços.

Sob esse aspecto, alguns avanços institucionais são dignos de nota. Por um lado, a privatização dos bancos estaduais em crise — um primeiro movimento de reconcentração de poder em mãos da autoridade monetária formal. Por outro, alguns anos mais tarde, o "resgate" de bancos privados de importância regional e a subsequente transferência de seus ativos ao controle do Estado — o Proer. Finalmente, a construção gradualista de uma rede de segurança do sistema financeiro brasileiro, fundada em novos poderes de regulação e de supervisão do Banco Central. Essa construção foi acelerada depois da crise cambial de 1999, na esteira da moratória da Rússia. Deriva dessas iniciativas um tipo de desenvolvimento institucional que faz do sistema financeiro brasileiro um dos mais regulados do mundo. Também explica sua resistência ao impacto negativo da crise global de 2008.

---

[7] A lógica e a dinâmica políticas que explicam essa característica distintiva da experiência brasileira estão elaboradas em Sola e Marques (2005) e em Sola e Whitehead (2005).

Da mesma forma, o processo de reconstituição da autoridade fiscal, em curso desde 1994, culminou com as negociações em torno da Lei de Responsabilidade Fiscal, de 2000. A construção gradualista de consensos em torno dela se desenvolveu nos dois eixos que definem as condições de governabilidade no Brasil: o eixo parlamentar situado no Congresso e o eixo federativo.

O governo Lula e os usos da legitimidade política

O ano de 2002 ofereceu um exemplo típico da dinâmica política das crises financeiras em democracias emergentes de mercado — crises associadas ao "risco eleitoral", na percepção dos investidores internacionais (Whitehead, 2005:13-37). Na sua origem, o déficit de credibilidade econômica do candidato do PT à presidência tinha raízes na trajetória e nas iniciativas radicais do partido, que incluíam desde a recusa a firmar a nova Constituição, em 1988, até a oposição sistemática aos planos de estabilização e ao Plano Real, passando pela campanha contra o pagamento da dívida externa no ano anterior.

A perspectiva de vitória de Lula, porém, condicionou uma mudança significativa na estratégia eleitoral do PT — o deslocamento para o centro do espectro político e para uma retórica amigável aos mercados, condensados na Carta aos Brasileiros. O teor desse documento reflete o reconhecimento (tácito) de um ponto de convergência entre os temores do mercado e os de um eleitorado avesso a radicalismos. Não foi suficiente para reverter a crise, como tampouco foram os acordos com o FMI, avalizados pelo governo Fernando Henrique Cardoso e fundados em um compromisso minimalista: manutenção do regime de metas de inflação, 4,25% de superávit primário, taxas de câmbio flutuantes e respeito aos contratos.

Foi a partir desse pano de fundo que adquiriu sentido o desafio posto para o governo Lula nos três primeiros anos de seu primeiro mandato: reverter o desequilíbrio inicial entre um enorme déficit de credibilidade econômica e um superávit excepcional de legitimidade político-eleitoral. Vários mecanismos foram decisivos para a viabilização dessa tarefa. O mais importante deles foi a manutenção dos principais parâmetros de política macroeconômica herdados do governo anterior, bem como do arcabouço institucional das políticas públicas, incluindo as políticas sociais, com a diferença de que a centralização das decisões no Ministério da Fazenda e no Banco Central, integrados por equipes de orientação liberal, fez-se sob a tutela de um dos líderes do PT, o ministro Antonio Palocci. Garantiu-se, com isso, o confinamento das arenas decisórias da economia, com o objetivo de protegê-las das pressões da política partidária, sobretudo dos economistas do PT.

Finalmente, e não menos importante, o uso intensivo pelo presidente Lula de sua condição de comunicador político excepcional assegurou o prolongamento do horizonte de expectativas da população, confrontada com crescimento zero em 2003 e com a frustração das promessas eleitorais.[8]

A retomada das condições de crescimento a partir de 2004 marcou uma virada histórica: o ponto de inflexão que caracterizou a mudança na forma de inserção do país no cenário internacional. As virtudes da estratégia de integração aos mercados globais, iniciada no governo anterior, passaram a render dividendos diante da disposição do presidente Lula de garantir a continuidade das políticas macroeconômicas e, sobretudo, a autonomia operacional do Banco Central. Esse período marcou o início de um novo ciclo político e econômico, por duas razões. Primeiro, a reconquista da convergência entre a credibilidade econômica nos termos definidos e impostos pelos mercados internacional e doméstico e a legitimidade política do presidente aos olhos do eleitorado. Segundo, a emergência da economia chinesa como propulsora da demanda externa. Por isso, de uma perspectiva de longo prazo, a reeleição do presidente Lula, em 2006, pode ser interpretada como a recompensa do eleitorado pela *combinação* entre estabilidade econômica, continuidade do processo de integração ao mercado global e o aprofundamento do viés distributivo, que haviam caracterizado a trajetória do governo anterior. Com uma diferença essencial, porém: a combinação dessas três diretrizes estratégicas se efetivou em um contexto em que a "economia" se transformara em uma constrição habilitadora, ampliando o espaço de opções para a ação estratégica dos políticos. Diante da menor vulnerabilidade da economia aos choques externos e do alongamento do horizonte de crescimento econômico sustentável, o viés distributivo ganhou novo impulso, graças à expansão do programa de transferência de renda condicionada (o Bolsa Família), ao aumento sustentado do salário mínimo em termos reais, e a uma política de crédito dirigida aos consumidores de baixa renda.

Nenhum desses movimentos teria alterado substancialmente o *mix* entre Estado e mercado que caracterizara o governo anterior, não fosse pelas evidências de um retorno parcial à vocação estadocêntrica do regime militar, patente em vários níveis. No plano econômico, o viés estatizante se manifestou de várias formas: na estratégia de seleção de vencedores dos setores privado e público, nos financiamentos do BNDES, na participação crescente dos fundos de pensão das empresas

---

[8] Para uma análise mais detalhada da funcionalidade da retórica política do presidente Lula, ver Sola (2008).

e dos bancos públicos nas decisões de investimento. Trata-se de um viés ancorado na tradição brasileira, segundo a qual o crescimento pela ação seletiva do Estado funciona como um fator de coesão de interesses entre as novas e velhas elites que compõem uma coalizão governamental ampla e politicamente heterogênea, mas com uma diferença essencial. A incorporação das velhas elites se fez de forma subordinada à lógica política de centro-esquerda, condensada no lulismo, e à estratégia de poder de um único partido que se queria hegemônico, o PT.

O viés estatizante incluiu vários desdobramentos, alguns já embrionários no primeiro mandato do governo Lula. Foi o caso das investidas contra a autonomia das agências reguladoras, gradativamente partidarizadas, e da distribuição dos cargos do Estado, das empresas e dos bancos públicos aos partidos da base aliada. O exemplo mais notório da lógica de poder subjacente ao viés estatizante é o da Vale do Rio Doce. A dificuldade de impor a política do Executivo à presidência da empresa, privatizada nos anos 1990, culminou no uso intensivo do poder de fogo dos fundos de pensão das empresas pública e do BNDES — detentores de boa parcela das ações —, apesar do desempenho global e dos níveis de lucratividade sem precedentes obtidos pela direção anterior. Incluem-se também nesse movimento dois outros conjuntos de iniciativas: a reativação da Eletrobrás, empresa dormente que seria viabilizada como *holding* do setor elétrico parcialmente privatizado (e objeto de barganha entre o governo e o PMDB), e a absorção de bancos estatais e privados pelo Banco do Brasil.

Democracia, Estado e mercado no cenário pós-crise

É à luz desses processos que cabe situar as questões colocadas no início deste capítulo. O que ocorre quando a economia passa a ser uma condição que capacita os atores políticos a exercerem maior discricionariedade política? Quais as implicações relevantes para o aprofundamento da democratização e da qualidade da democracia brasileira?

As tendências de mudança no *mix* entre democracia, Estado e mercado como agentes de transformação merecem destaque, por motivos tanto analíticos quanto normativos. Uma delas foi a reconcentração dramática dos poderes decisórios nas arenas do Executivo, em detrimento de um Legislativo tutelado e despolitizado. Por certo, o desequilíbrio entre poderes é congênito ao desenho institucional da democracia brasileira. A dominância do Executivo como principal legislador da República é uma questão empírica, comprovada. Por outro lado, o hiperpresidencialismo ganhou novo impulso nos últimos anos, graças a dois fatores. Por um lado, a estrutura fragmentada da coalizão governamental no Congresso, ampliada de 11 para

14 partidos. Por outro, a figura avassaladora e a retórica política de Lula, ancoradas na ambição de consolidar seu governo no imaginário popular como o momento de refundação da nação. Contra esse pano de fundo, é possível discernir uma situação paradoxal que as eleições de 2010 voltaram a trazer à tona. Refiro-me à manifesta dificuldade dos partidos de oposição de formular projetos alternativos, em clara dissonância com o peso significativo do eleitorado oposicionista (em torno de 44/%). A incorporação parcial dos interesses organizados, sobretudo das grandes confederações sindicais, às estruturas do Estado compõe o quadro de reconcentração de poderes que potencializa os impulsos do hiperpresidencialismo.

Uma das conclusões, evidente sobretudo no plano político partidário, é que cabe falar em desconstrução institucional (*de-statecrafting*). Desde 2004, e com maior ênfase a partir de 2006, os estrategistas do PT e a popularidade avassaladora de Lula levaram à maximização (e não à redução) dos déficits de representação que caracterizam o quadro partidário brasileiro. O uso dos cargos no Estado é instrumental como moeda de troca para promover a migração interpartidos, fortalecendo os partidos pequenos menos competitivos em detrimento dos partidos de oposição. A partir de 2008, isso se fez à revelia da interpretação firmada pelo Judiciário sobre as migrações partidárias, segundo a qual o cargo pertence ao partido, e, não, aos parlamentares. Esses desdobramentos ilustram bem o papel decisivo dos atores políticos na maximização ou minimização das características estruturais do sistema político. Dito de outro modo: sua capacidade de gerar novos recursos de poder a partir de instituições dadas e herdadas pode ser usada tanto para *desconstruir* quanto para aprofundar a qualidade do sistema de representação e, portanto, da democracia representativa.

Por essa perspectiva, pode-se dizer que, no plano doméstico, a bonança econômica criou os incentivos para a maximização das tendências plebiscitárias do sistema político brasileiro. Mas não a explica. É na ação estratégica dos políticos eleitos, do governo, de sua base aliada, assim como das oposições, que devem ser buscadas as causas do embaralhamento das identidades partidárias, da despolitização do eleitorado — e do quadro partidário.

A mesma perspectiva analítica permite situar melhor o impacto das mudanças na forma de inserção do Brasil no cenário internacional. A direção dessas mudanças já estava dada quando da crise de 2008. O que é específico ao contexto pós-crise são dois tipos de desdobramento. Por um lado, a percepção da invulnerabilidade comparativa da economia brasileira a choques externos e a relativa estabilidade do sistema financeiro, graças às instituições regulatórias implantadas no período 1995-2002; por outro, o *crash* de 2008 e as vicissitudes da Europa do euro deram novo impulso à convergência entre as novas e velhas elites no sentido de aprofundar a ação do Estado (e das burocracias relevantes) como agente de transformação econômica. Para muito além, portanto, da ação anticíclica conjuntural que o imediato pós-crise requeria — e para a qual convergiram todos os países emergentes.

Outra razão para a ansiedade em relação ao novo *mix* entre Estado e mercado consiste no fato de que este recriou, em nova versão, mais inclusiva, os padrões que caracterizaram os anéis burocráticos nos anos 1970. A concentração de enormes fontes de riqueza em mãos de agentes estatais — empresas e bancos públicos, fundos de pensão, bancos de investimento — compôs-se com um quadro de partidarização dessas arenas decisórias. Seu complemento foi a incorporação de interesses empresariais selecionados e sindicais às estruturas controladas pelo Poder Executivo. A estratégia de *pick up the winner* consolidou uma nova forma de captura do Estado pelos interesses organizados que não refletem critérios de interesse público. Isso, com duas diferenças em relação aos anéis burocráticos dos anos 1970: esse processo se desenvolveu em um contexto democrático, sob a égide de um partido dominante, cuja vocação hegemônica é moderada — e contestada — pelos demais sócios da coalizão governamental. Além disso, a democracia oferece anticorpos inexistentes àquela época, sobretudo as instituições que impõem critérios mínimos de prestação de contas e de responsabilização aos detentores de cargo público. Para além da concorrência eleitoral, outros mecanismos limitam a consolidação de qualquer projeto hegemônico, como um sistema de justiça que garante um mínimo de *checks and balances*; uma imprensa competitiva, que reforça o fortalecimento de um sistema de *accountability* liderado por insituições dotadas de alguma eficácia, como a Polícia Federal, a Controladoria Geral da União, o Ministério Público e os tribunais de contas; e, por último, mas igualmente relevante, um setor privado integrado à economia global e resistente a excessos de experimentação estatizante.

Conclusões

A crise de 2008 e as turbulências na Europa deram maior visibilidade às transformações que, embora já estivessem em curso nos países emergentes, tornaram urgentes os esforços para ressituar as relações entre Norte e Sul. O fato de a recuperação econômica ter velocidades distintas em cada um desses conjuntos, sendo muito mais acelerada entre os emergentes, trouxe para o centro do palco também a redistribuição das responsabilidades quanto a um desafio comum: como reequilibrar a economia internacional?

As crises no coração do capitalismo levaram a uma revisão parcial dos termos em que se discutiam as condições de governança econômica global. De forma tácita ou explícita, há uma relativa convergência quanto à necessidade de ressituar as questões relevantes no contexto pós-2008. Dois tópicos merecem registro. Primeiro, a maior difusão de poder no plano global coexiste com o crescente empoderamento econômico e político de alguns países do Sul, empoderamento de que a expressão "países em desenvolvimento" não dá conta. Essa questão está presente nas análises sobre multipolaridade, sobre a emergência de poderes regionais, assim como nas caracterizações socioeconômicas do tipo Brics etc. É recorrente também nos debates sobre o futuro do dólar como moeda de reserva internacional e sobre as moedas com as quais terá de dividir essa função — que não serão muitas.[9] O segundo ponto de convergência é uma mudança de perspectiva sem precedentes: a resposta às questões de governança global no plano econômico-financeiro e monetário deixaram de ser um *affair* — e uma prerrogativa — dos países do Atlântico Norte.[10] Tampouco podem ser tratadas exclusivamente nos termos desses países, ou nos termos de uma coalizão política como a do G-8.

Um dos pressupostos deste capítulo é o de que o tempo de absorção necessário para adequar os mapas cognitivos ao choque de realidade representado por essas transformações é o tempo da política, comparativamente mais lento do que o tempo das crises econômicas. Um pressuposto derivado do anterior é o de que essa adequação dos mapas cognitivos é uma tarefa mais complexa para os poderes emergentes, por conta de sua diversidade. As diferenças em termos de tradições de *policymaking*, de valores, de cultura e de regimes políticos dificultam enormemente a formação de consensos mínimos, indispensáveis para a eficiência e a autoridade política de qualquer "G-x".

Os poderes emergentes têm em comum, porém, a seguinte experiência: as mudanças em sua forma de inserção (variável) no cenário internacional se explicam a partir de suas trajetórias específicas de integração à economia e à sociedade global. Ou seja, remetem às suas respostas específicas à "globalização". Por isso, o princi-

---

[9] Para uma análise histórica e atual das relações entre poder econômico e moeda de reserva, extremamente acessível aos não iniciados em questões monetárias, ver Eichengreen (2011).

[10] Em 2007 e 2008, ainda era possível detectar a vigência desse pressuposto mesmo entre acadêmicos de reputação internacional, críticos da ortodoxia e da abordagem racionalista. Isso confirma a importância da crise como um "choque de realidade", cuja absorção, de resto, tem sido mais rápida entre formuladores de políticas públicas, sobretudo banqueiros centrais. Ver o discurso do presidente do FED (Bernanke, 2010).

pal pressuposto teórico-metodológico deste estudo pode ser formulado como se segue: a natureza (variável) da resposta à globalização depende de como a agenda da globalização foi (e está sendo) absorvida, filtrada e decantada na agenda do Estado e da sociedade em tela.[11] A natureza do Estado varia, em termos das forças sociopolíticas que o integram, de suas instituições, e, sobretudo, de sua relação com a sociedade, assim como da permeabilidade desta última às forças da globalização. Em nenhum caso, porém, cabe tratá-lo como o registro passivo dessas forças. É em função desse pressuposto que se justifica a adoção de uma perspectiva de longo prazo, como a adotada aqui, para ressituar a experiência brasileira de liberalização econômica com democratização.

Por que ela é relevante no contexto pós-2008? Porque o desafio maior dos poderes emergentes consiste em explorar as oportunidades que se oferecem para a inversão parcial do movimento descrito: pela primeira vez, os Estados e as sociedades relevantes poderão/deverão influenciar a agenda definidora das novas condições de governança global. Os alinhamentos internacionais dependerão também da bagagem de cada um — o que se está disposto a preservar e em que áreas se dispõe a fazer compromissos.

A reconstituição da trajetória brasileira demonstra que o atual modo de inserção do país no cenário internacional é resultante de um *processo seletivo* no qual a opção por reformas de mercado se mostrou compatível com políticas redistributivas sustentáveis, em um contexto de democratização. Ela indica que o quadro constitucional e as mudanças nos critérios de legitimação política pelos quais as elites governamentais chegaram ao poder, e justificaram suas opções aos olhos de suas *constituencies*, fizeram diferença. O país se destaca pela natureza especial de seu *soft power*, essencial para a construção de consensos mínimos — a par de outras democracias emergentes de mercado, nas quais o multiculturalismo faz parte das instituições do Estado e das aspirações da sociedade, como a Índia, a África do Sul, a Indonésia, a Turquia.

Partindo dessa perspectiva, procurei ressituar as características distintivas da trajetória brasileira à luz das mudanças na forma de inserção do país no sistema internacional, sob a égide da democratização; e à luz dos temas que marcaram o debate latino-americano sobre as relações entre democracia, mercado e Esta-

---

[11] Esse pressuposto se apoia em uma das muitas contribuições da Saskia Sassen (2007:91-108), embora, em sua análise, ainda prevaleça o pressuposto de que a solução das questões de governança global continuaria a ser uma questão a ser resolvida entre os países do Atlântico Norte.

do. Uma das conclusões à qual reporto o leitor é a necessidade de descartar de vez o reducionismo econômico na interpretação da nossa trajetória. Por um lado, porque a administração da "necessidade econômica", configurada nos choques externos de 1980 e 1990, mesmo no auge da crise fiscal do Estado e da aceleração inflacionária, se fez sob a égide de um novo *mix* entre Estado e mercado, e, não, de um assalto ao Estado. Descarte-se, portanto, a hipótese do caráter subalterno da política em relação à economia. Por outro, se a construção democrática é um valor, como justificar a noção de "década perdida" aplicada àquele período a não ser pela extrema dissociação (quase esquizofrênica) entre economia e política?

A resposta às questões que abriram este capítulo podem ser assim resumidas: a construção da nossa trajetória evidencia o quanto há de inadequado, por unilateral, nos mapas cognitivos dominantes no debate político. A *recombinação* entre Estado e mercado, característica dos anos 1980 e 1990 — que marca a integração definitiva do país à economia e à sociedade global —, se fez sob a égide da Constituição de 1988, cujas características *sui generis* foram exploradas neste texto. Ela foi uma constrição habilitadora do viés redistributivo, sustentável, que reverteu nossa vocação secular para a modernização socialmente conservadora. Ao mesmo tempo, atuou como uma constrição a experimentos radicais como o liberalismo econômico e ao "assalto ao Estado", ao instituir múltiplos pontos e poderes de veto entranhados na sociedade. Isso nos diferenciou da Argentina e do Chile. Em outros termos, a liberalização e o reordenamento da economia tiveram lugar em um quadro legal de concorrência política e de participação que redundou na construção de consensos mínimos, sustentáveis. São eles que conferem um forte viés "social-democrata" ao *mix* atual entre Estado e mercado entre nós.

O reducionismo apresenta outra face, porém: a de que a aceleração do crescimento e a diversificação estrutural que lhe é associada seriam fatores de desenvolvimento institucional. Paradoxalmente, o desempenho econômico do país e seu novo *status* no cenário internacional abriram espaço para o reforço das distorções estruturais do sistema político. A principal delas — a dominância do Executivo federal, ancorada em um hiperpresidencialismo de coalizão — configura a modalidade brasileira de "democracia delegativa", caracterizada por O'Donnell (1994), mas por motivos diferentes daqueles explorados em sua análise. Não se explicam por um "assalto ao Estado", nem pela forma com que a liberalização econômica foi levada a cabo na democracia nascente.

A trajetória brasileira é a melhor evidência, a meu ver, das limitações de outro tipo de determinismo — o determinismo estrutural que exclui a ação, o papel (e a responsabilidade) dos agentes de mudança na produção das instituições relevantes para a qualidade da democracia. Mudanças estruturais como os choques externos de 1980 e 1990, e como as que vivemos hoje, dessa vez com sinal positivo, apenas oferecem um conjunto de incentivos ou de desincentivos para a ação estratégica dos atores políticos — no caso, eleitos — e para sua responsabilização, não só no nível doméstico como nos novos e velhos fóruns internacionais.

Bibliografia

ABRUCIO, Fernando Luiz; LOUREIRO, Maria Rita. Finanças públicas, democracia e *accountability*. In: BIDERMAN, Ciro; ARVATE, Paulo (Orgs.). *Economia do setor público no Brasil*. São Paulo: Elsevier, 2005. p. 75-102.

BERNANKE. *Speech at the 6th European Central Bank Conference*. Frankfurt, Nov. 19 2010. Disponível em: <www. BISs/central bankers-speeches>.

BIDERMAN, Ciro; ARVATE, Paulo (orgs.). *Economia do setor público no Brasil*. São Paulo: Elsevier, 2005.

CARDOSO, Fernando Henrique. *Xadrez internacional e social-democracia*. São Paulo: Paz e Terra, 2010.

D'ARAÚJO, Maria Celina (Org.). *O governo Lula*: contornos sociais e políticos da elite do poder. Rio de Janeiro: Cpdoc, 2007.

_____. *A elite dirigente do governo Lula*. Rio de Janeiro: Cpdoc, 2009.

DRAIBE, S. M. Social policies in the 1990's. In: BAUMAN, Renato (Ed.). *Brazil in the 1990's*: an economy in transition. Houndmills: Palgrave, 2002.

_____. Social policy reform. In: FONT, Mauricio; SPANAKOS, Anthony. *Reforming Brazil*. Lantham, Md: Lexington Books, 2004.

_____. Brazilian case study: report n. 3. Geneva: Unrisd, 2010. (Background paper to Unrisd flagship report: *Combating poverty and inequality*.)

EICHENGREEN, Barry. *Exhorbitant Privilege. The Rise and Fall of the Dollar and the Future of the International Monetary System*. Oxford: Oxford University Press, 2011.

FERREIRA, Francisco; LITCHFIELD, Julie; LEITE, Phillippe. *The rise and fall of Brazilian inequality:* 1981-2004. Washington, DC: World Bank, 2006. (World Bank Policy Research Working Paper Series.) Disponível em: <http://ideas.repec.org/p/wbk/wbrwp/3867.html>.

FRENKEL, R.; FANELLI, J. M.; ROZENWURCEL, G. Growth and structural reform in Latin America: where we stand. In: SMITH, W. C.; ACUÑA, C.; GAMARRA, Eduardo (Eds.). *Latin American political economy in the age of neoliberal reform*. New Brunswick: Transaction, 1993.

O'DONNELL, Guillermo. Delegative democracy. *Journal of Democracy*, v. 5, n. 1, p. 55-69, Jan. 1994.

SAMUELS, David. Brazilian democracy under Lula and the PT. In: DOMINGUEZ, Jorge; SHIFTER, Michael (Eds.). *Constructing democratic governance in Latin America*. Baltimore: Johns Hopkins University Press, 2008.

SASSEN, Saskia. The State and globalization. In: HALL, R. B.; BIERSTEKER, Thomas (Eds.). *The emergence of private authority in global governance*. 3. ed. Cambridge: Cambridge University Press, 2007. p. 91-108.

SOLA, Lourdes. The State, structural reform and democratization in Brasil. In: SMITH, W. C.; ACUÑA, C.; GAMARRA, Eduardo (Eds.). *Democracy, markets and structural reform in Latin America:* Argentina, Bolivia, Brazil, Chile, and Mexico. Boulder, Col.: Lynne Rienner, 1993a.

_____. Estado, transformação econômica e democratização no Brasil. In: _____. (Org.). *Estado, mercado e democracia*. São Paulo: Paz e Terra, 1993b.

_____. Financial credibility, legitimacy and political discretion: the Lula da Silva government. In: _____; WHITEHEAD, L. *Statecrafting, monetary authority, democratization and financial order in Brazil*. Oxford: Center for Brazilian Studies, 2005.

_____. Politics, markets and society in Lula's Brazil. *Journal of Democracy*, v. 19, n. 2, Apr. 2008.

_____. Central banks. In: BADIE, B.; BERG-SCHLOSSER, D.; MORLINO, L. (Eds.). *International encyclopedia of political science*. London: Ipsa, Sage, 2011.

_____; MARQUES, M. Central banking, democratic governance and the quality of democracy. In: SOLA, L.; WHITEHEAD, L. *Statecrafting, monetary authority, democratization and financial order in Brazil*. Oxford: Center for Brazilian Studies, 2005.

_____; WHITEHEAD, L. *Statecrafting, monetary authority, democratization and financial order in Brazil*. Oxford: Center for Brazilian Studies, 2005.

_____; GARMAN, Christopher; MARQUES, Moisés. Banco Central, autoridade política e governabilidade democrática. In: SOLA, L.; KUGELMAS, E.; WHITEHEAD, L. (Orgs.). *Banco Central, autoridade política e democratização:* um equilíbrio delicado. Rio de Janeiro: FGV, 2002.

WHITEHEAD, Laurence. The political dynamics of financial crisis in "emerging market democracies". In: SOLA, L.; WHITEHEAD, L. *Statecrafting, monetary authority, democratization and financial order in Brazil*. Oxford: Center for Brazilian Studies, 2005.

WOODS, Ngaire. *The Globalizers, the IMF and the World Bank and their Borrowers*. Cornell: Cornell University Press, 2000.

Sobre os autores

ALEXANDRE DE ÁVILA GOMIDE, mestre em economia pela Universidade Federal do Rio Grande do Sul (1998) e doutor em administração pública e governo pela Escola de Administração de Empresas de São Paulo (EAESP/FGV), com período sanduíche na Universidade da Califórnia, em Berkeley. É técnico de pesquisa e planejamento do Instituto de Pesquisa Econômica Aplicada (Ipea) desde 1997.

EDUARDO KUGELMAS, falecido em 2006, foi professor da Universidade de São Paulo (USP), doutor em ciência política pela mesma universidade, com pós-graduação em economia pela Escolatina, Universidade do Chile. Autor de *A difícil hegemonia: um estudo sobre São Paulo na Primeira República* (Mameluco, 2001), foi coeditor de *Banco Central, autoridade política e democratização: um equilíbrio delicado* (FGV, 2002), autor de "Recent modifications of the international financial system", e coautor de "Crafting economic stabilization: political discretion and technical innovation in the implementation of the Real Plan", respectivamente, capítulos 2 e 4 de *Statecrafting monetary authority: democratization and financial order in Brazil* (Center for Brazilian Studies, 2005).

FÁBIO PEREIRA DOS SANTOS é sociólogo e doutor em administração pública e governo pela EAESP/FGV.

LOURDES SOLA, professora do Departamento de Ciência Política da USP, pesquisadora sênior do Núcleo de Políticas Públicas da mesma universidade e consultora, é PhD em ciência política pela Universidade de Oxford e livre-docente pela USP. Foi presidente da International Political Science Association (IPSA) de 2006 a 2009. É autora de *Ideias econômicas, decisões políticas* (Edusp, 1994) e coeditora, com Laurence Whitehead, de *Statecrafting monetary authority: democratization and financial order in Brazil* (Center for Brazilian Studies, 2005), e com Eduardo Kugelmas e Laurence Whitehead, de *Banco Central, autoridade política e democratização: um equilíbrio delicado* (FGV, 2002).

MARCO ANTONIO CARVALHO TEIXEIRA, doutor em ciências sociais pela Pontifícia Universidade Católica de São Paulo (PUC-SP) e professor do Departamento de Gestão Pública da EAESP/FGV, é também pesquisador do Centro de Estudos em Administração Pública e Governo da FGV, em São Paulo.

MARIA RITA LOUREIRO, doutora em sociologia pela USP e pós-doutorada em ciência política pela New York University, é titular da Faculdade de Economia da USP e pesquisadora da Fundação Getulio Vargas, em São Paulo. Entre suas várias publicações sobre a relação entre política e economia, incluem-se: *Economistas no governo: democracia e gestão econômica*, e *Burocracia e política no Brasil: desafios para o Estado democrático no século XXI* (em coautoria), ambas publicadas pela Editora FGV.

MARIA TEREZA AINA SADEK, doutora em ciência política, professora do Departamento de Ciência Política da USP, diretora científica do Centro Brasileiro de Estudos e Pesquisas Judiciais (Cebepej), é autora de *Magistrados: uma imagem em movimento* (FGV, 2006), e de "Judiciário e arena pública: um olhar a partir da ciência política?" (2011).

MATTHEW TAYLOR é professor do Departamento de Ciência Política da USP. Graduado pela Princeton University, tem mestrado em políticas públicas e doutorado em ciência política comparada pela Universidade de Georgetown. É autor de *Judging policy: courts and policy choice in democratic Brazil* (Stanford University Press, 2008) e coorganizador, com Timothy Power, de *Corruption and democracy in Brazil: the search for accountability* (University of Notre Dame Press, 2011).

MOISÉS S. MARQUES, engenheiro e cientista social, mestre e doutor em ciência política pela USP, é coautor de vários artigos, entre os quais: "Central banking, democratic governance and political authority" e "Moral hazard and macroeconomic instability", publicados na *Revista de Economia Política*. É coautor de "Central banking, democratic governance and the quality of democracy", coordenador de Relações Internacionais da Faculdade Santa Marcelina, tendo atuado por 26 anos como consultor no mercado financeiro.

PAULO PEREIRA MIGUEL é mestre em economia pela Faculdade de Administração, Economia e Contabilidade (FEA) da USP, e em administração de empresas pelo Insead, da França. Foi professor de finanças internacionais e avaliação de empresas do Instituto de Ensino e Pesquisa (Insper). Atualmente é economista da Quest Investimentos.

SÔNIA M. DRAIBE, doutora em ciência política pela USP e mestre em sociologia pela Faculdade Latino-americana de Ciências Sociais (Flacso), é professora do Instituto de Economia e pesquisadora sênior do Núcleo de Estudos de Políticas Públicas, ambos da Universidade Federal de Campinas (Unicamp). É consultora internacional em políticas sociais. Foi secretária-geral da Associação Brasileira de Ciência Política. Entre suas publicações, encontram-se: o capítulo 6 de *Brazilian Developmental Welfare State: rise, decline, perspectives*; em coautoria, a introdução e o primeiro capítulo de *Latin America: a new Developmental Welfare State Model in the making?* e, como coorganizadora, *Desempeño económico y política social en América Latina y el Caribe: los retos de la equidad, el desarrollo y la ciudadania*.

TIAGO CACIQUE MORAES, mestre em administração pública e governo pela EAESP/FGV, atualmente trabalha no Instituto de Governança Social, em Belo Horizonte, como coordenador de projetos.

Esta obra foi produzida nas
oficinas da Imos Gráfica e Editora na
cidade do Rio de Janeiro